Heinz Schink · Projektierung von Regelanlagen

Projektierung von Regelanlagen

Heinz Schink

unter Mitarbeit von

W. Becker · R. Isermann · W. Muckli · W. Peinke

1970
VDI-VERLAG GMBH DÜSSELDORF
Verlag des Vereins Deutscher Ingenieure

Titelaufnahme für eine Schrifttumskartei

DK 62-50 : 62-53.001.13 Schink, Heinz: Projektierung von Regelanlagen
Düsseldorf: VDI-Verlag 1970. 157 Seiten, 111 Bilder,
7 Tafeln

Zum Geleit

Die Projektierung einer automatisierten Großanlage erfordert eine Universalität des Wissens und der Erfahrung, die einem einzelnen nie, einer ausgewählten Gruppe von Fachleuten nur selten gegeben ist. Eine profunde Kenntnis der physikalischen Vorgänge allein nutzt wenig, wenn Apparatebauer und Technologen das letzte Wort haben, aber auch Betriebsingenieure, die mit vergleichbaren Objekten „groß geworden“ sind, ermangeln nicht selten des Wissens um den Anteil und der Bedeutung der Signalverarbeitung, ohne die es keine Messung und Regelung gibt. Der projektierende Ingenieur, der mehr als früher entweder die Anlage oder die Instrumentierung entwirft, empfindet das Dilemma seines Standortes in der Kluft zwischen Theorie und Praxis, weiß aber oft nicht, in welchen Sparten der modernen Theorie er seine frühere Ausbildung ergänzen sollte.

Dieses Buch versucht, von den gegenwärtigen Anforderungen her eine Antwort zu geben. Es ist aus einer bewährten Zusammenarbeit von Industrie und Hochschulen entstanden. Zwei Beiträge des Herausgebers und eine breit angelegte Übersicht von *W. Peinke* über die Planung und Montage von Meß- und Regelanlagen liefern den Rahmen und die Motivierung für diejenigen Aufsätze, welche die Struktur großer Regelsysteme und die in ihnen auftretenden Signale zum Gegenstand haben. Der Beitrag von *R. Isermann* rekapituliert die Grundlagen der Berechnung oder Abschätzung des dynamischen Verhaltens des einfachen Regelkreises. Die beiden, thematisch zusammenhängenden Abschnitte aus der Feder von *W. Muckli* behandeln Regelschaltungen und Einstellkriterien sowie die grundlegenden Aspekte der Mehrgrößenregelung. Der Verfasser beschränkt sich zu Recht auf Verfahren, welche mit betriebsmäßigen Meß- und Regelgeräten durchführbar sind. *W. Becker* berichtet über das Verhalten von Regelkreisen bei stochastischen Störsignalen, die gerade bei verfahrenstechnischen Großanlagen überwiegen. Auch dieser Beitrag zeigt, daß eine hohe und spröde Theorie so gefiltert werden kann, daß ihre Bedeutung für Ingenieuraufgaben evident wird. Wer dann noch den abschließenden Artikel mit den interessanten Beispielen aus der Praxis liest, wird erkennen, daß jene nur das absolut notwendige Minimum an Theorie enthalten.

Es ist zu wünschen, daß das Buch zahlreiche Leser anspricht. Es ist sehr viel aktueller als manches dickleibige Sammelwerk über „die" industrielle Regelung; die Literaturangaben machen es leicht, weitere Information über einzelne Fragen zu finden.

O. Schäfer

Oktober 1969

Der Herausgeber dankt Herrn Professor Dr. *E. Wintergerst* für die wohlwollende Förderung des Vorhabens, Herrn Professor Dr. *O. Schäfer* für wissenschaftliche Beratung sowie Herrn Dipl.-Phys. *H. Kowalski* für wertvolle Hinweise.

Inhalt

1. Grundbegriffe der Steuerung und Regelung Seite

1.1. Einleitung ... 1

1.2. Produktionsverfahren ... 1

1.3. Steuerung und Regelung ... 2

1.4. Begriffe ... 4

1.5. Regelkreis ... 5

1.6. Verhalten von Regelkreisgliedern ... 7

1.7. Verbindung von Regelkreisen mit Steuerungen und anderen Regelkreisen ... 8

2. Methoden der Regelung

2.1. Konventionelle Regelungsmethode ... 10

2.2. Voraussteuerung von Regelkreisen ... 11

2.3. Einsatz von zentralen Prozeßrechnern ... 13

2.4. Direkte Digital-Regelung (DDC) ... 18

3. Regelschaltungen und Einstellkriterien

3.1. Aufbau eines einfachen Regelkreises ... 21

3.1.1. Regelstrecke ... 21
3.1.2. Meßfühler und Meßumformer ... 23
3.1.3. Stellgerät ... 23
3.1.4. Regler ... 24
P-Regler · I-Regler · PI-Regler · PD- und PID-Regler

3.2. Aufbau und Kennwerte eines Reglers ... 29

3.3. Anpassung des Reglers an die Regelstrecke ... 31

3.3.1. Kriterien für die Regelgüte ... 32
3.3.2. Einstellregeln für Regler ... 34
Die Einstellregeln von Ziegler und Nichols · Die Einstellregeln nach Chien, Hrones und Reswick

3.4. Verbesserung des Regelverhaltens ... 38

3.4.1. Vorregelung der Einflußgrößen ... 39
3.4.2. Störgrößenaufschaltung ... 39

Seite

3.4.3. Einführung einer Hilfsstellgröße ... 40
3.4.4. Einführung einer Hilfsregelgröße ... 41
3.4.5. Kaskadenregelung ... 42
3.4.6. Übersicht über die Auswirkungen der einzelnen Maßnahmen zur Verbesserung des Regelverhaltens ... 42

4. Dynamisches Verhalten von Regelkreisen

4.1. Einleitung ... 44

4.2. Zum dynamischen Verhalten von Regelstrecken ... 44

4.2.1. Regelstrecken mit konzentrierten Parametern ... 45
4.2.2. Regelstrecken mit verteilten Parametern ... 50

4.3. Analyse von Regelstrecken ... 53

4.3.1. Mathematische Analyse von Regelstrecken ... 53
4.3.2. Experimentelle Analyse von Regelstrecken ... 54

Verwendung determinierter Testsignale (kleine Störungen) · Verwendung statistischer Methoden · Modellverfahren

4.4. Zum dynamischen Verhalten von Reglern ... 57

4.5. Betrachtungen am geschlossenen Regelkreis ... 60

4.5.1. Stör- und Führungsverhalten ... 61
4.5.2. Stabilität ... 63

Stabilitätskriterium nach Hurwitz · Stabilitätskriterium nach Nyquist

4.5.3. Zur optimalen Reglereinstellung ... 68

5. Das Verhalten von Regelkreisen bei stochastischen Störsignalen

5.1. Einleitung ... 70

5.2. Kennwerte stochastischer Funktionen ... 72

5.2.1. Amplitudenverteilung und Verteilungsdichtefunktion ... 72
5.2.2. Leistungsdichte ... 74

5.3. Auswirkungen stochastischer Störgrößen auf Regelkreise ... 76

6. Mehrgrößenregelung

6.1. Definition der Mehrgrößenregelung ... 81

6.2. Darstellung und Beschreibung der Mehrgrößenregelung ... 81

6.3. Wirkungssinn der Kopplungen ... 83

6.4. Beispiele von Mehrgrößenregelungen ... 83

6.5. Entkopplung der Regelkreise ... 84

6.6. Näherungsweise Entkopplung von Zweigrößenregelkreisen ... 87

6.7. Struktur der Mehrgrößenregelkreise ... 90

6.8. Verhalten nicht entkoppelter Mehrgrößenregelkreise ... 92

6.9. Reglereinstellung an nicht entkoppelten Zweigrößenregelkreisen ... 94

7. Beispiele ausgeführter Regelanlagen Seite

7.1. Einleitung ... 98

7.2. Regelung diskontinuierlicher Anlagen ... 99

7.2.1. Regelung einer Bleichanlage für Speiseöl ... 99
7.2.2. Regelung der Desodorisation von Speiseöl ... 101
7.2.3. Regelung eines Autoklaven ... 103

7.3. Regelung kontinuierlicher Anlagen ... 104

7.3.1. Regelung einer Verdampfstation für Dicksaft ... 104
7.3.2. Regelung eines Dampferzeugers ... 107
7.3.3. Regelung einer Schnitzeltrocknungsanlage in der Zuckerindustrie ... 109
7.3.4. Regelung eines Zementdrehofens ... 113

7.4. Einsatz kleiner Analogrechner in verfahrenstechnischen Prozessen ... 117

7.4.1. Verhältnisregelung der Wärmeaufnahme zweier Destillationskühlschlangen ... 118
7.4.2. Regelung der Sauerstoffzufuhr für einen Thomas-Konverter ... 119

8. Planung und Montage von Meß- und Regelanlagen

8.1. Voraussetzungen ... 120

8.1.1. Beschreibung des Produktionszieles ... 120
8.1.2. Erster Planungsentwurf, Kostenschätzung ... 120

8.2. Ausarbeitung der Pläne ... 123

8.2.1. Verfahrensplan ... 125
8.2.2. Gerätesymbole ... 125
8.2.3. Betriebsschema ... 127
8.2.4. Meßstellenschema ... 127
8.2.5. Auswahl der Meß- und Regelgeräte ... 129
8.2.6. Gerätelisten ... 131
8.2.7. Installationspläne ... 131
8.2.8. Anlagenmodell ... 132
8.2.9. Schaltpläne, Kabelpläne ... 133
8.2.10. Zeitplanung ... 136

8.3. Sicherstellung der Hilfsenergie ... 137

8.3.1. Allgemeines ... 137
8.3.2. Pneumatische Hilfsenergie ... 138
8.3.3. Elektrische Hilfsenergie ... 140
8.3.4. Hydraulische Hilfsenergie ... 142

8.4. Montage von Meß- und Regelgeräten ... 143

8.4.1. Lage und Gestaltung der Meßwarte ... 143
8.4.2. Lage und Gestaltung des Schaltraumes ... 144
8.4.3. Lage und Gestaltung der Analysenräume ... 145
8.4.4. Montage von Anlagegeräten ... 145

8.5. Inbetriebnahme der Anlage ... 148

Schrifttum ... 151

Sachwortverzeichnis ... 155

1. GRUNDBEGRIFFE DER STEUERUNG UND REGELUNG

1.1. Einleitung

Die Weiterentwicklung industrieller Produktionsverfahren geht seit langem dahin, arbeitsintensive Vorgänge durch kapitalintensive zu ersetzen. Ein wesentliches Mittel dazu ist die Anwendung der Steuerungs- und Regelungstechnik, die es gestattet, den Menschen von der unmittelbaren Einwirkung auf das Verfahren freizusetzen und ihn nur noch mit Überwachungsfunktionen zu betreuen.

In dieser Entwicklung ist die Verfahrenstechnik besonders weit fortgeschritten, da nur etwa 15 bis 25 % ihrer gesamten Produktionskosten auf die Personalkosten entfallen gegenüber etwa 50 % im Maschinenbau und in der Elektroindustrie. Diese günstige Situation rührt daher, daß die Vor-, Zwischen- und Fertigprodukte der Verfahrensindustrie weitgehend aus formlosen Massengütern bestehen, die sich besonders leicht transportieren lassen. Unter ihnen spielen wiederum Gase und Flüssigkeiten die größte Rolle, weshalb Rohre, Pumpen und Behälter das Gesicht einer derartigen Produktionsanlage bestimmen.

1.2. Produktionsverfahren

Prinzipiell unterscheidet man in der Verfahrenstechnik zwei Arten des Produktionsablaufes: das Chargenverfahren und das Fließverfahren. In typischen Chargenverfahren spielen sich in *einem* Behälter mehrere Vorgänge *nacheinander* ab, während im Fließverfahren alle *gleichzeitig* in *verschiedenen* Behältern ablaufen. *Bild 1* zeigt als Beispiel die Trennung eines Vierstoffgemisches. Im Chargenverfahren (a) lauten die Arbeitstakte: Füllen, Aufheizen, Destillieren bei verschiedenen nacheinander erreichten Temperaturen, Abkühlen und Austragen. Das Fließverfahren (b) benötigt bei dem angenommenen Vierstoffgemisch drei Destillationskolonnen statt einer. In jeder Kolonne herrscht eine bestimmte, zeitlich konstante Temperatur, es wird ständig Vorprodukt zugegeben, und es fallen ständig die vier verschiedenen Endprodukte an.

Die Apparatur für das Fließverfahren ist umfangreicher, die Bedienbarkeit wird wegen der zeitlich unveränderlichen Größen jedoch einfacher. Außerdem ist die je Zeit erzielbare Produktionsmenge im Fließverfahren wesentlich

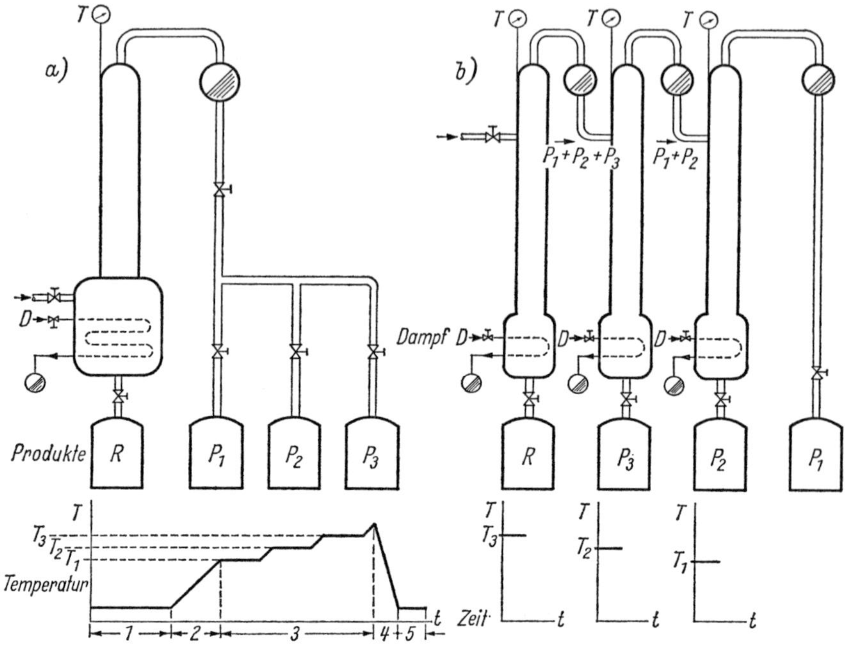

Bild 1. Destillation eines Vierstoffgemisches

a) Chargenverfahren, b) Fließverfahren
1 Füllen, 2 Aufheizen, 3 Destillieren, 4 Abkühlen, 5 Austragen
T Temperaturmesser, P_1, P_2, P_3, R Endprodukte

größer. Deshalb werden heute in Chargenprozessen vor allem hochwertige, in geringen Mengen produzierte Güter (Farben, Arzneimittel usw.) hergestellt, während man Massengüter nach Möglichkeit im Fließverfahren erzeugt.

1.3. Steuerung und Regelung

Zur Automatisierung der Verfahren benötigt man vor allem Stellorgane, die geeignet sind, das Geschehen in der Apparatur in gewünschter Weise zu beeinflussen. Diese Stellorgane müssen von einer zentralen Stelle aus ferngesteuert werden können. Bei einfachen Füll- und Mischvorgängen im Chargenbetrieb kennt man oft die Zusammenhänge zwischen dem Stellvorgang und dem verfahrenstechnischen Resultat so gut, daß ein einfaches Zeitprogramm, das nacheinander bestimmte Stellorgane öffnet und schließt, den gewünschten Verfahrensablauf erzielt.

Schematisch läßt sich ein solcher „Steuerungs"-Vorgang durch eine Wirkungskette darstellen, Bild 2. Innerhalb dieser Kette (a) werden die Signale bzw. Wirkungen von Glied zu Glied weitergereicht. Das Beispiel (b) zeigt, wie eine solche Steuerung aussehen kann: Ein Programmgeber erzeugt für eine gewisse Zeit ein verändertes Ausgangssignal, z. B. einen elektrischen Strom, wodurch sich ein Ventil öffnet. Durch das Ventil kann Flüssigkeit fließen (Stellstrom) und den Behälter füllen. Der Füllvorgang wird dadurch beendet, daß dem Ventil ein Schließbefehl zugeht. Eine solche Steuerung ist prinzipiell stabil. Sie wird solange zufriedenstellend arbeiten, d. h. eine vorher bestimmte Menge in den Behälter fließen lassen, wie konstante Bedingungen in der Anlage herrschen. Treten jedoch Störungen ein, z. B. eine teilweise Verstopfung im Ventil, so wird während der Öffnungszeit des Ventils eine andere kleinere Menge Flüssigkeit in den Behälter strömen; die Steuerung befriedigt nicht mehr.

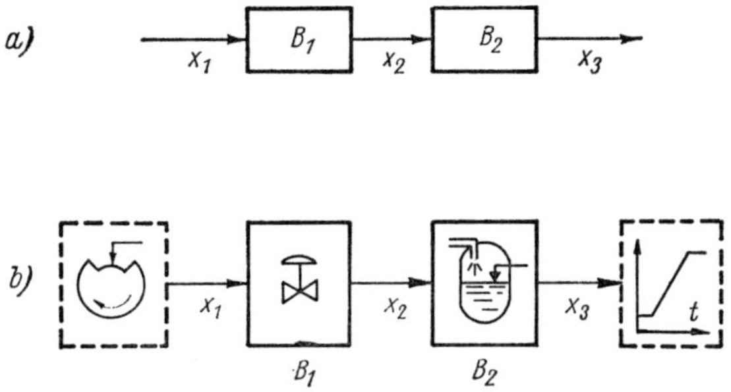

Bild 2. Steuerung

a) Signalflußplan
b) Geräteplan
B_1 Stellorgan
B_2 Behälter
Signale:
x_1 Zeitprogramm
x_2 Stellstrom
x_3 Ergebnisgröße (Niveau)

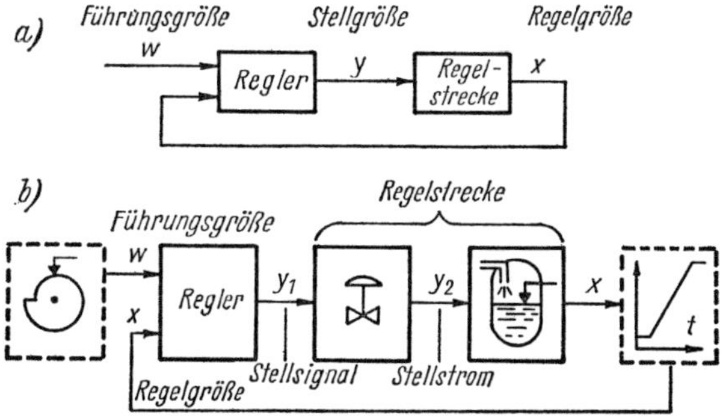

Bild 3. Regelung

a) Signalflußplan
b) Geräteplan

Eine Verbesserung läßt sich durch eine Einrichtung erreichen, die das Ergebnis — hier den Füllstand — ständig mißt, es mit dem gewünschten Wert vergleicht und bei Abweichungen der beiden Signale das Ventil so steuert, daß diese Differenz beseitigt wird. Bild 3 zeigt eine solche abgewandelte Anordnung mit dem zugehörigen Signalflußplan. Man nennt dies eine Regelung, ihr hervorstechendes Merkmal ist der geschlossene Wirkungskreis. Voraussetzung für jede Regelung ist das Messen ihres Ergebnisses. Als Regler bezeichnet man den Teil des Regelkreises, der den Vergleich der Regelgröße mit einem vorgegebenen Wert vollzieht und daraus den Stellbefehl ableitet. Der wesentliche Vorteil der Regelung gegenüber der Steuerung liegt darin, daß die Wirkung von Störungen beseitigt werden kann und daß man den genauen Zusammenhang von Eingangsgröße und Ausgangsgröße nicht kennen muß. Nachteilig ist der größere technische Aufwand für Meßgerät und Regler sowie die Neigung von Regelkreisen, instabil zu werden.

1.4. Begriffe

Die wesentlichen Begriffe der Regelungs- und Steuerungstechnik sind in DIN 19 226 festgelegt. Die erste Ausgabe dieses Blattes von 1954 wurde inzwischen durch die stark erweiterte Fassung von 1968 ersetzt. Die folgenden Ausführungen beziehen sich auf diese Neuausgabe.

In Bild 4 ist nochmals ein beliebiger Regelkreis schematisch dargestellt. Wir entnehmen ihm die folgenden Begriffe:

x Regelgröße: Gemessene Größe = Ausgangsgröße der Regelstrecke $\triangleq$ Eingangsgröße der Regeleinrichtung;

w Führungsgröße: Eingangsgröße der Regeleinrichtung, mit der die Regelgröße verglichen wird;

y Stellgröße: Ausgangsgröße der Regeleinrichtung $\triangleq$ Eingangsgröße der Regelstrecke, durch die die Regelgröße beeinflußt wird;

z Störgröße: Eingangsgröße an beliebiger Stelle des Regelkreises. Die Störgröße beeinflußt die Regelgröße in einer zumeist nicht vorher bestimmbaren Weise. Ihr Auftreten ist der Hauptgrund zum Aufbau eines Regelkreises. Im Bild 4 sind je eine Störgröße am Eingang der Regeleinrichtung z_R und am Eingang der Regelstrecke z_S angegeben.

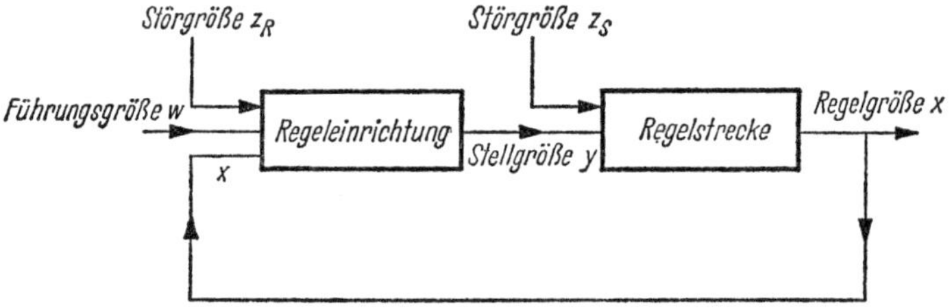

Bild 4. Regelkreis mit je einer Störgröße an Regeleinrichtung und Regelstrecke und einer Führungsgröße

$x - w = x_w$ Regelabweichung:

Sie wird im Regler erfaßt und ist bestimmend für die von der Regeleinrichtung ausgehende Änderung der Stellgröße.

Istwert: Gemessener Wert einer Größe

Sollwert: Wert, den eine Größe annehmen soll.

Die beiden letztgenannten Begriffe werden vorwiegend auf die Regelgröße angewandt und dann mit x_i bzw. x_S bezeichnet.

Weitere Definitionen:

Regelung:	Vorgang, bei dem eine Größe (Regelgröße) fortlaufend erfaßt (gemessen) und durch Vergleich mit einer anderen Größe (Führungsgröße) im Sinne einer Angleichung an diese beeinflußt wird.
Regelstrecke:	Bereich einer Anlage, in dem die Regelgröße von der Stellgröße (durch Änderung des Stellstromes) beeinflußt wird. Die Regelstrecke läßt sich unterteilen in das Stellglied (Ventil, Klappe, Schieber) und den Apparateteil. Letzterer kann ein Stück Rohr, aber auch eine ganze Fabrikationsanlage sein. Das Stellglied ist zumeist das einzige frei veränderliche Konstruktionselement in der Regelstrecke. Seine Bemessung ist sehr wichtig. Die Anlage wird vornehmlich nach verfahrenstechnischen Gesichtspunkten gestaltet, ihre Regelbarkeit sollte aber dennoch berücksichtigt werden.
Regeleinrichtung:	Gesamtheit aller Geräte, welche die Regelung an der Regelstrecke bewirken.
Regler:	Das Gerät innerhalb der Regeleinrichtung, das die Regelabweichung erfaßt (Vergleicher) und eine weitere Funktion (vorwiegend die Bildung eines Stellsignals) erfüllt. Besteht jedoch die Regeleinrichtung nur aus einem Gerät, so wird sie stets als Regler bezeichnet.

In der Verfahrenstechnik läßt sich die Regeleinrichtung oft unterteilen in:

a) Meßeinrichtung mit Meßumformer;

b) Regler im engeren Sinne, bestehend aus Vergleicher, Verstärker und Funktionsbildner (z. B. Rückführung);

c) Stellantrieb.

Weitere Geräte, wie z. B. Sollwertsteller, Hand-Automatik-Schalter, Rechenrelais u. a. m. können die Regeleinrichtung vervollständigen.

Regler haben im allgemeinen einstellbare Funktionen, womit sie an die jeweiligen Eigenschaften der Regelstrecke so angepaßt werden können, daß sie einerseits eine stabile Regelung erzielen, andererseits ihre Aufgabe, Störeinwirkungen zu beseitigen, möglichst rasch und gut erfüllen. Als einstellbare Beziehungen zwischen Eingangs- und Ausgangsgröße verwendet man in ihrer idealisierten Form den proportionalen, den integralen und den differentialen Zusammenhang sowie ihre Kombinationen. Reale Regler haben demgegenüber typische Abweichungen, die von der jeweiligen Konstruktion abhängen.

1.5. Regelkreis

Die Regelung als geschlossener Wirkungskreis wurde schon in den Bildern 3 und 4 dargestellt. Bild 5 zeigt einen betriebsüblichen Regelkreis, der die

Aufgabe hat, einen vorgegebenen Füllstand in einem Behälter aufrechtzuerhalten. Dazu wird der Füllstand, die Regelgröße x, im Behälter gemessen. Im Meßumformer MU wird der gemessene Füllstand in ein für den Regler verwertbares Signal umgeformt. Im Regler R wird dieses Signal mit der Führungsgröße w verglichen; aus dem Vergleich resultiert das vom Regler abgegebene Stellsignal y_R. Das Leitgerät L enthält einen Umschalter, der es — zum Beispiel beim Anfahren der Anlage — gestattet, an Stelle des Reglerausgangssignales y_R ein von Hand eingegebenes Signal y_H an das Stellgerät St weiterzuleiten. Das Stellgerät wird bei der Regelung vom Regler so beeinflußt, daß es bei vermehrtem Zufluß weiter geöffnet, bei vermindertem dagegen mehr geschlossen wird, wodurch ein gleichbleibender Füllstand aufrechterhalten

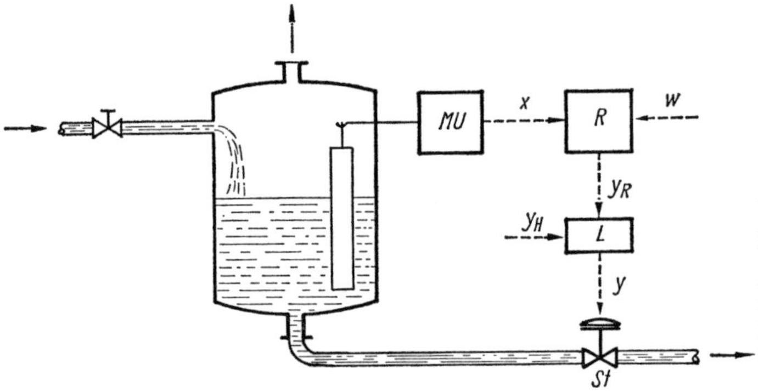

Bild 5
Füllstandregelung

MU Meßformer
R Regler
L Leitgerät
St Stellgerät

werden kann. Eine solche Regelung kann ohne weiteres zum Schwingen kommen. Ausgangspunkt unserer Betrachtung sei eine Störung, durch die mehr Flüssigkeit zugeführt wird. Dadurch steigt der Füllstand, und der Regler wird das Ventil weiter öffnen. Dies erfordert aber eine gewisse Zeit, während welcher der Füllstand noch weiter steigt. Das Ventil wird deshalb noch weiter geöffnet, bis schließlich mehr Flüssigkeit abströmt als hinzukommt. Damit fällt der Füllstand wieder, und sofern das Ventil erst dann mit der Schließbewegung beginnt, wenn der ursprüngliche Stand erreicht ist, wird der Füllstand über den Ausgangspunkt hinaus ansteigen. Denkt man sich dieses Wechselspiel von Standänderung und Abfluß weiter fortgesetzt, so erkennt man die Möglichkeit einer dauernden Schwingung. Durch richtige Auswahl der Reglerfunktion lassen sich solche Schwankungen im allgemeinen vermeiden bzw. stark dämpfen.

In kleinen Anlagen läßt sich der Regelkreis, Bild 5, durch einen einfachen Flüssigkeitsabschneider, Bild 6, ersetzen. Dieses Gerät gestattet keine so klare Aufgliederung der Funktionen wie die vorherige Gerätekette. Klar erkennbar ist, daß der Schwimmer vor allem zur Messung des Füllstandes, also der Regelgröße x, dient. Gleichzeitig wirkt der Schwimmer auch als Stellantrieb, indem er den daruntersitzenden Kegel gegenüber dem Sitz anhebt oder senkt. Weil der Hub des Kegels die Stellgröße y darstellt, sind in dieser Anordnung Änderungen von x und y gleichgroß und nicht voneinander zu unterscheiden. Trotz ihrer Einfachheit stellt diese Anordnung einen vollen

Regelkreis dar; denn Änderungen der Regelgröße x (des Füllstandes) verursachen eine Änderung des Stellstromes (der abfließenden Flüssigkeit), wie auch Änderungen des Stellstromes zu Änderungen der Regelgröße führen. Störgrößen, z. B. vermehrter oder verminderter Zufluß werden offensichtlich gut ausgeregelt, d. h., sie haben nur sehr geringe Standänderungen zur Folge.

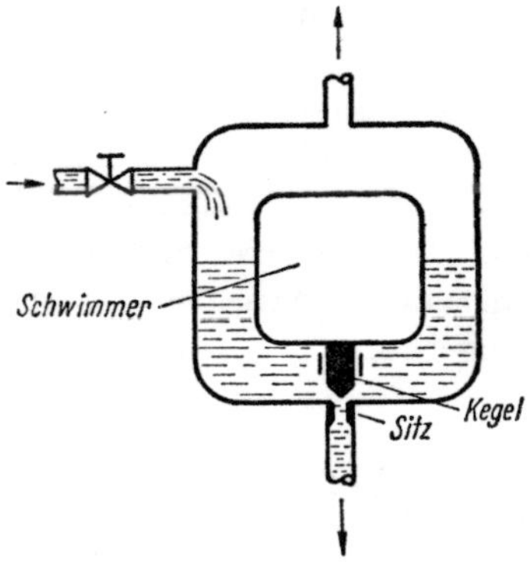

Bild 6
Flüssigkeitsabscheider

1.6. Verhalten von Regelkreisgliedern

Um das Verhalten eines Regelkreises und damit vor allem die Einstellung des Reglers vorhersagen zu können, ist es notwendig, das Verhalten der Einzelglieder zu kennen. Im allgemeinen unterscheidet man zwischen dem statischen Verhalten und dem dynamischen Verhalten. Das statische Verhalten gibt die Zuordnung von Eingangs- und Ausgangsgröße nach Ablauf aller zeitabhängigen Vorgänge wieder. Es wird zumeist in Form von Kennlinien dargestellt.

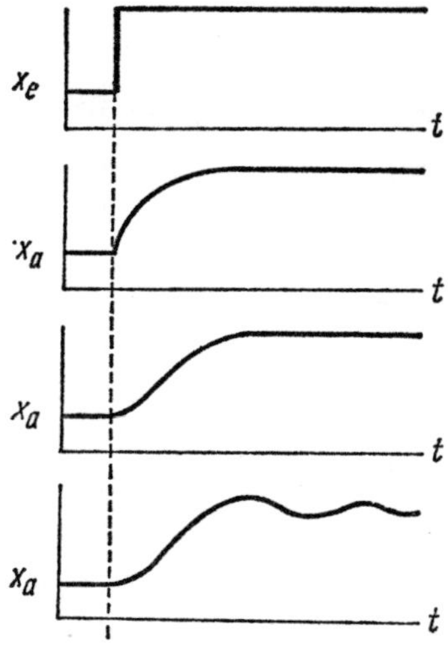

Bild 7
Sprungantworten

x_e Eingangsgröße
x_a Ausgangsgröße
t Zeit

Das dynamische Verhalten, d. h. die Zuordnung von Eingangs- und Ausgangsgröße in Abhängigkeit von der Zeit, wird vor allem durch die Methoden der Sprungantwort und des Frequenzganges beschrieben. **Bild 7** zeigt als Beispiel Sprungantworten, die an einigen Regelstrecken gewonnen wurden. Sie entstehen dadurch, daß die Eingangsgröße sprunghaft geändert wird. Aus dem Zeitverlauf der Ausgangsgröße läßt sich eine allgemeine, z. B. mathematische, Beschreibung des untersuchten Objektes ableiten. Die Frequenzgangmessung besteht darin, daß man der Eingangsgröße sinusförmige Schwankungen aufprägt und die Ausgangsgröße beobachtet. Wie **Bild 8** zeigt, schwankt dann die Ausgangsgröße mit der gleichen Frequenz, jedoch mit unterschiedlicher Amplitude und Phase. Durch Variation der aufgeprägten Frequenz entstehen die Frequenzkennlinien, auch Bode-Diagramm genannt, für die **Bild 9** ein einfaches Beispiel gibt*). Frequenzkennlinien sind besonders dazu geeignet, eine mathematische Formulierung des Verhaltens von Regelkreisgliedern zu geben.

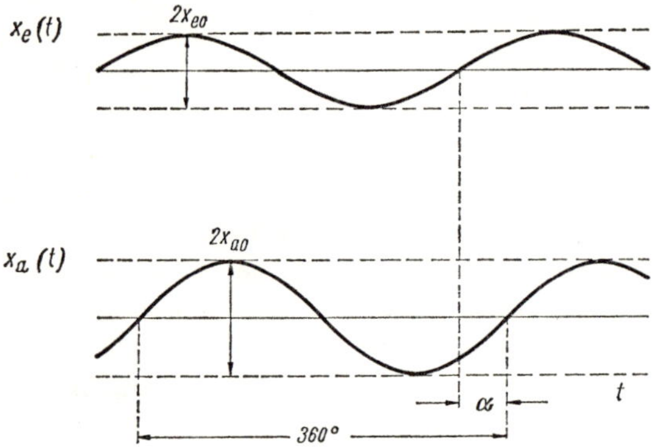

Bild 8
Diagramm einer Frequenzgangmessung

x_e Eingangsgröße
x_{eo} Amplitude der Eingangsgröße
x_a Ausgangsgröße
x_{ao} Amplitude der Ausgangsgröße
α Phasenverschiebung
t Zeit

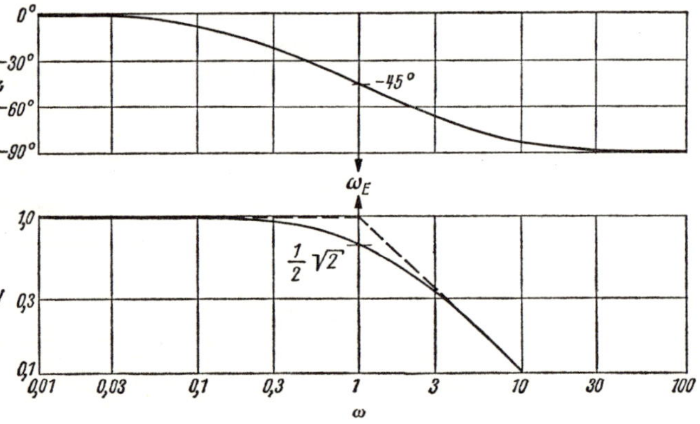

Bild 9
Frequenzkennlinien (Bode-Diagramm) eines einfachen Verzögerungsgliedes

ω Kreisfrequenz
α Phasenwinkel
V Vergrößerungsfaktor

1.7. Verbindung von Regelkreisen mit Steuerungen und anderen Regelkreisen

Manche Regelkreise erhalten ihre Führungsgröße nicht als feste oder von Hand eingestellte Größe, sondern von einer übergeordneten technischen Einrichtung, die eine Steuerung oder Regelung sein kann. Besonders interessant ist der Fall von übergeordneten Regelkreisen, weil man mit ihnen oft eine wesentliche Verbesserung der Regelgüte erreichen kann. Einige Beispiele werden in den

---

*) Bilder 8 und 9 aus: Messen und Regeln in der Chemischen Technik. 2. Aufl. Berlin, Springer-Verlag 1964.

folgenden Abschnitten ausführlicher behandelt. Hier soll nur ein besonders häufiger Anwendungsfall, der in Bild 10 dargestellt ist, näher erläutert werden: Pneumatische Stellantriebe werden dann recht ungenau, wenn in der Spindeldurchführung größere Reibungskräfte auftreten oder wenn vom strömenden Medium stark schwankende Kräfte auf den Antrieb zurückwirken. Man verwendet deshalb oft einen Stellungsregler, um die durch das Reglerausgangssignal vorgeschriebene Ventilstellung sicher zu erreichen. Der Stellungsregler R_2

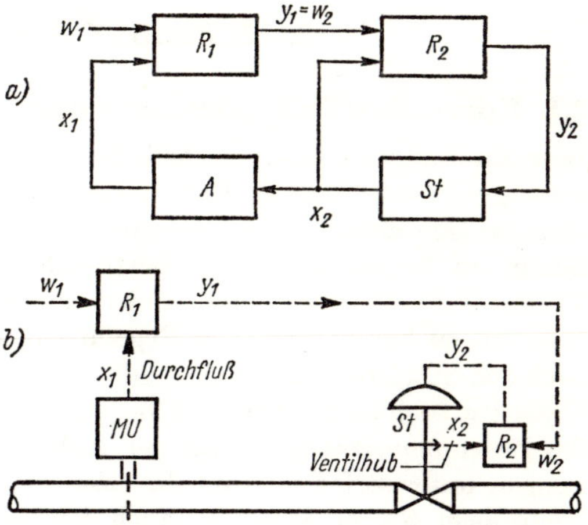

Bild 10
Stellungsregler mit übergeordneter Durchflußregelung

a) Signalflußplan
b) Geräteplan

A Anlage
MU Meßumformer
R_1 Durchflußregler (Hauptregler)
R_2 Stellungsregler (Hilfsregler)
St Stellantrieb
x_1, y_1, w_1 Signale des Hauptregelkreises (Durchfluß)
x_2, y_2, w_2 Signale des Hilfsregelkreises (Ventilhub)

bildet so zusammen mit dem Stellantrieb St einen Hilfsregelkreis, dessen Regelgröße x_2 der Hub des Stellgliedes und dessen Führungsgröße w_2 die Ausgangsgröße y_1 des übergeordneten Reglers R_1, hier eines Durchflußreglers, ist. Das dazugehörige Signalflußbild macht die Verknüpfung der beiden Regelkreise deutlich. Solche Verknüpfungen von Regelkreisen mit übergeordneten Systemen liegen auch dann vor, wenn Rechenmaschinen nach den heute üblichen Methoden zur Steuerung oder Regelung ganzer Produktionseinheiten verwendet werden und betriebsübliche Regler beeinflussen.

2. METHODEN DER REGELUNG

2.1. Konventionelle Regelungsmethode

Betrachtet man die konventionelle Regelung in Verfahrenstechnik und Energieversorgung, so ist festzustellen, daß der Verfahrenstechniker oder der Betreiber einer Anlage dem Regelungstechniker nur jeweils sagen kann, wie sein Verfahren zu führen ist, wobei bestimmte physikalische Größen wie Druck, Temperatur, Durchfluß und andere an bestimmten Stellen in der Anlage konstant zu halten sind. Der Regelungstechniker stellt die berechtigte Frage nach den Störgrößenänderungen, die eine selbsttätige Konstanz der genannten Größen ausschließen. Sie wird beispielsweise dahingehend beantwortet, daß die Zusammensetzung des in der Anlage verarbeiteten Produktes Schwankungen unterworfen ist und daß sich dieses Produkt auch nicht in gleichbleibendem Strom anbietet. Auch können Änderungen von Betriebsdaten der Energieversorgungsnetze, wie beispielsweise in den Heiz- und Kühlmittelkreisen, die das Verfahren kennzeichnenden Größen störend beeinflussen; entsprechendes gilt für eventuelle Zwischenprodukte.

Weitere störende Einflüsse sind in der nachlassenden Aktivität von Katalysatoren, in der Ablagerung von Feststoffen und in Abscheidungen zu sehen, wobei an den Reaktionen beteiligte Stoffe beispielsweise verkrusten, verkoken oder auskristallisieren. Obwohl der Verfahrenstechniker stets in der Lage ist, diese Störgrößeneinflüsse im einzelnen zu nennen, dürften zumeist jedoch deren Abhängigkeiten voneinander nicht ausreichend bekannt sein.

Wenn es auch das erstrebenswerte Ziel der vollautomatischen Regelung einer verfahrenstechnischen Anlage ist, diese nach den kennzeichnenden Eigenschaften des von ihr gelieferten Produktes bei hoher Wirtschaftlichkeit zu führen und entsprechende hiervon abgeleitete korrigierende Eingriffe vorzunehmen, sofern die Kenndaten von ihren Sollwerten abweichen, so ist das Problem jedoch in fast allen Fällen so komplex, daß es auf diese Weise nicht gelöst werden kann. Statt dessen bemüht man sich darum, nach der konventionellen Regelungsmethode andere zu bestimmende Größen konstant zu halten und somit Störgrößenänderungen in ihren Auswirkungen zu kompensieren.

Es ist von Fall zu Fall zu entscheiden, wie groß die Toleranzbereiche sein dürfen, damit die Ansprüche, die an das Produkt gestellt werden, befriedigt werden. Diese Toleranzbereiche wiederum bestimmen den Aufwand, den man bei der regeltechnischen Ausrüstung treiben muß, damit die zu Regelgrößen bestimmten Größen innerhalb zulässiger Abweichungen und die Störgrößen innerhalb vorgegebener Störbereiche verbleiben, in denen deren Auswirkungen gerade noch ausgeregelt werden können. Man kann dann voraussetzen, daß das in der Anlage erzeugte bzw. verarbeitete Produkt bei hoher Ausbeute die gewünschten Eigenschaften besitzt.

Werden in einer Regelstrecke zusammen mit einem Regler je eine Regel-, eine Stell- und eine Störgröße zu einem Regelkreis zusammengefaßt, so beeinflussen sich die einzelnen Regelkreise gegenseitig, wenn, wie es fast stets der Fall ist, eine Vielzahl von Regelkreisen in einer Anlage erforderlich wird. Die hierbei wirksamen Kopplungsglieder sind in der zu regelnden Apparatur selbst zu sehen, wobei sich ein Blockdiagramm der gekoppelten Regelkreise bilden läßt. So schreibt *A. Mögli* in seiner Arbeit „Die regeltechnischen Eigenschaften kontinuierlich arbeitender Rektifizierkolonnen": „Die Regelvorgänge, die sich als Folge einer oder mehrerer Störungen in einem solchen Netzwerk von Wirkungslinien abspielen, können kaum abgeschätzt werden. Zudem lassen sich die statischen und dynamischen Eigenschaften der Regelstrecke nicht durch elementare und anschauliche Gesetze, wie etwa bei einer Flüssigkeitsstandregelung, erfassen, sondern sie müssen in Beziehung gebracht werden zu den physikalischen Eigenschaften der zu trennenden Stoffe (Gleichgewichtslinien) und dem unterschiedlichen Verhalten verschiedener Rektifiziereinbauten" [1].

2.2. Voraussteuerung von Regelkreisen

Mit der konventionellen Regelungsmethode scheint es nicht möglich, dynamische Probleme zu vermeiden, wohl aber mit der Voraussteuerung. Hierbei wird die Regelung auf Grund von Messungen, die zeitlich vor dem zu regelnden Vorgang liegen, gesteuert.

Dies geschieht dadurch, daß aus einzelnen Meßwerten eine Größe gebildet wird, die als übergeordnete Steuergröße auf den Regelkreis einwirkt. Durch eine derartige Voraussteuerung in Verbindung mit einer Regelung läßt sich die Zeitkonstante des eigentlichen Regelvorgangs auf ein Mindestmaß herabsetzen und die Regelgüte verbessern. Bild 11 zeigt die Temperaturregelung für das Einsatzprodukt einer beliebigen Anlage, wobei eine Voraussteuerung des Reglers verwendet wird. Es ist hier, wie in vielen Fällen der Verfahrenstechnik, die Aufgabe gestellt, an einer bestimmten Stelle in der Anlage eine bestimmte Temperatur dadurch zu halten, daß das Einsatzprodukt durch einen Wärmetauscher geleitet wird, dessen Dampfstrom von der Regelgröße zu beeinflussen ist. Es leuchtet ein, daß die sich ändernde Zusammensetzung des Einsatzproduktes sowie Druckänderungen in der Produktleitung und Änderungen eventueller weiterer kennzeichnender Größen, wie die Produkttemperatur, die Größe des tatsächlich erforderlichen Dampfstromes durch den Wärmetauscher beeinflussen. Ist der Zusammenhang zwischen den das Produkt kennzeichnenden Größen ausreichend bekannt und läßt sich zumindest in dem interessierenden Bereich eine mathematische Beziehung herleiten, so kann man eine Voraussteuerung mittels eines Rechners verwirklichen. Wird daher das Einsatzprodukt analysiert und werden Druck P und Temperatur T sowie eventuelle weitere Größen gemessen, so lassen sich Signale herleiten, die man in den Rechner einführen kann. Der Rechner liefert dann ein Ausgangssignal, das als Führungsgröße des Temperaturreglers dient.

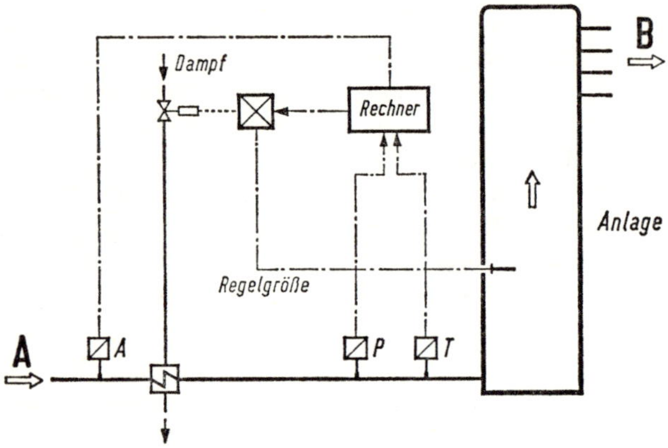

Bild 11
Temperaturregelung für das Einsatzprodukt einer Anlage mit übergeordneter Steuerung der Führungsgröße durch einen Rechner (Voraussteuerung)

Der Rechner verstellt somit die Führungsgröße des Reglers in dem Sinne, daß jeweils der genau angepaßte Dampfstrom den Wärmetauscher durchfließt. Sind sämtliche Störgrößeneinflüsse berücksichtigt, die in ihren Änderungen ein Abweichen der konstant zu haltenden Temperatur in der Anlage hervorrufen möchten, so hat diese Temperatur keine Veranlassung, vom vorgeschriebenen Wert abzuweichen. Man kann dann sogar so weit gehen, daß man dem Regler die Regelgröße fest vorgibt, wobei seine Führungsgröße in der geschilderten Weise gleitet. Durch diese Vorausregelung arbeitet der Regler in umgekehrter Weise, als es bei einer Festwertregelung der Fall ist. Hier wird die Führungsgröße fest vorgegeben, und die Regelgröße weicht unter dem Einfluß von Störgrößenänderungen aus. Bei der Voraussteuerung wird unter dem Einfluß von Störgrößenänderungen die Führungsgröße stetig geändert, wobei die Regelgröße konstant sein müßte.

J. G. Dobson beschreibt in seiner Arbeit „Optimale Regelung von Destillationskolonnen durch Vorausregelung mit Hilfe eines Elektronenrechners“ die Regelung der Enthalpie des Destilliergutes zur Erzielung der gewünschten Ausbeute bei der Äthylen-Äthan-Trennung in einer Fraktionierkolonne. *Dobson* geht dabei von Untersuchungen aus, die *Wilkonson* und *Armstrong* an der Universität Cambridge durchgeführt haben. Es handelt sich dabei um die wohl umfangreichsten Arbeiten über die dynamischen Eigenschaften von Fraktionierkolonnen. Es wird gezeigt, wie und in welcher Größenordnung und mit welcher Geschwindigkeit sich die Zusammensetzung des destillierenden Gemisches auf verschiedenen Böden ändert, wenn die Zusammensetzung des aufgegebenen Destilliergutes schwankt. Die hier gemachten Angaben stammen von einer Trennung von Benzol und Tetrachlorkohlenstoff in einer Kolonne mit einem Durchmesser von 10,2 cm und einem Bodenabstand von 30,5 cm, wobei fünf Böden mit je einer Glocke benutzt wurden. Es wurde festgestellt, daß die Ansprechgeschwindigkeit auf Änderungen des Dampfanteils größer ist als die auf Änderungen des Flüssigkeitsanteils. Für die jedoch anfänglich größere Ansprechgeschwindigkeit auf Änderungen des Flüssigkeitsanteils scheint noch keine befriedigende Erklärung vorzuliegen [2], [3], [4].

Dobson folgert: „Leider ermöglicht es der derzeitige Stand unserer Erkenntnisse noch nicht, derartige Daten auf Kolonnen anderer Abmessungen und Konstruktionen oder auf andere Betriebsbedingungen zu übertragen. Die bisher vorgeschlagenen mathematischen Formulierungen und Programme für die elektronische Nachbildung des dynamischen Verhaltens von Kolonnen stimmen mit der Praxis kaum besser als in der Größenordnung überein. Dies ist darauf zurückzuführen, daß die Formeln sehr stark vereinfacht werden müssen, um sie überhaupt lösen zu können. Es wird gezeigt, wie komplex das ganze Problem ist.

Die exakte mathematische Beschreibung eines einzelnen Bodens erfordert vierzig Gleichungen, von denen viele nichtlineare partielle Differentialgleichungen sind. Zieht man mehrere Böden in Betracht, so wird natürlich alles noch verwickelter. Selbst wenn Abtreib- und Verstärkerkolonne dann als Einheiten aufgefaßt werden, bleiben noch 121 Gleichungen, um die Trennung eines einfachen Zweistoffgemisches zu beschreiben“.

Allerdings haben in jüngster Zeit einige Großfirmen der Mineralölindustrie Rechnerprogramme für die Regelung von Destillationskolonnen erstellt.

2.3. Einsatz von zentralen Prozeßrechnern

Seit geraumer Zeit ist in Fachkreisen der Regelungstechniker die Diskussion über den Einsatz von Rechnern zur Lösung von Meß- und Regelaufgaben lebhaft im Gange. Diese Diskussion wurde durch das Bestreben der Hersteller von Analog- und Digitalrechnern ausgelöst, die nach ihren unbestreitbaren Erfolgen in der Anwendung ihrer Geräte auf militärischem und kaufmännischem Sektor versuchten, Rechner zur Automatisierung verfahrenstechnischer Prozesse einzuführen. So ergab sich die außergewöhnliche Tatsache, daß einem erheblichen Angebot von Rechengeräten zunächst nur verhältnismäßig wenige Anwendungsmöglichkeiten im Rahmen der Prozeßregelung gegenüberstanden. Heute kann jedoch festgestellt werden, daß die Zahl der eingesetzten Rechner in den vergangenen Jahren sprunghaft angestiegen ist.

Für den Einsatz von Rechnern zur Prozeßüberwachung unterscheidet man zwei Grundschaltungen. So kann ein zentraler Rechner ohne unmittelbare Zusammenschaltung mit Meßgeräten und Reglern eingesetzt werden. In der amerikanischen Literatur wird diese Schaltung als „off-line“ bezeichnet. Die andere Möglichkeit besteht darin, einen Rechner in den Zug einer Meß- oder

Steuerkette oder eines Regelkreises einzuschalten. Diese Schaltung wird in der amerikanischen Literatur als „on-line" bezeichnet.

Beim Einsatz eines zentralen Rechners ohne unmittelbare Kopplung an konventionelle Meßgeräte und Regler wurden die Daten des Prozesses ursprünglich von einem Bedienungsmann an Meßgeräten abgelesen und in den Rechner zur Verarbeitung eingegeben.

Diese Schaltung ist besonders für Betriebe von Interesse, die bereits über einen Rechner für kommerzielle Zwecke verfügen und diesen zusätzlich zur Prozeßsteuerung ausnutzen wollen. Andererseits bietet diese Schaltung auch für kleinere und mittlere Betriebe den Vorteil, daß die abgelesenen Meßwerte als Daten einem Rechenzentrum übermittelt werden können und daß sich die von dort erhaltenen Ergebnisse für die Einstellung der Reglersollwerte im Prozeß verwenden lassen. Hierdurch entfällt die Anschaffung eines Rechners, so daß der zentrale Einsatz von Rechnern besonders wirtschaftlich wird. So ist es auch von größeren Raffinerieunternehmen bekannt, daß sie ihre Daten über Fernschreiber einer zentralen Rechenstelle ihres eigenen Unternehmens übermitteln und von dort die Ergebnisse auf dem gleichen Wege zurückerhalten.

Darüber hinaus besteht die Möglichkeit, Daten auf Schreibmaschine festzuhalten und über Lochstreifen in Rechner einzugeben. So gibt es aber auch datenspeichernde Rechner, die diese Daten für die Eingabe in zentrale Rechner vorbereiten.

Eine weitere Einsatzmöglichkeit von Rechnern besteht in der Sollwertoptimierung für konventionelle Regler, Bild 12.

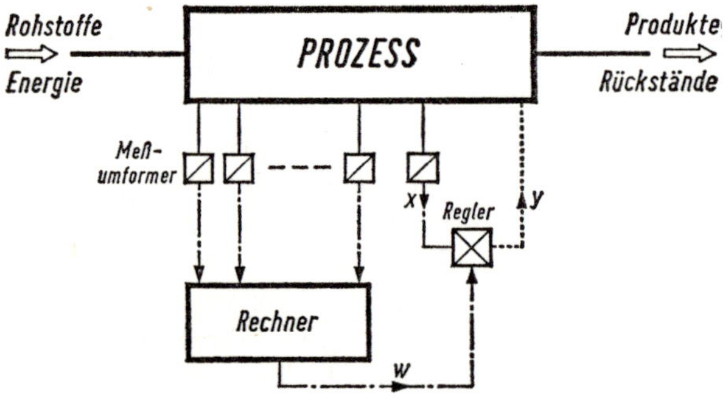

Bild 12
Prozeßrechner zur Sollwertführung eines Reglers

Allerdings beschränkt man sich dabei vorwiegend auf die statische Optimierung, indem man die Sollwerte einzelner Regler durch Rechner führen läßt.

Ein Eingriff auf die Reglerparameter, wie beispielsweise den Proportionalbereich, die Nachstell- und die Vorhaltzeit ist bei der automatischen Führung verfahrenstechnischer Prozesse nur in wenigen Fällen vorgenommen worden [5].

Ein Betriebsrechner kann auf zwei prinzipiell verschiedene Arten zur Prozeßführung eingesetzt werden.

In einem Fall berechnet er zunächst aus den Signalen der Prozeßausgänge die „Optimierungsgröße", also die Funktion nach der optimiert werden soll und greift auf die Reglersollwerte der Prozeßeingangsgrößen ein. So wird durch systematisches Verstellen der Prozeß zu einer optimalen Fahrweise geführt.

Die Kenntnis der Zusammenhänge der Prozeßvariablen ist dabei nicht erforderlich und der Rechner entscheidet lediglich aufgrund des Ergebnisses seines vorangegangenen Eingriffs dahingehend, welche neuen Verstellungen vorgenommen werden müssen, Bild 13. Diese Arbeitsweise wird als Suchverfahren bezeichnet und führt in der Literatur auch die Bezeichnung „feedback control" oder Rückwärtsoptimierung. Die andere Möglichkeit, einen Prozeß zu optimieren, ist das Modellverfahren, auch als „feedforward control" oder Vorwärtsoptimierung bekannt, Bild 14. Hierbei müssen die Prozeßzusammenhänge in Form eines mathematischen Modells in den Rechner eingegeben werden. Der Prozeßrechner erhält seine Information jetzt nur von den Signalen

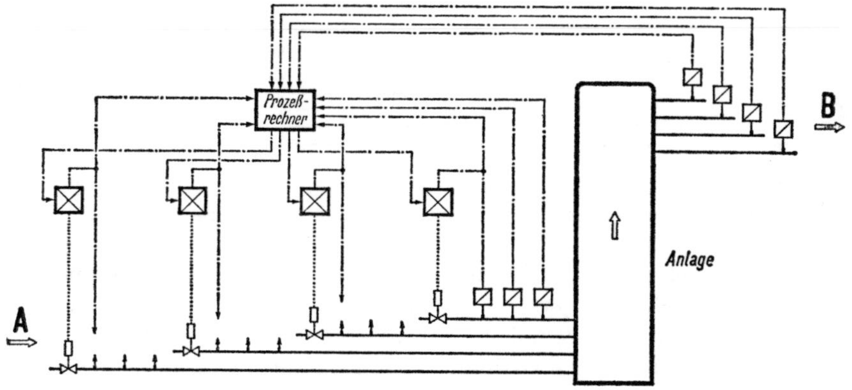

Bild 13. Rückwärtsoptimierung durch Sollwertführung konventioneller Regler mittels eines Prozeßrechners

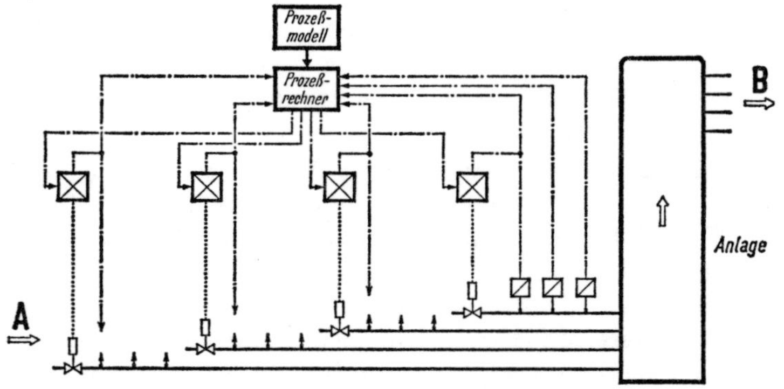

Bild 14. Vorwärtsoptimierung durch Sollwertführung konventioneller Regler mittels Prozeßmodell und Prozeßrechner

der Prozeßeingänge und bestimmt im voraus die optimale Fahrweise. Man kann beide Verfahren miteinander verbinden, indem man dem Prozeßrechner auch die Signale der Prozeßausgänge über einen Anpassungsrechner mit dem Ziel zuführt, das einmal aufgestellte mathematische Prozeßmodell, das zwischen Anpassungsrechner und Prozeßrechner liegt, stets soweit zu korrigieren, daß es etwa erforderliche Änderungen der Prozeßzusammenhänge, die sich während des Betriebes ergeben können, berücksichtigt, Bild 15.

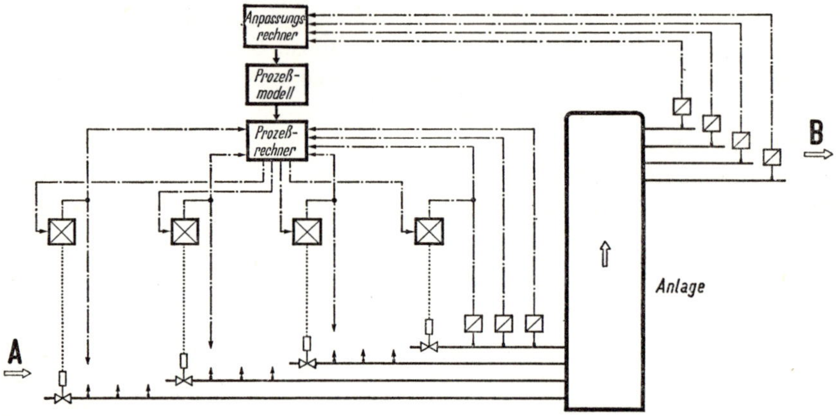

Bild 15. Kombination von Rückwärts- und Vorwärtsoptimierung zur Sollwertführung mittels Anpassungsrechner, Prozeßmodell und Prozeßrechner

In der verfahrenstechnischen Praxis, insbesondere der chemischen Industrie, wurde im wesentlichen bis jetzt nur das Modellverfahren angewandt, während das Suchverfahren auf Einzelfälle beschränkt blieb. Für die dritte Möglichkeit, das Modellverfahren mit Anpassung, liegen im Augenblick noch keine praktischen Ergebnisse vor.

Es stehen sich heute zwei grundsätzlich verschiedene Rechnerarten gegenüber. Einmal die Digitalrechner mit der ziffernmäßigen Eingabe und Ausgabe von Daten und der Möglichkeit, Daten zu speichern, zum anderen die Analogrechner, die nach physikalischen Analogien arbeiten und deren Eingangs- und Ausgangssignale sich in Form elektrischer oder pneumatischer Signale anbieten [6], [7], [8], [9], [10], [11], [12].

Die Vorteile des Digitalrechners liegen in der Speichermöglichkeit für eine große Anzahl von Signalen, und die Genauigkeit kann je nach Aufwand nahezu beliebig hoch gewählt werden. Jedoch sind die Investitionskosten für einen Digitalrechner recht erheblich und amortisieren sich nach Angaben von *Williams* [5] bei einem Einsatz als reinen Betriebsrechner nur bei Anlagen mit einem Investitionswert von etwa 60 Millionen Dollar, das entspricht 240 Millionen DM. Bei den meisten Analogrechnern besteht jedoch die Möglichkeit, die Anlage nach dem Baukastenprinzip je nach Anzahl der notwendigen Rechenoperationen auszulegen, so daß die Kosten relativ gering bleiben, wenn auch die Anzahl der Rechenoperationen gering ist. So kann man behaupten, daß die Kosten für einen Analogrechner proportional mit der Anzahl der Rechenoperationen ansteigen.

Der Analogrechner kommt auch in seinem Wesen der physikalischen Vorstellungswelt und Denkweise des Ingenieurs besonders entgegen und vermittelt ihm ein unmittelbares Gefühl für die physikalischen Zusammenhänge der Probleme, da er nicht nur mit statischen momentanen Größen rechnet, sondern auch die Zustandsänderungen bei nichtlinearem Verhalten einzelner Teile des Aufgabenkomplexes stetig erfaßt. Analogrechner lassen sich so ausführen, daß die Signale von Meßumformern unmittelbar auf den Rechner gegeben werden können und daß man dessen Ausgangssignale direkt einzelnen Reglern aufschalten kann. Der Analogrechner stellt somit ein analoges Modell für die mathematische Aufgabe und das denselben Gesetzen folgende System der Praxis dar. Sein wesentlicher Vorteil ist die Möglichkeit des unmittelbaren Integrierens einer eingegebenen Funktion, was ein Digitalrechner nur auf zeitraubenden Umwegen durch schrittweises Vorgehen lösen kann. Sein Anwendungsschwerpunkt liegt daher in der Lösung von gewöhnlichen linearen und nichtlinearen Differentialgleichungen und von Systemen solcher Gleichungen, die für alle dynamischen Probleme typisch sind. Da Analogrechner die Lösung ihrer Aufgaben unverzögert liefern und ihre Rechenzeit nicht vom Umfang des Problems abhängt, lassen sich mit ihnen auch physikalische Systeme nachbilden, die sich durch Differentialgleichungen beschreiben bzw. simulieren lassen, wenn die Nachbildung mit Echtzeit betrieben wird. So eröffnet sich eine Einsatzmöglichkeit auf dem weiten Gebiet der linearen und nichtlinearen Regelungstechnik sowie der Meßwertübertragung überhaupt. Die erzielbare Leistungsgenauigkeit hängt nicht allein von der Güte der zur Nachbildung benutzten Rechenelemente ab, die mit 0,01 % bei gerade noch vertretbarem Aufwand eine physikalische Grenze findet, denn der Einzelfehler kann durch die von der Aufgabe oder der Rechenschaltung herrührenden Faktoren in das Gesamtergebnis eingehen. Die erzielbaren Genauigkeiten dürften jedoch, von Sonderfällen abgesehen, bei der Automatisierung von verfahrenstechnischen Prozessen ausreichend sein.

Giloi [13] hat eine qualitative Kurve angegeben, in der die relativen Kosten zwischen Analog- und Digitalrechnern gegenübergestellt sind, und zwar in Abhängigkeit von der Anzahl der durchzuführenden Rechenoperationen, Bild 16. Es ist ersichtlich, daß bei einer geringen Anzahl von Rechenoperationen der Analogrechner wirtschaftlicher ist als der Digitalrechner, daß jedoch die Kosten linear mit der Anzahl der Rechenoperationen ansteigen. Beim Digitalrechner sind die Kosten nicht von der Anzahl der Rechenoperationen abhängig, da bei einer geringen Anzahl von Operationen die Kapazität eines Digitalrechners nicht ausgenutzt werden kann. So ist es verständlich, daß die Hersteller von Meß- und Regelgeräten dazu übergegangen sind, Analogrechensysteme nach dem Baukastenprinzip zu schaffen. Die einzelnen Rechner werden je nach Bedarf aus den einzelnen Rechenelementen zu mehr oder

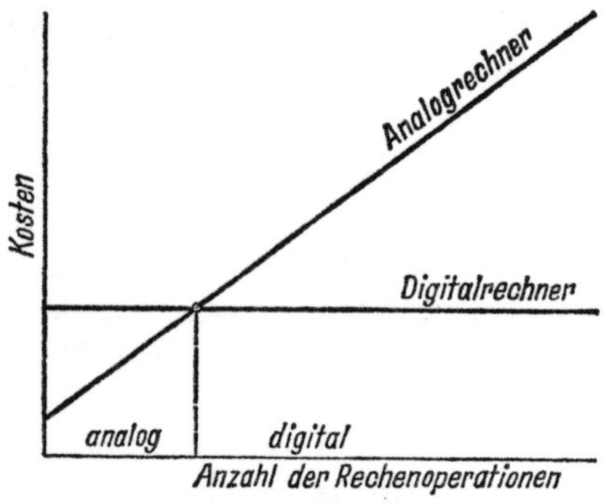

weniger großen Recheneinheiten zusammengestellt. Diese Systeme können elektrisch oder pneumatisch orientiert sein.

Bild 16
Kosten für Analogrechner und Digitalrechner in Abhängigkeit von der Anzahl der Rechenoperationen

2.4. Direkte Digital-Regelung (DDC)

Die erwähnten Verfahren — das Suchverfahren, das Modellverfahren und das Modellverfahren mit Anpassung — bedienen sich stets konventioneller Regler, wobei lediglich deren Sollwerte von den Ausgangssignalen eines Rechners geführt werden.

In den kommenden Jahren wird der Anteil erweiterter Regelkreisschaltungen, wie es beispielsweise die Verhältnis- und Kaskadenregelung darstellen, in Anlagen der Chemie und der Petrochemie von zur Zeit 10 % auf 25 % ansteigen. Außerdem gilt es als sicher, daß ein beachtlicher Teil der Regler Mehrfach-Kaskadenregler sein wird, die an die konventionellen analogen Regeleinrichtungen erhöhte, beinahe nicht mehr zu erfüllende Anforderungen stellen dürften.

Bild 17 gibt einen Überblick über den Signalflußplan eines übergeordneten, konventionellen Rechners im Zusammenwirken mit einem Regelkreis, wobei sich über Eingabe- und Ausgabeverteiler eine Vielzahl von Regelkreisen anschließen läßt. Die Eingangssignale der verschiedenen physikalischen Größen, wie sie beispielsweise Druck, Temperatur, Differenzdruck, Flüssigkeitsstand, pH-Wert und Leitfähigkeit beinhalten, werden zyklisch abgetastet, über einen Analog-Digital-Umsetzer umgesetzt und entsprechend dem Rechnerprogramm verarbeitet. Die vom Rechner gelieferten neuen Führungsgrößen für die nachgeschalteten Analogregler werden über einen Digital-Analog-Umsetzer und einen Ausgabeverteiler den Reglern angeboten. Das jeweilige Zeitverhalten der vom Rechner geführten Regler wird fest vorgegeben und eine eventuell notwendige automatische Änderung der Kenndaten ist somit fast ausgeschlossen. Es liegt der Gedanke nahe, auch das Zeitverhalten der nachgeschalteten Regler dem Rechner einzugeben, da es in gleicher Weise wie die Prozeßzusammenhänge durch Gleichungen ausgedrückt werden kann.

Bild 18 veranschaulicht den Signalflußplan eines derartigen Direkten Digital-Regelsystems (DDC). Durch Übernahme der Reglerfunktionen in den Rechner bietet sich somit die Möglichkeit, nicht nur das Zeitverhalten von Reglern im Rechner nachzubilden, sondern auch so zu verändern, daß eine noch bessere Anpassung der Regeleinrichtungen an das ablaufende Verfahren gegeben ist.

Dabei liegt die Abtastfrequenz des Eingabe- und Ausgabeverteilers so hoch, daß jeder Regelkreis mindestens einmal in jeder Sekunde erfaßt wird. Darüber hinaus lassen sich leicht Verhältnis- und Kaskadenregelungen und auch Mehrgrößenschaltungen berücksichtigen. Die hohe Zuverlässigkeit derartiger

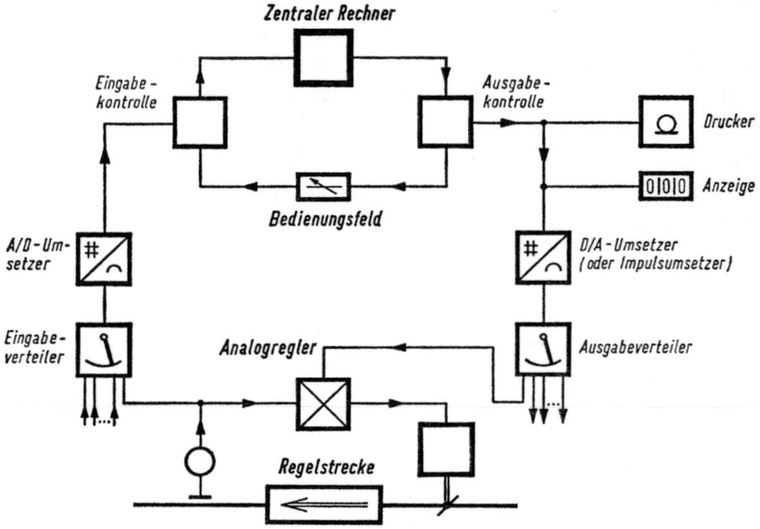

Bild 17. Signalflußplan eines zentralen Rechners und eines Analogreglers im Regelkreis

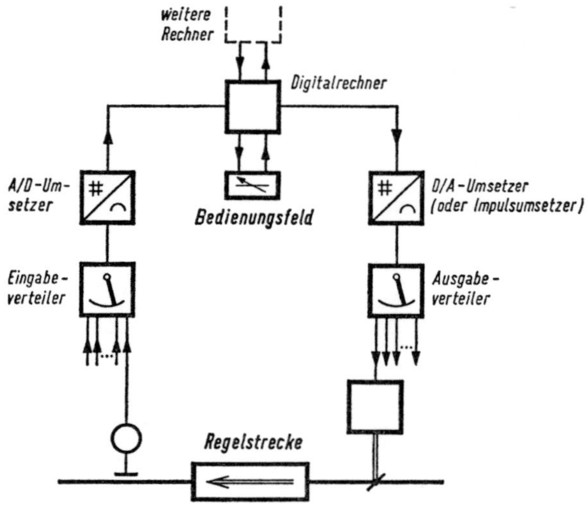

Bild 18
Signalflußplan eines Direct-Digital-Regelsystems (DDC)

DDC-Systeme mit einer Gesamtverfügbarkeit von mehr als 99,95 % rechtfertigt zweifellos deren Einsatz in neuzeitlichen Anlagen der Verfahrenstechnik.

In einem Bedienungsfeld sind entsprechend den Reglerleitgeräten der konventionellen Regelungstechnik Hand-Automatik-Umschalter für den stoßfreien

Übergang zwischen der direkten digitalen Regelung und den für Störungsfälle bereitgehaltenen Reglern vorgesehen. Im allgemeinen werden aufgrund vorliegender Erfahrungen 10 bis 30 % der Regelkreise zusätzlich analog bestückt, um im Störungsfalle die sonst vom Rechner geführte Anlage weiter betreiben zu können. Unter normalen Betriebsbedingungen wird ein Fehlerabstand, d. h. ein Ausfallintervall des Rechners, bis zu 2 000 Stunden erzielt. Auch sind besondere Einrichtungen vorgesehen, die den Anschluß von Meßwertdruckern, von Grenzwert- und Bilanzdruckern und analog arbeitenden Schreibern ermöglichen [14], [15].

So stellt das DDC-Verfahren eine Weiterentwicklung der konventionellen Regelungstechnik dar. Es fügt sich als neues Glied einer erweiterten Automatisierungstechnik ein.

3. REGELSCHALTUNGEN UND EINSTELLKRITERIEN

3.1. Aufbau eines einfachen Regelkreises

Die Aufgabe der Regelung ist es, eine physikalische Größe, die Regelgröße, gegen unbeabsichtigte Veränderungen konstant zu halten. Zu diesem Zweck wird die Regelgröße gemessen und das Meßsignal, gegebenenfalls nach einer Umformung, mit einem vorgegebenen Sollwert verglichen. Treten Abweichungen zwischen Ist- und Sollwert auf, wird über einen Regler ein Stellgerät so betätigt, daß diese Abweichungen ganz oder zumindest weitgehend wieder abgebaut werden. Es entsteht ein geschlossener Wirkungskreis (Regelkreis), der in der einfachsten Form aus folgenden Teilen besteht, Bild 19,:

Regelstrecke
Meßfühler mit Meßumformer
Stellglied mit Antrieb
Regler

Diese einzelnen Teile müssen selbstverständlich aufeinander abgestimmt sein, um ein einwandfreies Arbeiten des Regelkreises zu gewährleisten. Es wird daher kurz auf die wesentlichen regelungstechnischen Eigenschaften der einzelnen Glieder eingegangen.

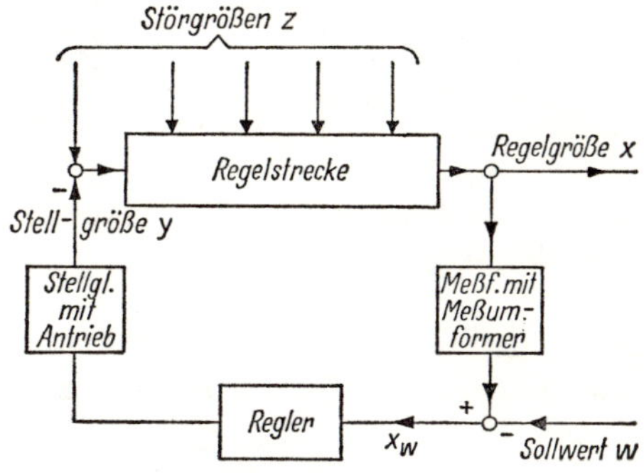

Bild 19. Einfacher Regelkreis

3.1.1. Regelstrecke

Für die Auslegung einer Regelung müssen die statischen und dynamischen Eigenschaften der zu regelnden Anlage bekannt sein, d. h. die Abhängigkeit der Regelgröße von den verschiedenen Einflußgrößen und die zeitliche Änderung der Regelgröße bei Änderung dieser Einflußgrößen, insbesondere der Stellgröße. Im Idealfall läßt sich die Anlage durch eine oder ein System von Gleichungen bzw. Differentialgleichungen so beschreiben, daß das Problem mit den üblichen mathematischen Mitteln behandelt werden kann. Meist ist es jedoch in der Praxis kaum möglich, diese Gleichungen aufzustellen, oder aber die Gleichungen liegen in einer derartigen Form vor, daß eine mathematische Behandlung auf Schwierigkeiten stößt. Es sollen darum hier die theoretischen Verfahren zur Behandlung von regelungstechnischen Problemen nicht weiter betrachtet werden. Welche Angaben kann man nun in der Praxis über die Eigenschaften der Regelstrecke erhalten?

Die statischen Eigenschaften können meist durch ein Kennlinienfeld angegeben werden. Bild 20a zeigt ein derartiges Kennlinienfeld $x = f(y, z)$. Die wichtigste Größe, die diesem Kennlinienfeld entnommen werden kann, ist der Übertragungsbeiwert $K_S = \Delta x / \Delta y$, auch Streckenverstärkung genannt. Da im allgemeinen die Kennlinien, wie in Bild 20a dargestellt, nicht linear sind, hat dieser Übertragungsfaktor in jedem Punkt einen anderen Wert. Meistens lassen sich jedoch die Kennlinien in einem Arbeitspunkt mit genügender Genauigkeit durch Geraden ersetzen (Linearisierung), Bild 20b. Bei Veränderung des Arbeitspunktes muß aber die gegebenenfalls nicht unbedeutende Änderung des Übertragungsfaktors beachtet werden.

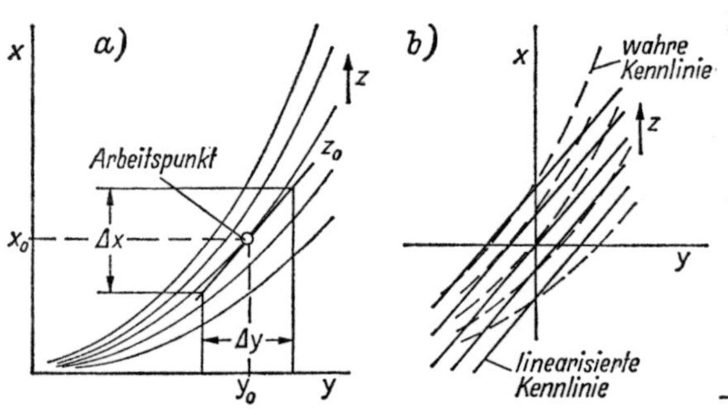

Bild 20. Kennlinienfeld (a) und linearisiertes Kennlinienfeld (b) einer Regelstrecke

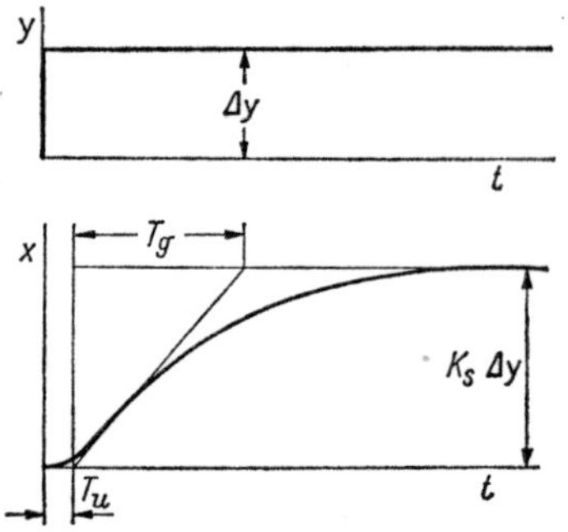

Bild 21. Übergangsfunktion einer Regelstrecke

Das dynamische Verhalten läßt sich, lineare Verhältnisse vorausgesetzt, durch eine Differentialgleichung von der allgemeinen Form

$$\ldots a_3 \dddot{x} + a_2 \ddot{x} + a_1 \dot{x} + x = - K_S\, y \qquad (1)$$

beschreiben, wobei die Koeffizienten a_1, a_2, a_3 ... die Zeitkonstanten der Strecke enthalten. Die Lösung dieser Differentialgleichung für eine Sprungfunktion von y führt auf die Übergangsfunktion, die sich experimentell leicht bestimmen läßt, indem man die Stellgröße sprungförmig verstellt und den zeitlichen Verlauf der Regelgröße beobachtet, Bild 21.

Aus einer so aufgenommenen Übergangsfunktion kann man nicht die Koeffizienten der Differentialgleichung bestimmen. Es lassen sich aber auf einfache Weise die Verzugszeit T_u und eine Ausgleichszeit T_g als Kennwerte bestimmen, indem man, wie in Bild 21, die Wendetangente einzeichnet. Wie später gezeigt wird, ist das Verhältnis T_g / T_u für die Auswahl und Einstellung der Regler von besonderer Bedeutung. Gleichzeitig kann man der Übergangsfunktion natürlich auch den Übertragungsbeiwert K_S entnehmen.

3.1.2. Meßfühler und Meßumformer

Der Meßfühler ist oft einer der kritischsten Punkte einer Regelanlage, denn es ist selbstverständlich, daß man nicht genauer regeln kann, als die Regelgröße gemessen wird. Für viele physikalische Größen, wie Druck, Temperatur, Durchfluß, Spannung, Strom und dergleichen, gibt es eine Vielzahl von Meßverfahren, auf die hier nicht näher eingegangen werden kann. Für die Anwendung in einem Regelkreis sind an das Meßverfahren folgende Forderungen zu stellen:

Das Verfahren muß kontinuierlich arbeiten.

Das Ausgangssignal des Meßfühlers soll proportional der Meßgröße sein.

Der Meßfühler soll möglichst verzögerungsfrei arbeiten.

Das Meßsignal soll möglichst als elektrische oder pneumatische Größe abgegeben werden.

Die Meßeinrichtung darf nicht störanfällig sein, gegebenenfalls sind an besonders kritischen Stellen mehrere Meßfühler anzuordnen.

Die Genauigkeit der Messung ist häufig auch von der Anordnung des Meßfühlers abhängig. Es ist darauf zu achten, daß tatsächlich die Regelgröße unverfälscht gemessen wird. So ist es beispielsweise schlecht, bei der Temperaturregelung eines durchströmenden Stoffes den Meßfühler in der Rohrwand anzuordnen, da infolge des nichtlinearen Temperaturgefälles über die Rohrdicke ein falscher Wert gemessen wird. Andererseits ist auch darauf zu achten, daß bei Messung in Medien mit großer Strömungsgeschwindigkeit keine unzulässige Verfälschung durch die Stautemperatur auftritt. Schon dieses einfache Beispiel zeigt, wie schwierig gegebenenfalls die richtige Anbringung des Meßfühlers sein kann und daß unter Umständen genaue Voruntersuchungen notwendig sind.

Der Meßfühler liefert im allgemeinen nur ein Signal von geringer Leistung. Um dieses Signal über größere Entfernungen leiten zu können, ist ein Meßumformer erforderlich, der die nötige Energie bereitstellt und gegebenenfalls das Signal in die gewünschte Größe (Einheitsdruckbereich, Strombereich usw.) umformt. An den Meßumformer sind praktisch die gleichen Forderungen wie an den Meßfühler zu stellen, also strenge Proportionalität zwischen Eingangs- und Ausgangsgröße, geringe Verzögerung und, da der Meßumformer in unmittelbarer Nähe des Meßfühlers, also in der Anlage, angebracht ist, eine ausreichende Betriebssicherheit auch bei rauhem Betrieb.

3.1.3. Stellgerät

Das Stellgerät bildet das Verbindungsglied zwischen der Ausgangsgröße des Reglers und der Eingangsgröße der Strecke. Es beeinflußt den in die Regelstrecke eintretenden Stoff- oder Energiestrom. Die Kennlinien vieler Stellglieder, insbesondere die Kennlinien von Ventilen und Schiebern, sind im gewissen Grade frei wählbar. Damit hat man eine, meist sogar die einzige

Möglichkeit, auf die Kennlinie der gesamten Anlage einzuwirken. Durch eine geeignete Kennlinie läßt sich weitgehende Linearität, d. h. ein konstanter Übertragungsbeiwert K_S über einen großen Bereich erzielen. Damit hängt die Qualität einer Regelung in starkem Maße von der richtigen Auswahl und Dimensionierung des Stellgliedes ab.

Der Antrieb des Stellgliedes erfolgt elektrisch, pneumatisch oder hydraulisch. Er soll wiederum möglichst verzögerungsfrei arbeiten und eine sichere und eindeutige Zuordnung zwischen Ausgangsgröße des Reglers und Stellung des Stellgliedes ermöglichen. Eine Hysterese im Stellglied sollte vermieden werden.

3.1.4. Regler

Der Regler hat die Aufgabe, die Differenz zwischen Soll- und Istwert festzustellen und dieser Abweichung entsprechend ein Ausgangssignal zum Betätigen des Stellgliedes zu liefern. Dabei kann dieses Ausgangssignal proportional (P) der Regelabweichung sein, es kann als Zeitintegral (I) über die Abweichung gebildet werden, und es kann zusätzlich der Änderungsgeschwindigkeit, also der Differentiation (D) der Abweichung, entsprechen. Um zu entscheiden, welcher Reglertyp für eine gegebene Strecke am besten geeignet ist, muß man sich über die Wirkung dieser Reglereigenschaften im klaren sein.

3.1.4.1. P-Regler

Der proportionalwirkende Regler (P-Regler) bildet eine Ausgangsgröße, die proportional der Eingangsgröße ist, also

$$y = K_P (x - w) . \qquad (2)$$

Die dazugehörige Übergangsfunktion ist im Bild 22 dargestellt. Trägt man diese Beziehung in das Kennlinienfeld einer Regelstrecke unter Berück-

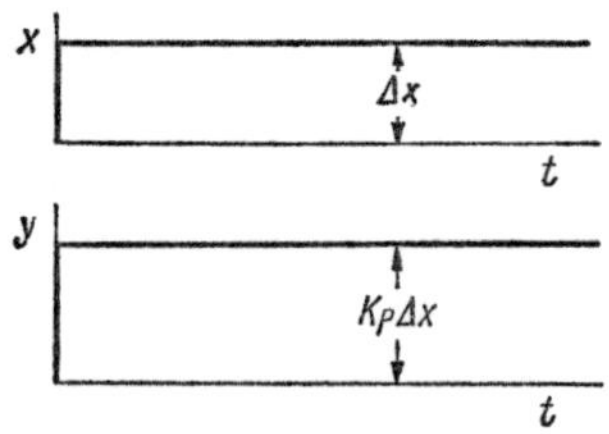

Bild 22. Übergangsfunktion eines P-Reglers

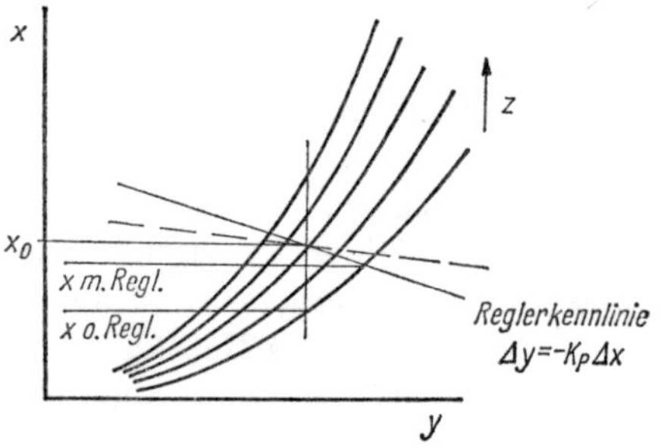

Bild 23. Kennlinienfeld einer Regelstrecke mit Reglerkennlinie

sichtigung der im Regelkreis vorhandenen Vorzeichenumkehr ein, Bild 23, erkennt man eine typische Eigenschaft des P-Reglers: er regelt nicht voll aus. Die bleibende Regelabweichung hängt von der Neigung der Reglerkennlinie ab. Sie wird um so geringer sein, je größer der Proportionalbeiwert K_P wird.

Das Verhältnis der bleibenden Abweichung mit Regler zur Abweichung ohne Regler wird Regelfaktor R genannt. Er ist, wie sich leicht zeigen läßt,

$$R = \frac{x_{\text{wbl}} \text{ mit Regler}}{x_{\text{wbl}} \text{ ohne Regler}} = \frac{1}{1 + K_P K_S} \tag{3}$$

Durch Vergrößerung von K_P, was auch gerätetechnisch im weiten Bereich möglich ist, könnte man den Regelfaktor so klein machen, daß die Regelung allen Anforderungen genügt. Im Sonderfall, wenn im Regelkreis nur eine Verzögerung 1. Ordnung auftritt, ist das sogar zulässig. Es ergibt sich ein Regel-

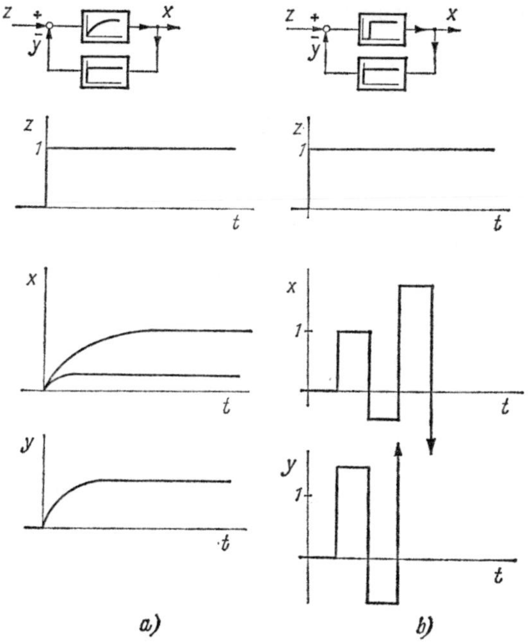

Bild 24. Regelverlauf einer Strecke

a) mit Verzögerung 1. Ordnung und P-Regler bei zwei verschiedenen Werten von K_P

b) mit Totzeit und P-Regler

verlauf gemäß **Bild 24a**, der sich durch Vergrößerung von K_P noch beliebig verbessern läßt. Praktisch werden jedoch in einem Kreis immer noch weitere Verzögerungsglieder vorhanden sein. In diesen Fällen darf K_P mit Rücksicht auf die Stabilität des Kreises nicht mehr beliebig vergrößert werden. Einen Extremfall stellt der in **Bild 24b** gezeigte Regelkreis mit reiner Totzeit und P-Regler dar. Mit $K_P = 1{,}5$ ergibt sich der gezeigte Verlauf der Regelgröße, eine aufklingende Schwingung. Der Kreis ist also schon instabil, obwohl der Regelfaktor mit $R = 0{,}4$ für eine praktische Regelung noch entschieden zu schlecht ist.

3.1.4.2. I-Regler

Beim integralwirkenden Regler (I-Regler) ist die Ausgangsgröße gleich dem Zeitintegral über der Eingangsgröße, also

$$y = K_I \int (x - w)\,dt \tag{4}$$

Damit ergibt sich die in Bild 25 dargestellte Übergangsfunktion. Der I-Regler verstellt das Stellglied nur langsam. Er regelt dafür aber ganz aus, da er solange arbeitet bis $x - w = 0$ ist. Gegenüber dem P-Regler entsteht bei Verwendung eines I-Reglers zunächst eine größere Regelabweichung, dafür ist der I-Regler aber auch gerade wegen seines langsamen Eingriffs bei Strecken mit reiner Totzeit zu verwenden, Bild 26.

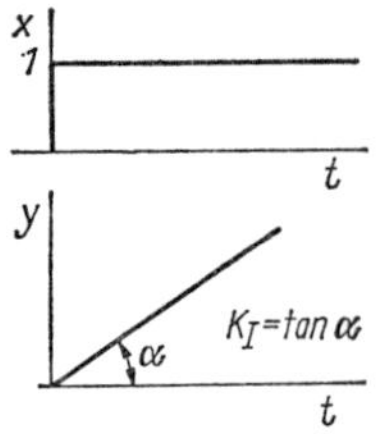

Bild 25. Übergangsfunktion eines I-Reglers

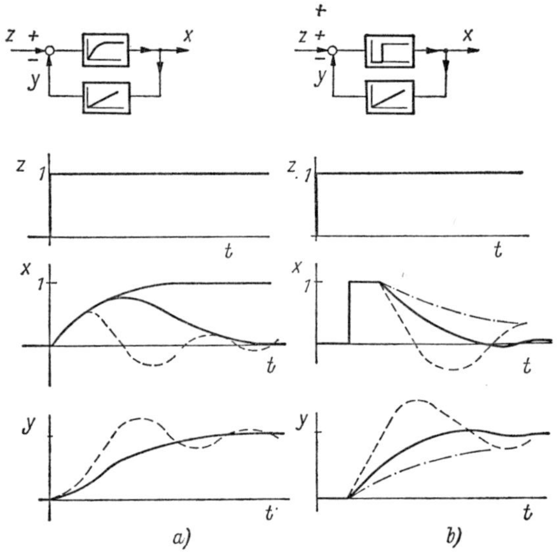

Bild 26
Regelverlauf einer Strecke

a) mit Verzögerung 1. Ordnung und I-Regler bei drei verschiedenen Werten von T_n
b) mit Totzeit und I-Regler

3.1.4.3. PI-Regler

Der PI-Regler ist eine Kombination von P-Regler und I-Regler. Seine Ausgangsgröße ist demzufolge

$$y = K_P \left[(x - w) + \frac{1}{T_n} \int (x - w)\,dt\right] \tag{5}$$

mit der Nachstellzeit $T_n = \dfrac{K_P}{K_I}$.

Die Übergangsfunktion zeigt Bild 27. Ein derartiger PI-Regler wirkt im ersten Augenblick wie ein P-Regler. Er greift schnell ein und regelt dann infolge seines I-Anteils ganz aus. Er vereinigt die Vorteile beider Regler. In welchem Maße dabei der P- und I-Anteil zur Wirkung kommen, hängt vom Zeitverhalten der Strecke ab, das sich durch das Verhältnis T_g/T_u kennzeichnen läßt. Bei großen T_g/T_u-Werten ist der P-Anteil überwiegend, mit kleiner werdendem Verhältnis T_g/T_u nimmt der P-Anteil immer mehr ab, bis bei sehr kleinen T_g/T_u der optimale Regler fast ein reiner I-Regler ist, Bild 28.

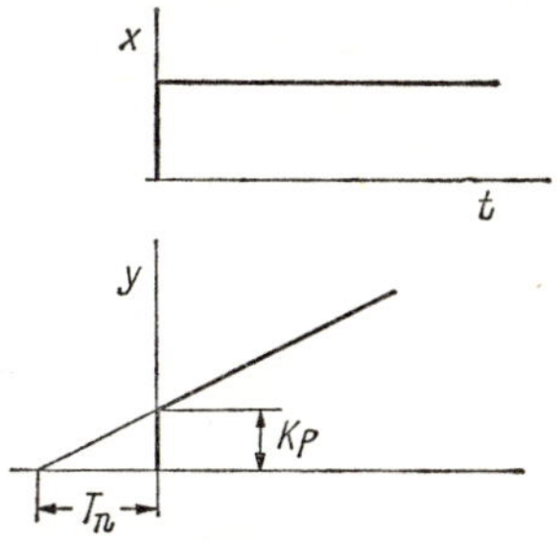

Bild 27. Übergangsfunktion eines PI-Reglers

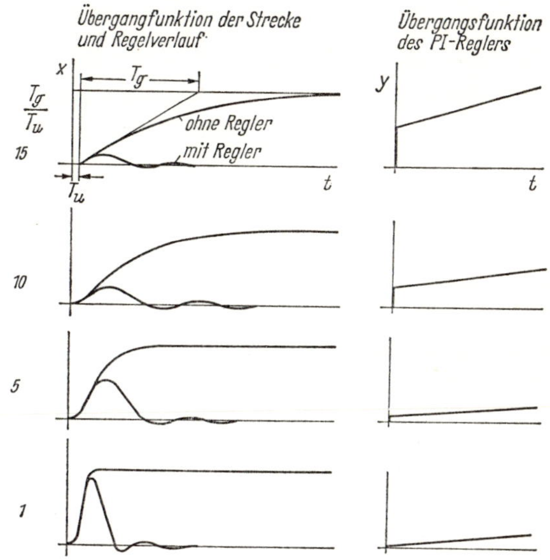

Bild 28
Übergangsfunktionen von Regelstrecken und PI-Regler sowie Regelverlauf bei optimaler Einstellung für verschiedene T_g/T_u

3.1.4.4. PD- und PID-Regler

Die Wirkung eines Reglers läßt sich verbessern, wenn im Regler zusätzlich die zeitliche Ableitung der Eingangsgröße gebildet wird. Die Ausgangsgröße ist dann beim PD-Regler

$$y = K_P \left[(x - w) + T_v (\dot{x} - \dot{w})\right] \tag{6}$$

und beim PID-Regler

$$y = K_P \left[(x - w) + \frac{1}{T_n} \int (x - w)\, dt + T_v (\dot{x} - \dot{w})\right] \tag{7}$$

Die Übergangsfunktionen dieser Regler zeigt Bild 29. Es läßt sich darstellen, daß durch einen derartigen differenzierenden Anteil im Regler gerade eine Verzögerungszeitkonstante des Systems eliminiert werden kann. Die Anwendung eines PD-Reglers bleibt demzufolge auf Strecken mit Verzögerung niedriger Ordnung begrenzt. Der D-Anteil im PID-Regler bringt gegenüber dem PI-Regler dann beachtliche Verbesserung, wenn die eliminierte Zeitkonstante einen wesentlichen Anteil der Gesamtverzögerung ausmacht. Einen Eindruck über die Verbesserung durch den D-Anteil vermittelt Bild 30. Man erkennt, daß bei den Strecken 2. und 4. Ordnung die Verbesserung durch den D-Anteil beachtlich ist. Bei einer Strecke mit sechs gleichen Zeitkonstanten ist die

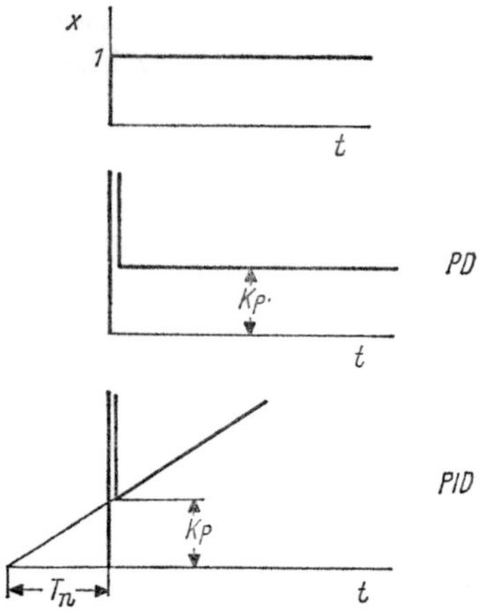

Bild 29. Übergangsfunktionen von PD- und PID-Regler

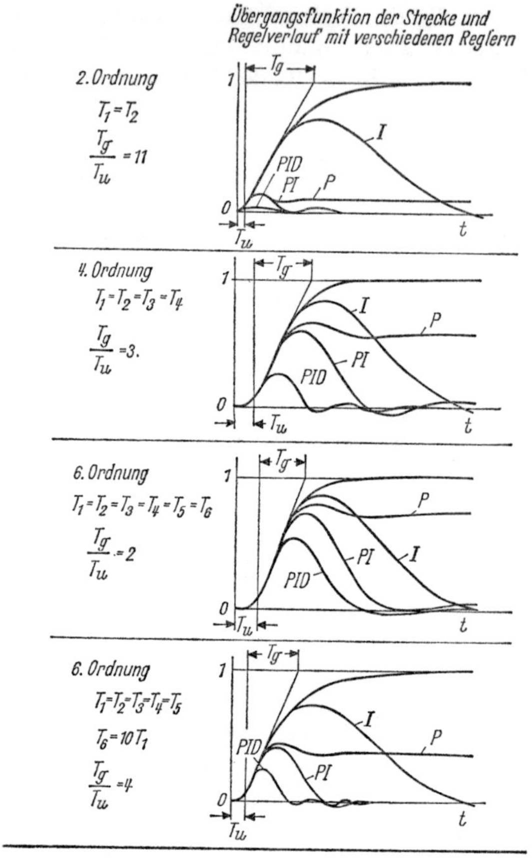

Bild 30. Regelverläufe verschiedener Strecken mit idealen Reglern

Verbesserung durch den D-Anteil nur noch unwesentlich, wohingegen bei einer Strecke 6. Ordnung mit fünf kleinen und einer großen Zeitkonstante wieder eine bemerkenswerte Verbesserung zu erzielen ist.

Zur Vervollständigung sind im Bild 30 auch die mit anderen Reglern zu erreichenden Regelverläufe eingezeichnet. Es sind die schon beschriebenen Tatsachen zu erkennen, daß ein P-Regler bei Strecken höherer Ordnung praktisch nicht zu verwenden ist und daß bei kleinerem T_g/T_u der Unterschied zwischen einem I- und PI-Regler immer geringer wird. Zu beachten ist, daß die Kurven in Bild 30 an einem Analogrechner, also fast unter idealen Bedingungen, aufgenommen worden sind. In der Praxis wird man normalerweise mit schlechteren Ergebnissen rechnen müssen. Insbesondere wird die Verbesserung durch den D-Anteil mit technischen Geräten kaum in der angegebenen Größe zu erreichen sein.

3.2. Aufbau und Kennwerte eines Reglers

Um Fehler bei der noch zu besprechenden Einstellung von Reglern, insbesondere von PID-Reglern, zu vermeiden, ist es notwendig, daß der Aufbau des Reglers bekannt ist. Ein Regler besteht üblicherweise aus einem Vorwärtsglied und einer Rückführung. Das Vorwärtsglied kann proportionales oder integrales Verhalten haben. Für einen guten Regler wird gefordert, daß der Verstärkungsfaktor V bzw. die Stellgeschwindigkeit c dieses Gliedes sehr groß ist. Das Zeitverhalten des Reglers wird durch die Rückführung bestimmt. Für einen PID-Regler ist eine verzögert-nachgebende Rückführung erforderlich, Bild 31.

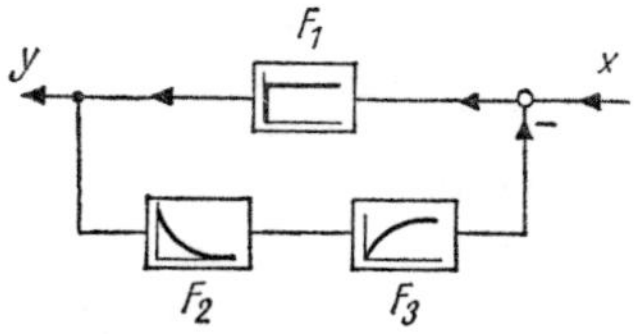

Bild 31. Blockschaltbild eines PID-Reglers

Mit Hilfe der Frequenzgangmethode läßt sich das Übertragungsverhalten des Reglers leicht bestimmen.

Es ist

$$F_R = \frac{1}{\frac{1}{F_1} + F_2 F_3} \tag{8}$$

mit $F_1 = V, \quad F_2 = \frac{j\,\omega\,k\,T_1}{1 + j\,\omega\,T_1}$

und damit $\quad F_3 = \frac{1}{1 + j\,\omega\,T_2}$

$$F_R = \frac{(1 + j\,\omega\,T_1)(1 + j\,\omega\,T_2)}{j\,\omega\,k\,T_1 + \frac{1}{V}(1 + j\,\omega\,T_1)(1 + j\,\omega\,T_2)} \tag{9}$$

Für sehr große Werte von V wird der 2. Summand im Nenner vernachlässigbar und der Frequenzgang lautet für $V \to \infty$

$$F_R = \frac{(1 + j\,\omega\,T_1)(1 + j\,\omega\,T_2)}{j\,\omega\,k\,T_1} \tag{10}$$

oder

$$F_R = \frac{T_1 + T_2}{k\,T_1}\left(1 + \frac{1}{j\,\omega\,(T_1 + T_2)} + j\,\omega\,\frac{T_1\,T_2}{T_1 + T_2}\right) \tag{11}$$

Das ist der Frequenzgang eines PID-Reglers

$$F_R = K_P\left(1 + \frac{1}{j\,\omega\,T_n} + j\,\omega\,T_v\right) \tag{12}$$

mit

$$K_P = \frac{T_1 + T_2}{k\,T_1}; \quad T_n = T_1 + T_2; \quad T_v = \frac{T_1\,T_2}{T_1 + T_2}$$

Einstellbar am Regler sind die Kenngrößen der Rückführung, also k, T_1 und T_2, wobei die Einstellknöpfe für diese Werte üblicherweise mit X_P, T_n und T_v bezeichnet sind.

X_P ist der Proportionalbereich des Reglers, der meist anstelle des Übertragungsfaktors angegeben wird. Man versteht darunter den Bereich der Eingangsgröße, der notwendig ist, um den ganzen Stellbereich Y_h zu durchlaufen. Meist ist dieser Bereich noch auf den Meßbereich M_x des Reglers bezogen und in Prozent angegeben. Damit besteht zwischen dem Proportionalbereich X_P und Proportionalbeiwert K_P der Zusammenhang

$$X_P = \frac{Y_h}{K_P\, M_x}\, 100\,\% \tag{13}$$

Die Eichung der so bezeichneten Skalen stimmt jetzt nur in gewissen Fällen, und zwar

die X_P-Skala, wenn $T_v = 0$ oder $T_n \to \infty$
die T_n-Skala, wenn $T_v = 0$ und
die T_v-Skala, wenn $T_n \to \infty$ ist.

Für beliebige Reglereinstellungen stimmen die an den Skalen eingestellten Werte nicht mit den wirklichen Reglerparametern überein. Bezeichnet man die eingestellten Werte mit dem Index e, dann gilt für den Proportionalbeiwert

$$K_P = K_{Pe}\, \mathrm{A} \tag{14}$$

oder für den Proportionalbereich

$$X_P = X_{Pe}\, \frac{1}{\mathrm{A}} \quad \text{mit} \quad \mathrm{A} = 1 + \frac{T_{ve}}{T_{ne}} \tag{15}$$

Für die Nachstellzeit gilt

$$T_n = T_{ne} + T_{ve} \tag{16}$$

und für die Vorhaltezeit

$$T_v = \frac{T_{ve}\, T_{ne}}{T_{ve} + T_{ne}} \tag{17}$$

Aus diesen Abhängigkeiten der Einstellwerte voneinander läßt sich weiter ableiten, daß sich bei einem PID-Regler, der mit verzögert-nachgebender Rückführung aufgebaut ist, maximal eine Vorhaltezeit

$$T_v = \frac{1}{4}\, T_n \tag{18}$$

erreichen läßt. Bei praktischen Reglern liegt dieser Wert wegen der Rückwirkung zwischen den Rückführgliedern sogar noch niedriger bis zu

$$T_v \approx \frac{1}{8}\, T_n \tag{19}$$

3.3. Anpassung des Reglers an die Regelstrecke

Im vorangegangenen Abschnitt war gezeigt worden, welchen Einfluß die einzelnen Reglerfunktionen auf den Regelverlauf haben. Danach läßt sich entscheiden, welcher Reglertyp für einen gegebenen Fall geeignet ist.

Unbeantwortet ist jedoch noch die Frage nach der günstigsten Reglereinstellung. Was als „günstigste" Einstellung bezeichnet wird, ist zum Teil Anschauungssache, hängt aber im wesentlichen vom jeweiligen Anwendungsfall ab. Von besonderem Interesse sind dabei:

Auswirkung von Regelgrößenschwankungen

Schwankungen der Regelgröße sind meist unkritisch, wenn nachgeschaltete Speicher die Schwingungen glätten. Treten beispielsweise bei der Durchflußregelung für die Brennstoffzufuhr eines Ofens Schwingungen auf, so werden sich diese kaum auf die Ofentemperatur auswirken, wenn die Ofenwände eine große Speicherwirkung für die Wärme haben. Demgegenüber können sich vorübergehende große Änderungen der Brennstoffzufuhr durchaus auf die Temperatur auswirken, so daß in diesem Fall ein nur schwach gedämpfter Regelverlauf günstiger als ein stark gedämpfter Verlauf ist. In anderen Fällen müssen dagegen aus verschiedensten Gründen Schwingungen unbedingt vermieden werden oder die Länge, die Ausregelzeit oder die Größe der Regelabweichung spielen bei der Beurteilung eine dominierende Rolle. Dementsprechend sind im Laufe der Zeit eine Reihe von Kriterien entstanden, die den verschiedenen Anforderungen gerecht werden.

Zeitlicher Verlauf der Störgröße

Untersucht man die Störungen, die auf Regelstrecken einwirken, auf ihren zeitlichen Verlauf, so stellt man fest, daß die Störungen meist aus keinen Sprungfunktionen, sondern aus mehr oder weniger langsamen Änderungen bzw. kurzzeitigen Impulsen bestehen. Langsame Schwankungen der Einflußgrößen sind dabei für die Reglereinstellung relativ unkritisch. Mit den im nächsten Abschnitt angegebenen Einstellkriterien wird man im allgemeinen einen brauchbaren Regelverlauf erreichen, gegebenenfalls kann der Regler noch etwas schärfer eingestellt werden. Treten in einer Anlage dagegen häufig impulsförmige Störungen auf, dann muß der Regler schwächer eingestellt werden, um zu vermeiden, daß durch den Stelleingriff, der sich erst bemerkbar macht, wenn die Störung bereits wieder abgeklungen ist, ein Überschwingen zur anderen Seite auftritt. Die Optimierung des Regelkreises für eine sprungförmige Störung wird einen Mittelwert darstellen. Über die Einstellung der Regler bei stochastischen Störgrößen wird in Abschnitt 5 die Rede sein.

Angriffspunkt der Störgröße

Störgrößen können nicht nur am Anfang, sondern an jedem beliebigen Punkt der Strecke angreifen. Welche Bedeutung der Angriffspunkt für die Reglereinstellung hat, ist an dem Beispiel in Bild 32 zu erkennen. Der Regler ist für eine sprungförmige Störgröße z_1 am Eingang der Strecke optimiert. Für sprungförmige Störungen am Ende der Strecke tritt dann bei gleicher Reglereinstellung eine beachtliche Überschwingung auf, d. h., der Regler müßte für Störungen am Ende der Strecke schwächer eingestellt werden. Grenzfälle für den Angriffspunkt der Störgrößen sind Eingang und Ausgang der Strecke. Eine Störung am Ausgang der Strecke ist gleichbedeutend mit einer Änderung der Führungsgröße. Zur Kennzeichnung dieses Grenzfalles spricht man daher vom Führungsverhalten, während mit Störverhalten ohne weitere Ergänzung das Verhalten bei Störung am Eingang der Strecke gemeint ist.

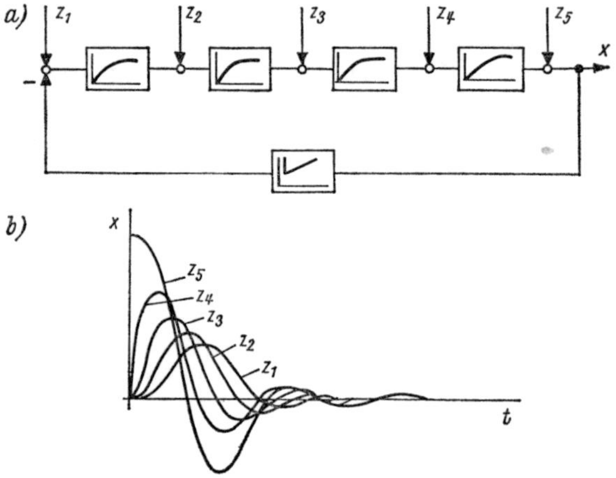

Bild 32
Einfluß des Störortes auf den Regelverlauf

3.3.1. Kriterien für die Regelgüte

Wie die vorangegangenen Betrachtungen gezeigt haben, ist es unmöglich, eine eindeutige Definition der günstigsten oder optimalen Reglereinstellung zu geben. Demzufolge ist es auch nicht möglich, ein allgemeingültiges Kriterium für die Regelgüte anzugeben, und so ist im Laufe der Zeit eine Reihe von Kriterien entstanden, die den verschiedenen Anforderungen gerecht werden.

Die lineare Regelfläche

Für die Beurteilung der Regelgüte ist die Größe der Regelabweichung und die Dauer des Regelvorganges wichtig. Es liegt daher nahe, die in Bild 33a schraffierte Fläche, also das Integral

$$\int_0^\infty x \, \mathrm{d}t$$

als Gütekriterium zu verwenden. Bei dieser Definition gehen die einzelnen Flächenteile mit ihrem Vorzeichen in die Berechnung ein, so daß bei einer ungedämpften Schwingung die lineare Regelfläche zu null wird. Es sind daher zusätzliche Bedingungen erforderlich. Oft wird der Dämpfungsgrad (meist $D = 1$) als Zusatzbedingung angegeben. Gelegentlich wird auch der Absolutbetrag der Regelfläche

$$\int_0^\infty |x| \, \mathrm{d}t$$

als Kriterium genommen.

Die lineare Regelfläche berücksichtigt in keiner Weise, ob die Regelabweichungen groß und von kurzer Dauer oder klein und langandauernd sind. Eine derartige Bewertung ermöglichen die beiden folgenden Kriterien:

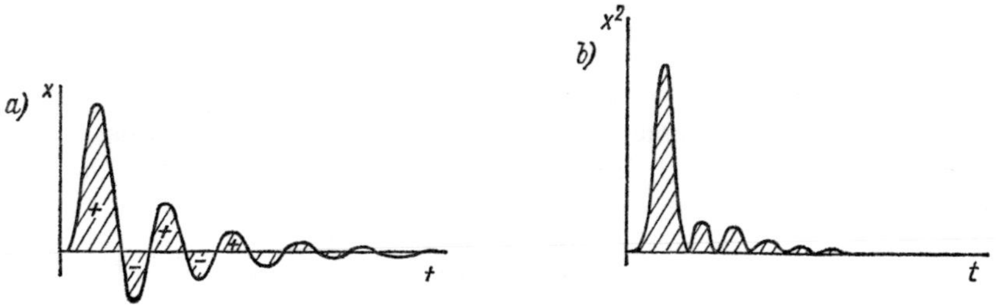

Bild 33. Regelfläche

a) lineare b) quadratische

Die quadratische Regelfläche

Bei diesem Kriterium wird, wie im **Bild 33b** dargestellt, das Integral über dem Quadrat der Regelgröße

$$\int_0^\infty x^2 \, \mathrm{d}t$$

gebildet.

Das bedeutet, daß große Abweichungen infolge des Quadrierens viel stärker bewertet werden als kleine Abweichungen. Zusatzbedingungen sind für dieses Kriterium nicht erforderlich. Das Minimum für die quadratische Regelfläche liegt erfahrungsgemäß bei einem relativ schwach gedämpften Regelverlauf (Dämpfungsgrad $D \approx 0{,}5$).

Das ITAE-Kriterium

Die Dauer des Regelvorganges wird im ITAE (integral of time multiplied absolute-value error) besonders bewertet, indem das Integral

$$\int_0^\infty |x| \, t \, \mathrm{d}t$$

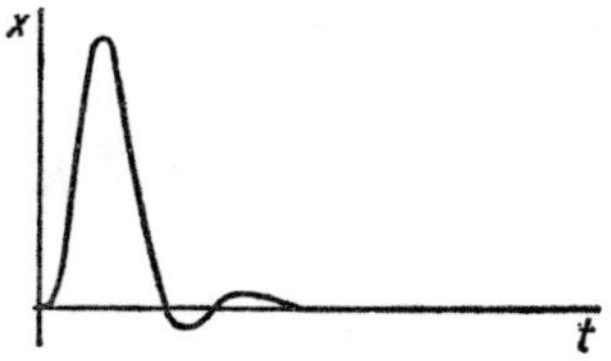

Bild 34. Regelverlauf für optimale Einstellung nach dem ITAE-Kriterium

als Beurteilung des Regelverlaufs gewählt wird. Dieses Integral hat ein Minimum bei einem gut gedämpften Regelverlauf, wie Beispiel **Bild 34** zeigt.

3.3.2. Einstellregeln für Regler

Eine genaue Bestimmung der Einstellwerte eines Reglers für einen optimalen Regelverlauf, beispielsweise nach einem der angegebenen Gütekriterien, bereitet erhebliche Schwierigkeiten; sie ist allerdings heute mit Hilfe von elektronischen Analogrechnern oder digitalen Rechenanlagen durchaus möglich, wenn genaue Angaben (Zeitkonstanten, Übertragungsfaktoren usw.) über alle Regelkreisglieder vorliegen. Im allgemeinen sind jedoch weder diese genauen Angaben vorhanden, noch steht eine entsprechende Rechenanlage zur Verfügung, so daß man auf Einstellregeln angewiesen ist, die nur weniger detaillierte Kenntnisse voraussetzen und einfach zu handhaben sind.

3.3.2.1. Die Einstellregeln von Ziegler und Nichols

Ziegler und *Nichols* haben bereits 1942 in einer Arbeit zwei Methoden zum Einstellen von Reglern gegeben, mit denen sich recht gute Ergebnisse erzielen lassen, obwohl die Methoden in ihrer Einfachheit unübertroffen sind. Die Regeln gelten für sprungförmige Störungen am Eingang der Strecke.

Erste Methode: Einstellen des Reglers nach dem Verhalten des Kreises am Stabilitätsrand.

Bei dieser Methode wird der Regler in der betriebsfertigen Anlage zunächst auf P-Verhalten geschaltet. Wenn der I- und der D-Teil nicht abgetrennt werden können, werden T_n so groß und T_v so klein wie möglich eingestellt. Danach wird der Proportionalbereich solange verkleinert, bis im Regelkreis gerade eine ungedämpfte Schwingung entsteht. Aus der Schwingungsdauer T_0 und dem Einstellwert $X_{P\,krit}$ für diesen Fall lassen sich die einzustellenden Werte wie folgt bestimmen:

P-Regler $X_P = 2\,X_{P\,krit}$

PI-Regler $X_P = 2{,}2\,X_{P\,krit}$, $T_n = T_0/1{,}2$

PID-Regler $X_P = 1{,}6\,X_{P\,krit}$, $T_n = T_0/2$, $T_v = T_0/8$

Zweite Methode: Einstellen des Reglers nach der Übergangsfunktion der Strecke.

Bei dieser Methode geht man von den Kennwerten der Übergangsfunktion K_S, T_g und T_u aus. Die Einstellwerte für die Regler sind dann:

P-Regler $$K_P = \frac{T_g}{K_S\,T_u}$$

PI-Regler $$K_P = 0{,}9\,\frac{T_g}{K_S\,T_u}, \quad T_n = T_u/0{,}3$$

PID-Regler $$K_P = 1{,}2\,\frac{T_g}{K_S\,T_u}, \quad T_n = 2\,T_u, \quad T_v = 0{,}5\,T_u$$

Derartig einfache Einstellregeln lassen natürlich den Verdacht aufkommen, daß ihre Genauigkeit und Anwendbarkeit gering sind. Es sind deswegen die

Reglereinstellungen nach den beiden Methoden von *Ziegler-Nichols* mit der optimalen Reglereinstellung nach dem ITAE-Kriterium für verschiedene Regelstrecken untersucht worden. Als Strecken wurden gewählt:

a) Strecken mit n Verzögerungsgliedern mit gleicher Zeitkonstante

b) Strecken mit $2/3\, n$ Verzögerungsgliedern mit kleiner Zeitkonstante T_1 und $n/3$ Verzögerungsgliedern mit großer Zeitkonstante $T_2 = 10\, T_1$

c) Strecken mit $n/3$ Verzögerungsgliedern mit kleiner Zeitkonstante T_1, $n/3$ Verzögerungsgliedern mit mittlerer Zeitkonstante ($T_2 = 3\, T_1$) und $n/3$ Verzögerungsgliedern mit großer Zeitkonstante ($T_3 = 10\, T_1$)

d) Strecken mit $(n - 1)$ Verzögerungsgliedern mit kleiner Zeitkonstante T_1 und 1 Verzögerungsglied mit großer Zeitkonstante $T_2 = 10\, T_1$

e) Strecke mit reiner Totzeit und Verzögerung 1. Ordnung

f) Strecke mit reiner Totzeit und Verzögerung 2. Ordnung

Die Strecken wurden von 3. bis 12. Ordnung variiert. Die Ergebnisse dieser Untersuchung sind in den Bildern 35 bis 38 dargestellt.

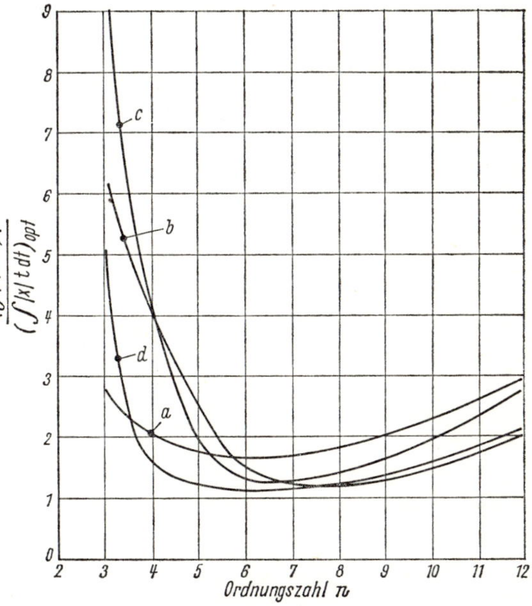

Bild 35
$\int |x|\, dt$ eines nach der 1. Regel von *Ziegler-Nichols* eingestellten Regelkreises zu $\int |x|\, t\, dt$ bei optimaler Einstellung abhängig von der Ordnungszahl

In **Bild 35** ist das Verhältnis der ITAE-Fläche des nach der 1. Methode von *Ziegler-Nichols* eingestellten Regelkreises zur optimalen ITAE-Fläche aufgetragen. Man sieht, daß bei Strecken niedriger Ordnung die Reglereinstellung schlecht ist, ab 5. Ordnung sind die Ergebnisse jedoch zufriedenstellend.

In **Bild 36** ist das gleiche Verhältnis über T_g/T_u aufgetragen. Für eine Strecke mit Totzeit und Verzögerung 1. Ordnung ist die Einstellung für $T_g/T_u > 3$

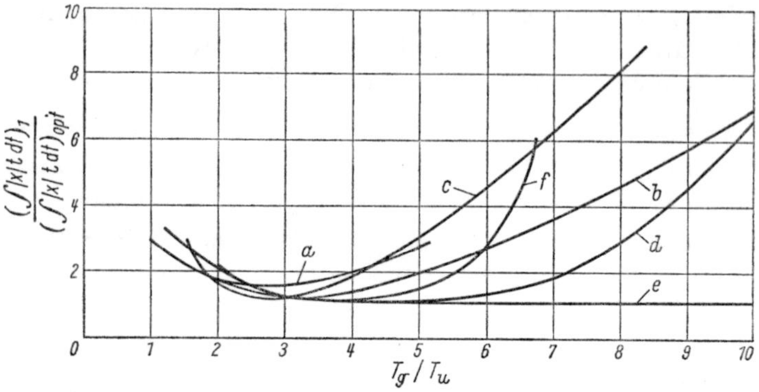

Bild 36. $\int |x| t\,dt$ eines nach der 1. Regel von *Ziegler-Nichols* eingestellten Regelkreises zu $\int |x| t\,dt$ bei optimaler Einstellung abhängig von T_g/T_u

optimal, für alle anderen Strecken wird die Einstellung mit wachsendem T_g/T_u schlechter.

Die gleichen Verhältnisse für die zweite Methode nach *Ziegler-Nichols* sind in den Bildern 37 und 38 aufgetragen. Man sieht, daß diese zweite Methode wesentlich schlechtere Ergebnisse liefert. Lediglich für Strecken mit Totzeit und Verzögerung 1. Ordnung ist für $T_g/T_u > 3$ die Einstellung optimal. Zum Unterschied von der ersten Methode ist aber die Einstellung bei kleinen und bei großen T_g/T_u-Werten besser, bei mittleren Werten schlechter.

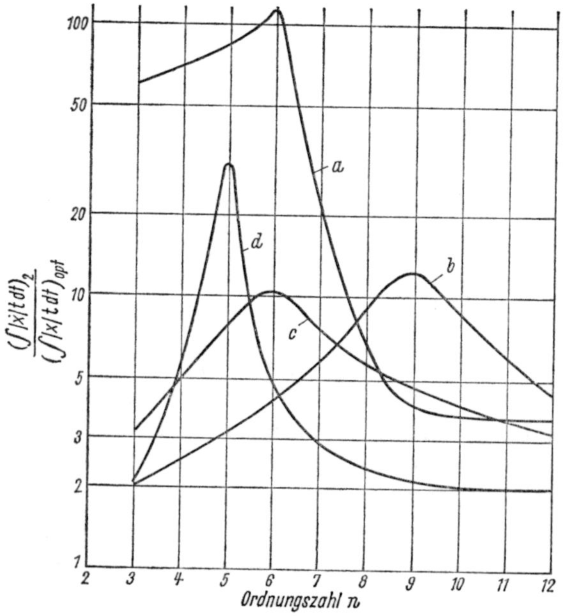

Bild 37
$\int |x| t\,dt$ eines nach der 2. Regel von *Ziegler-Nichols* eingestellten Regelkreises zu $\int |x| t\,dt$ bei optimaler Einstellung abhängig von der Ordnungszahl

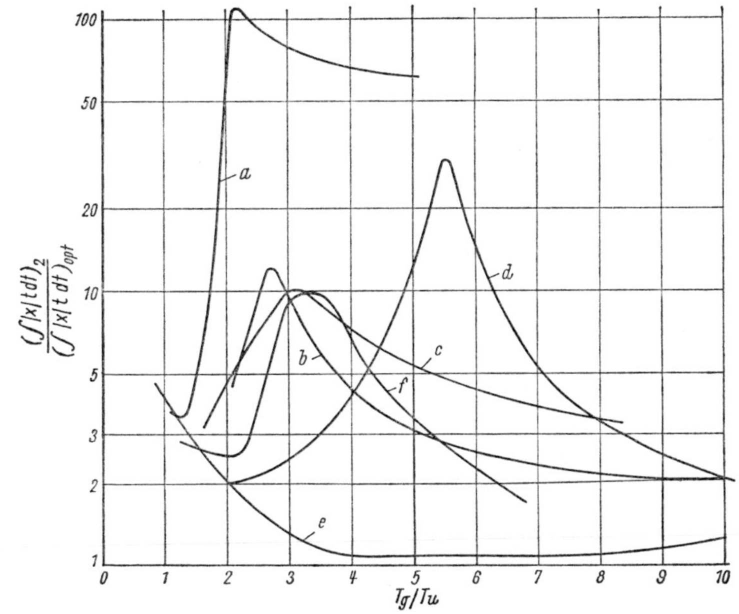

Bild 38. $\int |x| t \, dt$ eines nach der 2. Regel von *Ziegler-Nichols* eingestellten Regelkreises zu $\int |x| t \, dt$ bei optimaler Einstellung abhängig von T_g/T_u

In diesen Ergebnissen steckt insofern eine gewisse Willkür, als das ITAE-Kriterium zum Vergleich herangezogen wurde. Im Vergleich mit einem anderen Kriterium, z. B. der quadratischen Regelfläche, wären die Ergebnisse anders und besonders bei der zweiten Methode günstiger ausgefallen.

Zur Korrektur der nach *Ziegler-Nichols* ermittelten Einstellwerte, auf die hier nicht näher eingegangen werden kann, ist zu sagen, daß grundsätzlich die Einstellregeln einen zu starken P-Anteil ergeben (X_P muß also vergrößert werden) und einen zu schwachen I-Anteil (T_n muß verkleinert werden). Dabei hat es sich im Rahmen dieser Untersuchung gezeigt, daß die Korrekturwerte nicht über einen Faktor 4 bis 5 hinausgehen.

3.3.2.2. Die Einstellregeln nach Chien, Hrones und Reswick

Weniger summarisch sind die Einstellregeln von *Chien*, *Hrones* und *Reswick*, die zwischen der Einstellung für Störung und Führung unterscheiden. Die Einstellwerte für PI- und PID-Regler lassen sich aus den Kurven in Bild 39 entnehmen. Die Kurven gelten für den Fall kürzester aperiodischer Einstellung. Sie wurden aufgenommen an Strecken mit reiner Totzeit und Verzögerung 1. Ordnung. Praktisch kommen derartige Übergangsfunktionen nicht vor, so daß im allgemeinen der Regler etwas schärfer eingestellt werden kann.

Die hier behandelten Einstellregeln können selbstverständlich nur Richtwerte für die Einstellung des Reglers geben. Bei der Einstellung ist auf die schon

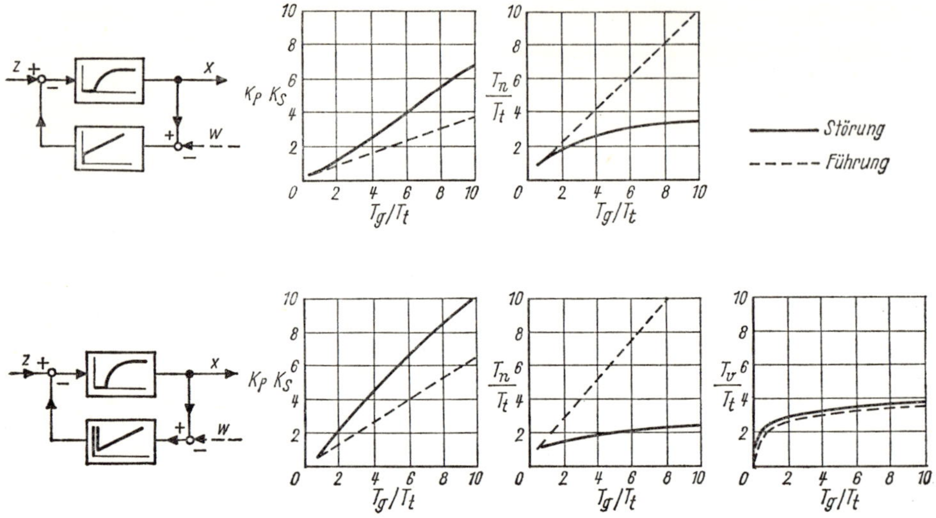

Bild 39. Reglereinstellung nach *Chien*, *Hrones* und *Reswick*

besprochene Abhängigkeit zwischen den einzelnen Parametern zu achten. Zusätzlich ist zu beachten, daß die Skalen für die Reglerkennwerte im allgemeinen nur wenig genau sind, selbst bei guten Geräten können Skalenfehler bis zu 100 % auftreten. Es ist daher kaum zu erwarten, daß mit einer Einstellung nach diesen Regeln ein optimaler Regelverlauf erreicht wird. Wohl wird man fast immer einen brauchbaren, häufig auch einen guten Regelverlauf erzielen. Das jeweilige Optimum läßt sich dann durch Nachstellen der Reglerparameter finden.

3.4. Verbesserung des Regelverhaltens

Mit der Verwendung eines PID-Reglers sind die Möglichkeiten des einfachen Regelkreises praktisch voll ausgeschöpft. Theoretisch läßt sich durch mehrfache Differentiation der Regelgröße eine weitere Verbesserung erreichen. Derartige Geräte sind jedoch nicht realisierbar. Im vorhergehenden Abschnitt war gezeigt worden, daß auch bei Verwendung eines PID-Reglers erhebliche Regelabweichungen auftreten können, und zwar dann, wenn die Störgrößen groß sind und wenn die Regelstrecke große Verzögerungen zwischen Stellglied und Meßfühler aufweist. Zwar sind diese Regelabweichungen nur vorübergehend, meist wird aber auch das schon nicht mehr zulässig sein. In diesen Fällen kann man durch sogenannte zusammengesetzte oder vermaschte Regelkreise eine Verbesserung des Regelverhaltens erzielen. Diesen Verbesserungsmaßnahmen liegen die einfachen Gedanken zugrunde, entweder den Störgrößen entgegenzuwirken, bevor sie sich voll auf die Regelgröße auswirken können, oder durch zusätzliche Meß- bzw. Stellgrößen die Zeit zwischen Stelleingriff und seiner Auswirkung auf die Regelgröße zu verkürzen. Die verschiedenen Methoden dieser Art sind:

Vorregelung der Einflußgrößen,
Störgrößenaufschaltung,
Einführung einer Hilfsstellgröße,
Einführung einer Hilfsregelgröße,
Kaskadenregelung.

3.4.1. Vorregelung der Einflußgrößen

Dieses Verfahren ist von der Idee her das einfachste Verbesserungsverfahren. Alle Größen, die einen Einfluß auf die Regelgröße haben, werden vor ihrem Eintritt in die Strecke geregelt. Voraussetzung für dieses Verfahren ist, daß die Einflußgrößen gemessen und über ein Stellglied beeinflußt werden können. Der gerätetechnische Aufwand ist nicht unerheblich. Es ist jedoch zu bedenken, daß meistens die entsprechenden Meßfühler und Stellgeräte eventuell in etwas einfacherer Ausführungsform zur Überwachung und Bedienung der Anlage erforderlich sind. Der wirkliche Mehraufwand liegt damit nur noch in den zusätzlichen Reglern, für die jedoch oft schon einfache P-Regler ausreichen, da im allgemeinen an die Vorregelkreise keine allzu hohen Ansprüche in Hinblick auf die Regelgüte gestellt werden.

Hinsichtlich der Stabilität und Reglereinstellung bringt dieses Verfahren keine Schwierigkeiten, da die einzelnen Regelkreise völlig unabhängig voneinander sind.

Einen weiteren, nicht zu unterschätzenden Vorteil bietet das Verfahren für die Bedienung der Gesamtanlage. Nur die Meßfühler samt den Meßumformern sowie die Stellgeräte befinden sich in der Anlage selbst, während die Regler nebst Meßgeräten und Registriereinrichtungen in einer zentralen Meßwarte installiert sind. Es läßt sich somit die gesamte Anlage von der Meßwarte her steuern, was beim Anfahren und Abfahren der Anlage sowie bei Änderungen des Arbeitspunktes von großer Bedeutung ist.

Das Verfahren der Vorregelung der Einflußgröße wird in der Praxis sehr häufig angewandt. Für eine der wichtigsten Störgrößen, nämlich Änderungen der Belastung, ist es nicht verwendbar.

3.4.2. Störgrößenaufschaltung

Bei Störgrößen, die zwar meßbar, jedoch nicht beeinflußbar sind, wie z. B. die schon erwähnten Belastungsänderungen, läßt sich durch die in Bild 40 dargestellte Störgrößenaufschaltung (z-Aufschaltung) eine Verbesserung erreichen. Zum Unterschied von der Vorregelung wird hier nicht die Störgröße beeinflußt, sondern über ein Steuerglied ZA das Stellglied so verstellt, daß der Einfluß der Störgröße auf die Regelgröße durch diese Verstellung gerade eliminiert wird. Dieses Verfahren ist nur sinnvoll für Störgrößen, die am Anfang der Strecke bzw. in ihrem vorderen Teil angreifen. Im letzten Fall ist zwar keine völlige Kompensation der Störung mehr zu erreichen, es lassen sich aber noch wesentliche Verbesserungen erzielen. Für Störungen im hinteren Streckenabschnitt bringt die Aufschaltung keine nennenswerten Verbesserungen mehr.

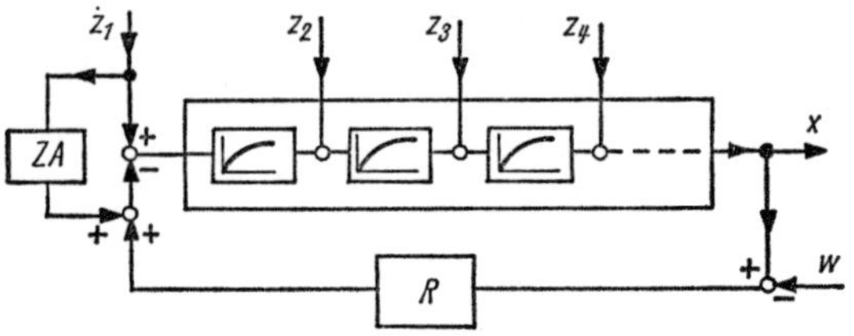

Bild 40. Blockschaltbild eines Regelkreises mit Störgrößenaufschaltung

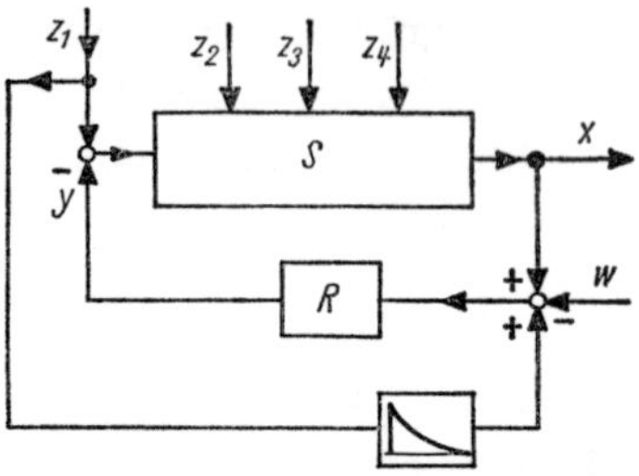

Bild 41. Blockschaltbild eines Regelkreises mit nachgebender Störgrößenaufschaltung

Häufig wird die Störgröße nicht, wie in Bild 40 gezeigt, auf das Stellglied, sondern auf den Reglereingang geschaltet, Bild 41. Dies hat den Vorteil, daß das Steuerglied ZA nicht die zur Betätigung des Stellgliedes erforderliche Leistung aufbringen muß. Enthält der Regler einen I-Anteil, was bei derartigen Regelkreisen wohl immer der Fall sein wird, muß die Aufschaltung nachgebend erfolgen. Bei einem Sprung der Störgröße geht dann ein zunächst großes, mit der Zeit aber kleiner werdendes Zusatzsignal in den Eingang des Reglers. Würde das Zusatzsignal mit der Zeit nicht verschwinden, so würde der Regler infolge seines I-Anteils solange arbeiten, bis $x + z = w$ wird und nicht, wie verlangt, $x = w$. Die nachgebende Aufschaltung bewirkt nur zu Anfang eine Kompensation der Störgröße durch die Stellgröße. Mit der Zeit geht der Einfluß der Aufschaltung zurück, inzwischen hat aber der Regler eine Verstellung des Stellgliedes vorgenommen, so daß nur geringe Abweichungen der Regelgröße auftreten. Den besten Erfolg erzielt man, wenn man die Zeitkonstante des nachgebenden Gliedes gleich der größten Zeitkonstante der Strecke macht.

Die Störgrößenaufschaltung bringt natürlich nur eine Verbesserung für die aufgeschaltete Störgröße und ist demzufolge nur dann sinnvoll, wenn diese Störgröße dominierend ist.

3.4.3. Einführung einer Hilfsstellgröße

Die Verzögerungen einer Regelstrecke kann man zum Teil ausschalten und damit eine Verbesserung des Regelverhaltens erreichen, wenn es gelingt, innerhalb der Regelstrecke ein zweites Stellglied anzuordnen. In Bild 42 ist das Blockschaltbild für einen Kreis mit einer derartigen Hilfsstellgröße y_h dargestellt. Der Vorteil dieses Verfahrens ist offensichtlich. Während die Hauptstellgröße y nur über die großen Verzögerungen der Gesamtstrecke auf die Regelgröße wirken kann, ist der Einfluß der Hilfsstellgröße y_h auf x wesentlich schneller, da für y_h nur die geringeren Verzögerungen der Teilstrecke S_2 wirksam sind. Die Verbesserung des Regelverhaltens ist unabhängig davon, an welcher Stelle die Störgrößen auf die Strecke einwirken, in jedem

Fall können sie über den schnelleren Kreis mit der Hilfsstellgröße ausgeregelt werden.
Bei größeren technischen Anlagen bereitet die Anbringung einer Hilfsstellgröße meist keine prinzipiellen Schwierigkeiten. Der Aufwand kann allerdings recht erheblich sein. Als Regler für den Hilfsregelkreis genügt häufig schon ein einfacher P-Regler, da man immer darauf achten wird, daß die Verzögerungen in der Strecke S_2 gering sind.
Der Hauptregler kann schärfer als bei einem einfachen Regelkreis eingestellt werden. Es ist jedoch zu beachten, daß der Kreis instabil werden kann, wenn die Hilfsregelgröße aus irgendeinem Grund ausfällt.

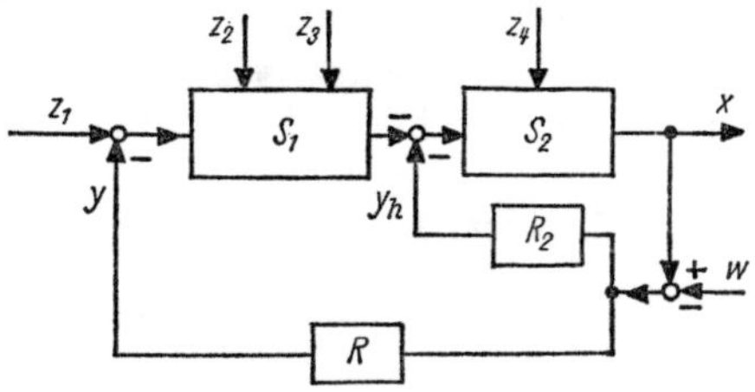

Bild 42. Blockschaltbild eines Regelkreises mit Hilfsstellgröße

3.4.4. Einführung einer Hilfsregelgröße

Diesem Verfahren liegt die gleiche Idee zugrunde, wie bei der Einführung der Hilfsstellgröße, nämlich einen Teil der Verzögerungen der Regelstrecke auszuschalten. Dazu führt man jetzt aber nicht ein zusätzliches Stellsignal in die Strecke ein, sondern man mißt eine Zwischengröße der Regelstrecke und benutzt diese Hilfsregelgröße x_h als zusätzliche Regelgröße, Bild 43. Der Hilfsregelkreis besteht jetzt aus dem ersten Streckenabschnitt S_1 und dem Regler R_2, für den wiederum meist schon ein einfacher P-Regler genügt, da S_1 nur geringere Verzögerungen enthält. Eine direkte wesentliche Verbesserung bringt dieses nur für Störungen im ersten Streckenabschnitt. Für Störungen, die erst hinter der Meßstelle für x_h auf die Strecke wirken, ist nur eine Verbesserung insofern zu erreichen, als der Regler R_1 schärfer eingestellt werden kann. Es besteht dann aber wieder die Gefahr, daß der Kreis bei Ausfall der Hilfsregelgröße instabil wird.

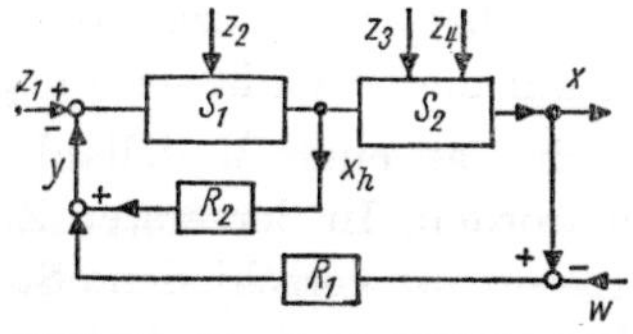

Bild 43. Blockschaltbild eines Regelkreises mit Hilfsregelgröße

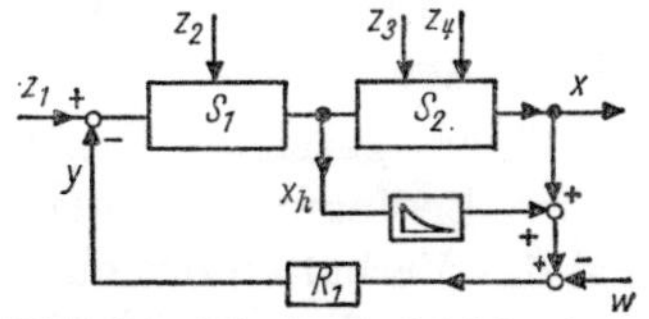

Bild 44. Blockschaltbild eines Regelkreises mit nachgebend aufgeschalteter Hilfsregelgröße

Der Vorteil der Hilfsregelgröße gegenüber der Hilfsstellgröße liegt im geringeren Aufwand. Zunächst ist es fast immer einfacher, eine zusätzliche Meßstelle anzubringen als ein zusätzliches Stellglied. Oft sind diese Meßstellen zur Überwachung der Anlage sogar schon vorhanden. Darüber hinaus kann man den Regler R_2 einsparen, wenn man die Hilfsregelgröße wie eine Störgröße nachgebend auf den Hauptregler R_1 aufschaltet, Bild 44.

3.4.5. Kaskadenregelung

Die in Bild 45 gezeigte Kaskadenregelung ist eine Abwandlung des Verfahrens mit Hilfsregelgröße. Der Hauptregler ist R_2, dessen Ausgang jetzt aber nicht direkt auf das Stellglied, sondern auf den Sollwerteingang des Reglers R_1 wirkt. Störungen im ersten Streckenabschnitt werden durch den Regler R_1 schon weitgehend ausgeregelt, der jedoch für Störungen im zweiten Streckenabschnitt wiederum nur eine indirekte Verbesserung über die mögliche schärfere Einstellung des Reglers R_2 bringt. Für den Regler R_1 genügt meist wieder ein P-Regler, während R_2 ein PI- oder PID-Regler ist.

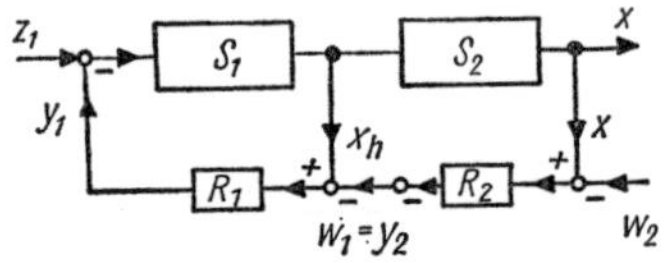

Bild 45
Blockschaltbild eines Regelkreises mit Kaskade

Der Vorteil der Kaskadenregelung gegenüber der Hilfsregelgröße besteht hauptsächlich darin, daß es gerätetechnisch viel einfacher ist, die Ausgangsgröße eines Reglers R_2 auf den Sollwerteingang des Reglers R_1 zu geben, als zwei Stellsignale zu addieren. Bei pneumatischen Einheitsreglern kann man z. B. Ausgang und Sollwerteinstellung direkt miteinander verbinden, während zur Addition zweier Steuerdrücke immerhin ein Mischrelais erforderlich ist.

3.4.6. Übersicht über die Auswirkungen der einzelnen Maßnahmen zur Verbesserung des Regelverhaltens

Abschließend soll in Bild 46 ein Überblick für die Anwendung und Wirkung der einzelnen Verbesserungsmaßnahmen gegeben werden. Es sei jedoch betont, daß die Bilder nur einen qualitativen Einblick geben sollen. Welche Methode oder eventuell die Kombination von mehreren Verfahren die günstigste und wirtschaftlichste für ein spezielles Problem ist, kann nur von Fall zu Fall entschieden werden. Dabei ist bei komplizierten Anlagen eine exakte Rechnung kaum durchzuführen. Auch Anweisungen für die Einstellung vermaschter Regelkreise gibt es nicht, und so wird man sich bei der Auswahl der Methode weitgehend von dem Gefühl und von der Erfahrung leiten lassen müssen.

Die in den Bildern gezeigten Regelverläufe sind an einer Modellanlage unter nahezu idealen Bedingungen aufgenommen worden. In der ersten Zeile wird noch einmal das Verhalten des einfachen Kreises für verschiedene Störgrößen gezeigt. Es wurde in diesem Fall ein PID-Regler verwandt, so daß die Kurven das Optimum des in einem einfachen Kreis Erreichbaren darstellen. Bei einer Vorregelung der Einflußgrößen ergeben sich praktisch die gleichen Kurven, jedoch mit kleinerer Amplitude je nach Qualität des Vorregelkreises. In den anderen Fällen ist als Hauptregler jeweils nur ein PI-Regler genommen worden. Das Verhalten des einfachen Regelkreises mit einem PI-Regler ist in der dritten Zeile zum Vergleich noch einmal durch die gestrichelten Linien angedeutet worden. Den hinteren Spalten läßt sich entnehmen, in welchen Fällen die Anwendung der einzelnen Verfahren sinnvoll ist.

	Verfahren zur Verbesserung	Blockschaltbild	Regelverlauf	Anwendung	Einstellung u. Einfluß auf Stabilität	Bemerkungen
1	———	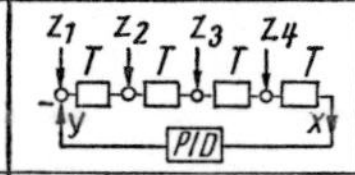	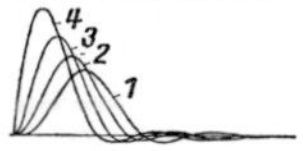			
2	Vorregelung der Einflußgrößen	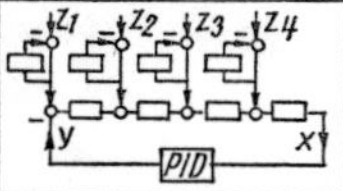	praktisch wie oben, jedoch mit viel kleinerer Amplitude	für alle meßbaren u. beeinflußbaren Störgrößen	unkritisch ——— kein Einfluß	Vorteile für zentrale Steuerung der Anlage
3	Störgrößen-aufschaltung	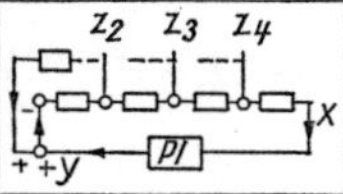	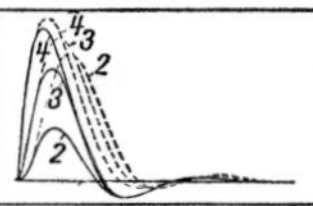	wenn eine Störgröße dominierend Störgröße muß meßbar sein u. am Anfang der Strecke angreifen	unkritisch ——— kein Einfluß	Aufschaltung auch nachgebend auf Hauptregler
4	Hilfs-stellgröße	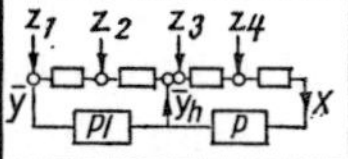	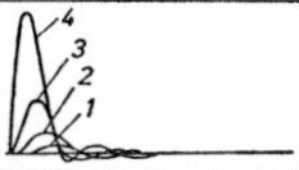	für alle Störgrößen	schwieriger ——— kann bei Ausfall instabil werden	
5	Hilfs-regelgröße	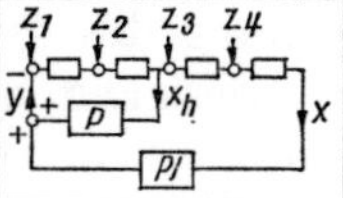	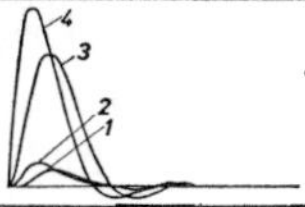	für Störgrößen am Anfang der Strecke	desgl.	Aufschaltung auch nachgebend auf Hauptregler
6	Kaskaden-regelung	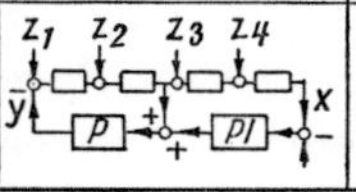	wie bei 5 (Hilfsregelgröße)	desgl.	desgl.	gerätetechnisch einfacher als Hilfsregelgröße

Bild 46. Übersicht über die Wirkung der einzelnen Verfahren zur Verbesserung des Regelverhaltens

4. DYNAMISCHES VERHALTEN VON REGELKREISEN

4.1. Einleitung

Die folgenden Ausführungen sollen einen Überblick über Grundlagen geben, die Voraussetzung zur Behandlung praktischer regeltechnischer Aufgaben sind. Dabei wird besondere Betonung auf die Ermittlung des dynamischen Verhaltens der Regelstrecken gelegt, da die Hauptschwierigkeiten vor allem bei Regelstrecken in der Verfahrens- und Energietechnik oft auf die mangelhafte Kenntnis über das Verhalten der Regelstrecke zurückgeführt werden können. Es werden nur einschleifige, also nicht vermaschte Regelkreise betrachtet, und es wird vorausgesetzt, daß alle Glieder eines Regelkreises lineares Verhalten haben. Auf das Verhalten von Meß- und Stelleinrichtungen wird nicht eingegangen.

4.2. Zum dynamischen Verhalten von Regelstrecken

Mit Regelstrecke wird der Bereich einer Anlage bezeichnet, in dem sich nach einer Stellgrößenänderung y Zustandsgrößen ändern, welche die Regel-

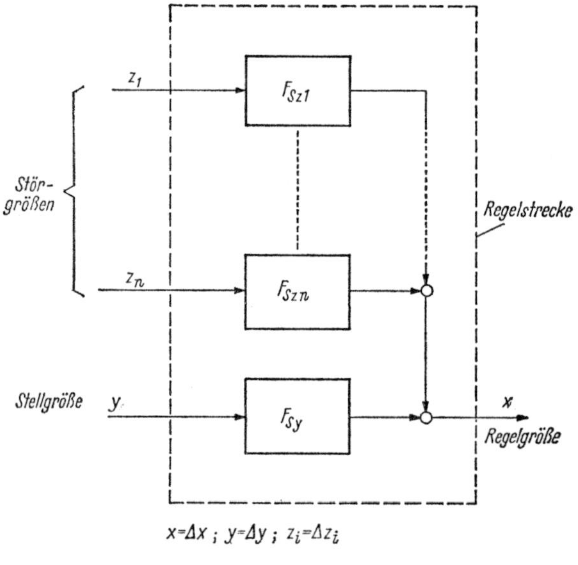

Bild 47. Blockschaltbild einer Regelstrecke

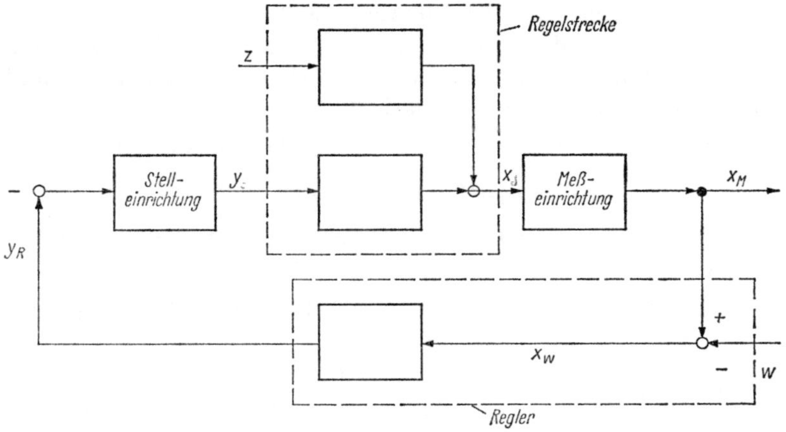

Bild 48. Blockschaltbild eines Regelkreises

größe x beeinflussen. Eingangsgrößen der Regelstrecke sind die Stellgröße y und die Störgrößen $z_1, z_2, \ldots z_n$, Bild 47. Ausgangsgröße ist die Regelgröße x. Die Regelstrecke beginne an dem Ort, an dem die Stellgröße, in der Verfahrenstechnik meist ein Massen- oder Energiestrom, durch eine Verstellung des Stellgliedes geändert wird, und endet am Meßort der Regelgröße. Stelleinrichtung und Meßeinrichtung gehören dann nicht zur Regelstrecke, sondern zusammen mit dem Regler zur Regeleinrichtung, Bild 48.

Besonders in der Verfahrenstechnik lassen sich zwei Klassen von Regelstrecken unterscheiden:

Regelstrecken mit „konzentrierten Parametern" und
Regelstrecken mit „verteilten Parametern".

4.2.1. Regelstrecken mit konzentrierten Parametern

Das dynamische Verhalten von Regelstrecken mit konzentrierten Parametern wird durch gewöhnliche Differentialgleichungen beschrieben. Diese gewöhnlichen Differentialgleichungen haben die Form [16]

$$a_n x^{(n)} + a_{n-1} x^{(n-1)} + \ldots . + a_2 x'' + a_1 x' + a_0 x = b_m y^{(m)} + b_{m-1} y^{(m-1)} + \ldots . + b_2 y'' + b_1 y' + b_0 y, \quad (20)$$

und entstehen, wenn die das dynamische Verhalten bestimmenden Stoff- und Energiespeicher und die den Stoff- und Energiestrom beeinflussenden Widerstände als in einem „Punkt" oder in mehreren „Punkten" konzentriert betrachtet werden können.

Die meisten verfahrenstechnischen Regelstrecken zeigen nun aber sowohl statisch als auch dynamisch nichtlineares Verhalten und führen deshalb auf nichtlineare Differentialgleichungen. Das dynamische Verhalten ist dann abhängig von der Größe und der Richtung der Einflußgröße. In vielen Fällen läßt sich jedoch die Differentialgleichung für kleine Änderungen um einen „Arbeitspunkt" linearisieren. Die eventuelle Abhängigkeit der Dynamik vom Arbeitspunkt ist aber meist zu berücksichtigen.

Den Frequenzgang der Regelstrecke erhält man bekanntlich durch die Ansätze

$$y = y_0 \, e^{i \omega t} \text{ und } x = x_0 \, e^{i(\omega t + \varphi)} \tag{21}$$

als partikuläre Lösung der Gl. (20) bei sinusförmiger Änderung der Eingangsgröße. Es entsteht dann aus dem Verhältnis des Ausgangsvektors zum Eingangsvektor (im eingeschwungenen Zustand) [17] die Gleichung des Frequenzganges

$$F(p) = \frac{x(p)}{y(p)} = |F(p)| \cdot e^{i \varphi(\omega)} = \frac{b_m p^m + b_{m-1} p^{m-1} + \ldots + b_2 p^2 + b_1 p + b_0}{a_n p^n + a_{n-1} p^{n-1} + \ldots + a_2 p^2 + a_1 p + a_0}$$

mit $p = i\,\omega$. (22)

In den Gl. (20) und (21) wurde die Stellgröße y als Eingangsgröße gewählt. Man erhält dann das Stellverhalten der Regelstrecke. Wenn statt y die Störgröße z als Eingangsgröße gewählt wird, bekommt man das Störverhalten.

Da das dynamische Verhalten von Regelstrecken mit konzentrierten Parametern durch gewöhnliche Differentialgleichungen beschrieben wird, bestehen die Frequenzganggleichungen von Regelstrecken mit konzentrierten Para-

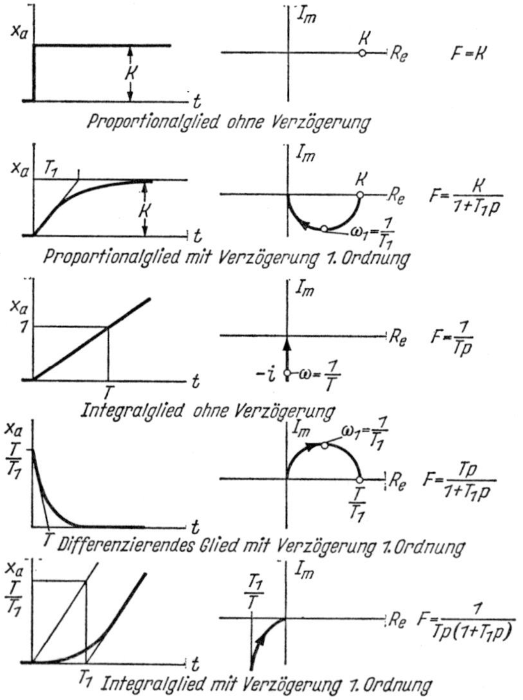

Bild 49
Übergangsfunktionen, Ortskurven und Frequenzganggleichungen einiger einfacher Regelkreisglieder

metern aus rationalen Ausdrücken, wie Gl. (22) zeigt. Bei Regelstrecken, die nur aus Verzögerungsgliedern bestehen, sind sämtliche $b_1, b_2, \ldots, b_m = 0$. Entsprechend dem Grad n des Polynoms im Nenner unterscheidet man Regelstrecken nullter, erster, zweiter, ..., n-ter Ordnung. Regelstrecken, bei denen $b_1, b_2, \ldots, b_m \neq 0$ sind, enthalten zusätzliche Vorhaltglieder. Bei physikalisch realisierbaren Regelstrecken ist $n \geqq m$.

Man unterscheidet ferner Regelstrecken mit Ausgleich, proportionalwirkende Regelstrecken, wenn a_0 vorhanden ist, und Regelstrecken ohne Ausgleich, integralwirkende Regelstrecken, wenn $a_0 = 0$ ist und deshalb $1/a_1 p$ vor die komplexe Frequenzganggleichung (21) herausgezogen werden kann. Einige typische und einfache Frequenzganggleichungen mit den dazugehörenden Übergangsfunktionen und Ortskurven zeigt **Bild 49.**

Die Differentialgleichung einer Regelstrecke erhält man aus der Massenstrom- und Energiestrombilanz der Regelstrecke, die sich zum betrachteten Zeitpunkt t in einem Übergangszustand von einem Beharrungszustand in einen anderen Zustand befindet. Hierzu betrachtet man die ein- und austretenden Massen- und Energieströme und die in der Regelstrecke gespeicherten Massen und Energien. Wenn nur ein Massen- und Energiespeicher vorhanden ist, dann braucht nur eine Massen- oder Energiestrombilanz aufgestellt zu werden. Treten mehrere Speicher auf, so braucht man entsprechend mehr Bilanzgleichungen.

Beispiele:

a) Flüssigkeitsstand-Regelstrecke

Regelgröße sei der Höhenstand H einer Flüssigkeit in einem Behälter, Stellgröße der Massenzustrom $\dot{M}_e$, Bild 50.

Es wird nun zur Vereinfachung angenommen, daß der Massenabstrom $\dot{M}_a$ (Störgröße) unabhängig von der Flüssigkeitsstandhöhe H konstant sei. Dann gilt die Massenstrombilanzgleichung

$$\dot{M}_e(t) - \dot{M}_a(t) = \frac{d\,M_{Sp}(t)}{dt}. \quad (23)$$

Massenzustrom — Massenabstrom — zeitliche Änderung der gespeicherten Masse

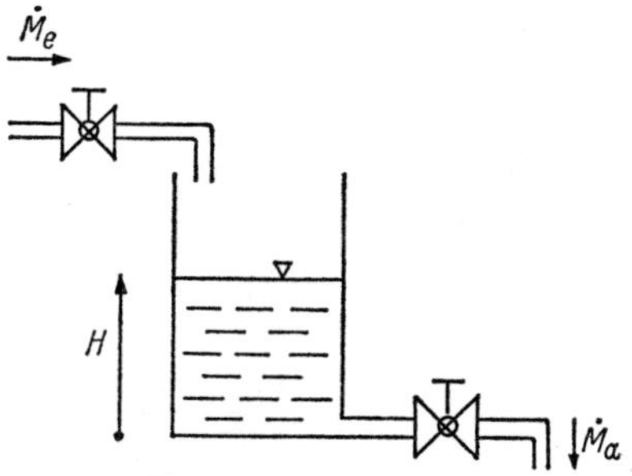

Bild 50. Flüssigkeitsstand-Regelstrecke

Für den gespeicherten Massenstrom gilt

$$\frac{dM_{Sp}}{dt} = \varrho\, A_F \frac{dH}{dt} \quad (24)$$

wenn ϱ die Dichte der Flüssigkeit und A_F die Spiegelfläche im Behälter sind.

Für die Massenströme läßt sich schreiben

$$\dot{M}(t) = \overline{\dot{M}} + \Delta \dot{M}(t) \quad (25)$$

wobei $\overline{\dot{M}}$ den Massenstrom im Beharrungszustand beschreibt.

Ebenso gilt

$$\dot{H}(t) = \overline{\dot{H}} + \Delta H(t) \qquad (26)$$

Aus Gl. (23) wird dann

$$\overline{\dot{M}}_e + \Delta \dot{M}_e - \overline{\dot{M}}_a - \Delta \dot{M}_a = \varrho A_F \frac{d(\overline{H})}{dt} + \varrho A_F \frac{d(\Delta H)}{dt}$$

oder

$$\Delta \dot{M}_e - \Delta \dot{M}_a = \varrho A_F \frac{d(\Delta H)}{dt} \qquad (27)$$

da $\overline{\dot{M}}_e = \overline{\dot{M}}_a$ und $\frac{d\overline{H}}{dt} = 0$ ist.

Wenn $\Delta \dot{M}_a = 0$ ist und bezogene Größen $m_e = \Delta \dot{M}_e/\overline{\dot{M}}_e$ und $h = \Delta H/\overline{H}$ eingeführt werden, erhält man für das Stellverhalten der Regelstrecke die Differentialgleichung

$$m_e = T \frac{dh}{dt}, \qquad (28)$$

wobei

$$T = \frac{\varrho A_F \overline{H}}{\overline{\dot{M}}_e} \qquad (29)$$

die Zeitkonstante ist.

Mit den Ansätzen von Gl. (22) erhält man aus Gl. (28) in Frequenzgangdarstellung

$$F_{Sy} = \frac{h(p)}{m_e(p)} = \frac{1}{T p}. \qquad (30)$$

Es handelt sich also um eine Regelstrecke mit integralem Stellverhalten, eine Regelstrecke ohne Ausgleich.

b) Mischungs-Regelstrecke

Regelgröße sei die Temperatur ϑ_a am Ausgang eines Mischbehälters, in dem zwei Flüssigkeitsströme $\dot{M}_{e1}$ und $\dot{M}_{e2}$ mit den Temperaturen ϑ_{e1} und ϑ_{e2} durchmischt werden, Bild 51.

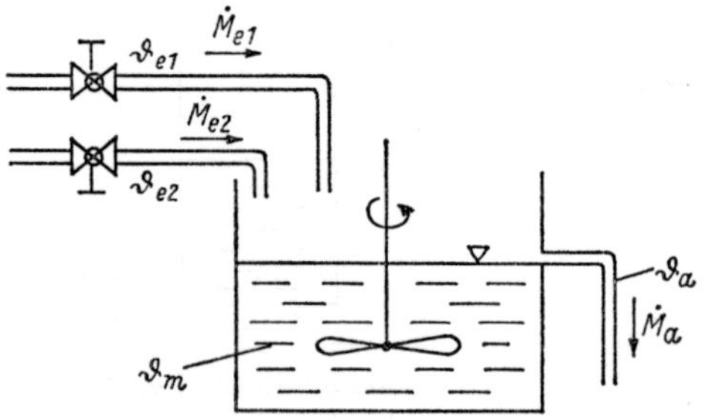

Bild 51
Mischungs-Regelstrecke

Der Flüssigkeitsstrom $\dot{M}_{e1}$ sei die Stellgröße. Dann sind $\dot{M}_{e2}$, ϑ_{e1} und ϑ_{e2} Störgrößen. Bei Annahme vollkommener Durchmischung im Mischbehälter ist die Austrittstemperatur ϑ_a gleich der mittleren Temperatur ϑ_m im Mischbehälter.

$$\vartheta_a = \vartheta_m \qquad (31)$$

Die Energiestrombilanzgleichung lautet

$$\underbrace{\dot{M}_{e1}\, c_F\, \vartheta_{e1}(t) + \dot{M}_{e2}\, c_F\, \vartheta_{e2}(t)}_{\text{Energiezuströme}} - \underbrace{\dot{M}_a\, c_F\, \vartheta_a(t)}_{\text{Energie-abstrom}} = \underbrace{M_{Sp}\, c_F \frac{d\vartheta_m(t)}{dt}}_{\text{zeitliche Änderung der gespeicherten Energie}} \tag{32}$$

Gesucht sei nun das dynamische Verhalten der Regelstrecke bei einer Temperaturänderung $\Delta\,\vartheta_{e1}$ des Flüssigkeitsstromes 1. Es bleiben konstant:

$$\overline{\dot{M}}_{e1},\ \overline{\dot{M}}_{e2},\ \overline{\dot{M}}_a,\ \overline{\vartheta}_{e2} \text{ und } M_{Sp}$$

Dann wird aus Gl. (32) mit

$$\vartheta_{e1}(t) = \bar{\vartheta}_{e1} + \Delta\,\vartheta_{e1}(t) \quad \text{und} \quad \vartheta_m(t) = \vartheta_a(t) = \bar{\vartheta}_a + \Delta\,\vartheta_a(t) \tag{33}$$

$$\underbrace{\overline{\dot{M}}_{e1}\,\bar{\vartheta}_{e1} + \overline{\dot{M}}_{e1}\,\Delta\,\vartheta_{e1} + \overline{\dot{M}}_{e2}\,\bar{\vartheta}_{e2}} - \overline{\dot{M}}_a\,\bar{\vartheta}_a - \overline{\dot{M}}_a\,\Delta\,\vartheta_a = M_{Sp} = \frac{d\,(\Delta\,\vartheta_a)}{dt} \tag{34}$$

Da für den Beharrungszustand die Gleichung

$$\overline{\dot{M}}_{e1}\,\bar{\vartheta}_{e1} + \overline{\dot{M}}_{e2}\,\bar{\vartheta}_{e2} - \overline{\dot{M}}_a\,\bar{\vartheta}_a = 0 \tag{35}$$

gilt, wird aus Gl. 34

$$M_{Sp}\frac{d\,(\Delta\,\vartheta_a)}{dt} + \overline{\dot{M}}_a\,\Delta\,\vartheta_a = \overline{\dot{M}}_{e1}\,\Delta\,\vartheta_{e1} \tag{36}$$

oder

$$T\frac{d\,(\Delta\,\vartheta_a)}{dt} + \Delta\,\vartheta_a = \frac{\overline{\dot{M}}_{e1}}{\overline{\dot{M}}_a}\,\Delta\,\vartheta_{e1} \tag{37}$$

Die so erhaltene Differentialgleichung ist also von erster Ordnung und hat die Zeitkonstante

$$T = \frac{M_{Sp}}{\overline{\dot{M}}_a}.$$

Mit den Ansätzen von Gl. (22) erhält man aus Gl. (37) die Frequenzganggleichung für das Störverhalten bezüglich ϑ_{e1}

$$F_{Sz} = \frac{\Delta\,\vartheta_a(p)}{\Delta\,\vartheta_{e1}(p)} = \frac{K_{Sz}}{1 + T\,p} \tag{38}$$

mit dem Verstärkungsfaktor

$$K_{Sz} = \frac{\overline{\dot{M}}_{e1}}{\overline{\dot{M}}_a}$$

Es handelt sich also um ein proportionalwirkendes Verzögerungsglied erster Ordnung, eine Strecke mit Ausgleich.

4.2.2. Regelstrecken mit verteilten Parametern

Das dynamische Verhalten von Regelstrecken mit verteilten Parametern wird durch partielle Differentialgleichungen beschrieben, weil die das dynamische Verhalten bestimmenden Stoff- und Energiespeicher und die den Stoff- und Energiestrom beeinflussenden Widerstände über die Länge der Regelstrecke kontinuierlich verteilt sind. Die Regelgröße ändert sich dann sowohl in Abhängigkeit von der Zeit als auch abhängig vom Ort.

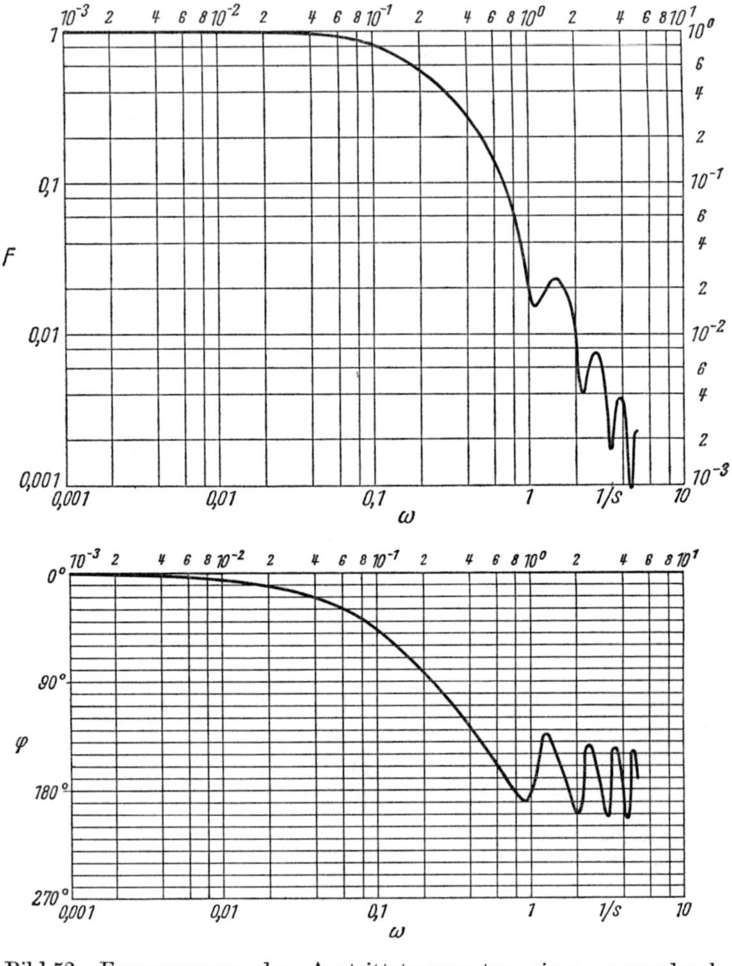

Bild 52. Frequenzgang der Austrittstemperatur eines wasserdurchströmten Rohres bei Beheizungsänderung

Die Lösungen der auftretenden partiellen Differentialgleichungen sind jedoch nicht immer in geschlossener Form möglich [20]. Wenn eine Lösung in geschlossener Form existiert, dann erhält man die Frequenzganggleichungen am zweckmäßigsten durch zweimalige Anwendung der Laplace-Transformation [21]. Je nach dem Charakter des partiellen Differentialgleichungssystems und der Art der Randbedingungen können Frequenzganggleichungen mit den verschiedensten Funktionstypen auftreten. Vielfach ergeben sich dabei transzendente Funktionen oder Kombinationen von transzendenten und rationalen Funktionen. In manchen Fällen ist es jedoch zur Vereinfachung möglich, die transzendenten Funktionen durch rationale Funktionen zu approximieren.

Die Übergangsfunktionen von Regelstrecken mit verteilten Parametern haben oft einen ähnlichen Verlauf wie Übergangsfunktionen von Regelstrecken mit konzentrierten Parametern und unterscheiden sich deshalb nur wenig. Deutlicher zeigen sich die Unterschiede in der Frequenzgangdarstellung. Im Unterschied zu den meisten Frequenzgängen von Regelstrecken mit konzentrierten Parametern tritt bei manchen Regelstrecken mit verteilten Parametern ein nichtmonotoner Verlauf des Betrages und des Phasenwinkels auf. Bild 52 zeigt als Beispiel den Frequenzgang der Austrittstemperatur eines wasserdurchströmten Rohres bei Beheizungsänderung. Sowohl im Betrags- als auch im Phasenwinkelverlauf treten Schwingungen auf, die sich in der Ortskurve als Schleifen darstellen.

Typische Vertreter für Regelstrecken mit verteilten Parametern sind Apparate, die dem Wärme- oder Stoffaustausch dienen, also besonders Wärmeaustauscher und chemische Reaktoren.

Als Beispiel soll ein durchströmtes beheiztes Rohr betrachtet werden, das ein Grundelement vieler Wärmeaustauschertypen ist.

Das Rohr sei innen von überhitztem Dampf durchströmt und außen von einem strömenden Gas durch Konvektion beheizt. Man betrachtet nun zur Aufstellung der Bilanzgleichungen ein Element der Länge dx dieses Rohres an der Stelle x, Bild 53, [18]. Entsprechend den zwei Speichern des Rohrelementes, dem Rohr-

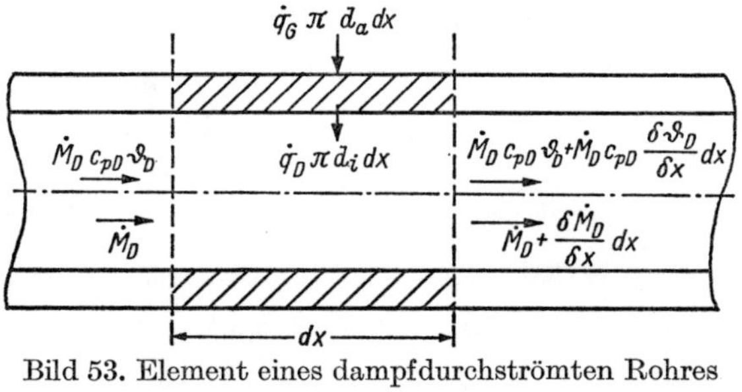

Bild 53. Element eines dampfdurchströmten Rohres

A_D Querschnittsfläche der Dampfströmung
A_W Ringquerschnittsfläche der Rohrwand
c_{pD} spezifische Wärme des Dampfes
c_W spezifische Wärme des Rohrwerkstoffes
d_a Rohraußendurchmesser
d_i Rohrinnendurchmesser
l Rohrlänge
$\dot M_D$ Dampfstrom
$\dot q_D$ Wärmestromdichte Rohrwand-Dampf $\dot q_D = \alpha_D (\Theta - \vartheta_D)$
$\dot q_G$ Wärmestromdichte Gas- Rohrwand $q_G = \alpha_G (\vartheta_G - \Theta)$
t Zeit
w_D Dampfgeschwindigkeit
x Rohrlängskoordinate
α_D Wärmeübergangszahl Rohrwand-Dampf
α_G Wärmeübergangszahl Gas- Rohrwand
ϑ_D Temperatur des Dampfes
ϑ_G Temperatur des Gases
Θ Temperatur der Rohrwand
ϱ_D Dichte des Dampfes
ϱ_W Dichte der Rohrwand

wandelement und dem Dampfelement, erhält man bei Berücksichtigung einiger vereinfachender Annahmen [18], [22]:

Wärmebilanz des Rohrelementes:

$$\underbrace{\dot{q}_G \pi d_a \,\mathrm{d}x\,\mathrm{d}t}_{\text{Wärme-zustrom}} - \underbrace{\dot{q}_D \pi d_i \,\mathrm{d}x\,\mathrm{d}t}_{\text{Wärme-abstrom}} = \underbrace{A_W \varrho_W c_W \frac{\partial \Theta}{\partial t} \,\mathrm{d}x\,\mathrm{d}t}_{\text{Wärmespeicherung im Rohrelement}} \tag{39}$$

bzw.

$$\alpha_G (\vartheta_G - \Theta) \pi d_a - \alpha_D (\Theta - \vartheta_D) \pi d_i = \frac{\pi}{4} (d_a{}^2 - d_i{}^2) \varrho_W c_W \frac{\partial \Theta}{\partial t} \tag{40}$$

Wärmebilanz des Dampfelementes:

$$\underbrace{\dot{q}_D \pi d_i \,\mathrm{d}x\,\mathrm{d}t}_{\text{Wärmezustrom durch die Rohrwand}} - \underbrace{A_D \varrho_D c_{pD} w_D \frac{\partial \vartheta_D}{\partial x} \,\mathrm{d}x\,\mathrm{d}t}_{\text{Differenz zwischen Wärmeab- und Wärmezustrom durch die Strömung}} = \underbrace{A_D \varrho_D c_{pD} \frac{\partial \vartheta_D}{\partial t} \,\mathrm{d}x\,\mathrm{d}t}_{\text{Wärmespeicherung im Dampfelement}} \tag{41}$$

bzw.

$$\alpha_D (\Theta - \vartheta_D) \pi d_i = \frac{\pi}{4} d_i{}^2 \varrho_D c_{pD} \left(w_D \frac{\partial \vartheta_D}{\partial x} + \frac{\partial \vartheta_D}{\partial t} \right) \tag{42}$$

Aus den beiden partiellen Differentialgleichungen (40) und (42) erhält man nach einigen Zwischenrechnungen, die in [18] und [22] ausführlich behandelt werden, durch zweimalige Anwendung der Laplace-Transformation die Frequenzgänge der Dampfaustrittstemperatur ϑ_{Da} bezüglich Änderungen der Eintrittstemperatur ϑ_{De}, der Dampfgeschwindigkeit w_D oder der Beheizung $\dot{q}_G$.

Für Änderungen der Eintrittstemperatur ergibt sich

$$F_\vartheta = \frac{\Delta \vartheta_{Da}(p)}{\Delta \vartheta_{De}(p)} = \frac{c_{p\,De}}{c_{p\,Da}} \underbrace{e^{-T_t p}\, e^{-\varkappa_D \frac{p + K_P z}{p + K_P (1+z)}}}_{F'_\vartheta(p)} \tag{43}$$

und für Änderung der Beheizung

$$F_Q = \frac{\Delta \vartheta_{Da}(p)}{\Delta \dot{q}_G(p)} = \frac{c_{PDm}}{c_{PDa}} \frac{\bar{\Theta} - \bar{\vartheta}_D}{\bar{\dot{q}}_D} \frac{d_a}{d_i} \frac{K_D K_P}{p^2 + K_D + K_P(1+z) p + z K_D K_P} [1 - F'_\vartheta(p)] \tag{44}$$

Darin sind

$$\varkappa_D = \frac{4 \alpha_D l}{d_i \varrho_D c_{pDm} w_D} \quad \text{(Form-Kennwert)}, \tag{45}$$

$$T_R = \frac{1}{K_P} = \frac{(d_a^2 - d_i^2) \varrho_W c_W}{4 \alpha_D d_i} \quad \text{(Zeit-Kennwert)}, \tag{46}$$

$$z = \frac{\alpha_G d_a}{\alpha_D d_i} \quad \text{(Beheizungs-Kennwert)} \tag{47}$$

$$T_t = \frac{1}{w_D} \qquad \text{(Laufzeit des Dampfes)} \tag{48}$$

$$K_D = \frac{\varkappa_D}{T_t} \tag{49}$$

Kennwerte, durch die das dynamische Verhalten eines Rohres bestimmt wird.

Der Frequenzgang F_ϑ besteht aus einem Totzeitglied und einer transzendenten Funktion von p. F_Q ist die Kombination einer rationalen Funktion mit einer transzendenten Funktion.

4.3. Analyse von Regelstrecken

Ziel der Analyse von Regelstrecken ist, ein mathematisches Modell der Regelstrecke zu finden, das zu rechnerischen Untersuchungen des Regelverhaltens geeignet ist. Hierzu ist es erforderlich, sowohl die Struktur des Frequenzganges der Regelstrecke als auch die Größe der einzelnen Parameter (Kennwertermittlung) zu bestimmen.

Die Analyse einer Regelstrecke kann auf Grund physikalischer oder chemischer Gleichungen rein rechnerisch oder aber durch Messung der Ein- und Ausgangsgrößen und anschließender Verarbeitung der Meßergebnisse experimentell erfolgen.

Besonders bei verfahrenstechnischen Regelstrecken ist es oft schwer, die dynamischen Vorgänge rein rechnerisch zu erfassen. Deshalb und auch wegen der Nachprüfung von rechnerisch gefundenen Modellen ist die experimentelle Analyse von Regelstrecken in jedem Fall wichtig. Das mathematische Modell einer Regelstrecke wird in den meisten Fällen wegen einer Herabsetzung des Rechenaufwandes ein vereinfachtes Modell der wirklichen Regelstrecke und damit eine Approximation sein, deren Güte vom Verwendungszweck des Modells abhängt.

4.3.1. Mathematische Analyse von Regelstrecken

Die mathematische Analyse von Regelstrecken kann auf Grund physikalischer und chemischer Bilanzgleichungen, die auf gewöhnliche oder partielle Differentialgleichungen führen, erfolgen. Dies wurde bereits in Abschnitt 4.2.1 beschrieben.

Ein Vorteil der mathematischen Analyse ist besonders darin zu sehen, daß das statische und dynamische Verhalten aus Konstruktions- und Prozeßdaten ermittelt wird. Es ergeben sich dann einige Kennwerte, durch die das dynamische Verhalten bestimmt ist. Beim Beispiel des beheizten Rohres, Abschn. 4.2.2, waren dies besonders die Kennwerte $\varkappa_D$, T_R und z. Mit ihrer Hilfe läßt sich das dynamische Verhalten nicht nur schon im Planungsstadium bestimmen, sondern es läßt sich auch feststellen, wie man das dynamische Verhalten einer Regelstrecke durch entsprechende Konstruktion der Prozeßanlage verbessern kann.

4.3.2. Experimentelle Analyse von Regelstrecken

Die beiden am meisten verwendeten Meßverfahren lassen sich nach der Größe der der Regelstrecke überlagerten Störungen einteilen. Sind die durch unvermeidbare Störungen verursachten Änderungen der Regelgröße im Verhältnis zu der zulässigen, durch das Testsignal erzeugten Änderung der Regelgröße klein, erhält man die genauesten Meßergebnisse durch die Eingabe determinierter Testsignale. Wenn die Störungen der Regelgröße aber groß sind, muß man auf statistischen Methoden beruhende Verfahren verwenden. Die Testsignale können dann determiniert oder stochastisch sein. Schließlich gibt es noch Modellverfahren, bei denen ein der Regelstrecke parallelgeschaltetes Modell selbsttätig der Regelstrecke angepaßt wird.

Die erforderliche Genauigkeit der Messung des dynamischen Verhaltens von Regelstrecken hängt vom Verwendungszweck der Meßergebnisse ab. Wenn man nur ungefähre Angaben über das dynamische Verhalten braucht, z. B. zur Abschätzung der Einstellung von Reglerparametern, kann die Messung einer Sprungantwort (Übergangsfunktion) und die anschließende Ermittlung von Verzugs- und Ausgleichszeit oft ausreichen, wenn der Regelstrecke nur kleine Störungen überlagert sind.

Sollen die Meßergebnisse dazu verwendet werden, um genauere rechnerische Untersuchungen des Regelverhaltens oder um einen Vergleich des mathematischen Modells einer Regelstrecke mit dem wirklichen Verhalten zu machen, braucht man vor allem den Frequenzgang der Regelstrecke. Es wird deshalb im folgenden beachtet, daß der Frequenzgang in graphischer oder mathematischer Form das Ziel der experimentellen Analyse der Regelstrecke ist.

4.3.2.1. Verwendung determinierter Testsignale (kleine Störungen)

Determinierte Testsignale können nichtperiodisch oder periodisch sein. Sie können sich in der Form, in der Höhe bzw. Amplitude und in der Zeitdauer bzw. Frequenz unterscheiden, Bild 54. Am genauesten ist im allgemeinen die direkte Messung des Frequenzganges durch periodische Testsignale, aber die erforderliche Meßzeit ist meist zu groß. Es ist deshalb oft einfacher, den Frequenzgang aus der Antwortfunktion auf nichtperiodische Testsignale

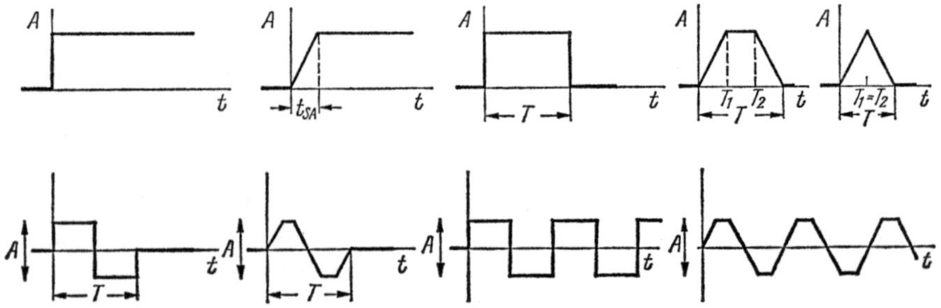

Bild 54. Einfach zu erzeugende Testsignale

(Sprungfunktion oder Impulse) zu berechnen. Man nützt dann den Vorteil aus, daß bei nichtperiodischen Testsignalen im Unterschied zur direkten Frequenzgangmessung nahezu alle Frequenzen auf einmal angeregt werden. Aber schon sehr kleine Störungen in der Antwortfunktion können große Fehler im berechneten Frequenzgang hervorrufen. Diese Fehler können jedoch durch geeignete Auswahl der Testsignale in bestimmten Frequenzbereichen klein gehalten werden [23]. Der Frequenzgang $F(i\omega)$ einer als linear betrachtbaren Regelstrecke kann aus der zeitlichen Antwort der Ausgangsgröße $x_a(t)$ unter bestimmten Bedingungen nach einer nichtperiodischen Änderung der Eingangsgröße $x_e(t)$ (Testsignal) ermittelt werden durch das Verhältnis der Fourier-Transformierten von Aus- und Eingangsgröße [17]:

$$F(i\omega) = \frac{X_a(i\omega)}{X_e(i\omega)} = \frac{\mathfrak{f}\{x_a(t)\}}{\mathfrak{f}\{x_e(t)\}} = \frac{\int_0^\infty x_a(t)\, e^{-i\omega t}\, dt}{\int_0^\infty x_e(t)\, e^{-i\omega t}\, dt} \tag{50}$$

Die Auswertung der Gl. (50) geschieht am besten mit Hilfe eines numerischen Näherungsverfahrens auf einem Digitalrechner. Hierzu muß die Antwortfunktion nach Aufteilung in kleine Zeitintervalle Δt durch einen Polygonzug angenähert werden. Die entstehenden Fehler durch überlagerte Störungen der Ausgangsgröße $x_a(t)$ bei der Berechnung des Frequenzganges können wesentlich verkleinert werden, wenn man mit demselben Testsignal mehrere Antwortfunktionen aufnimmt und eine gemittelte Antwortfunktion

$$\overline{x_a(t)} = \frac{1}{n} \sum_{k=1}^{n} x_{ak}(t) \tag{51}$$

bildet.

Um die durch die unvermeidbaren Störungen der Regelgröße entstehenden Fehler bei der Ermittlung des Frequenzganges möglichst klein zu halten, empfiehlt sich im allgemeinen das folgende Meßprinzip [23]:

Die Ermittlung des Frequenzganges für niedere Frequenzen und den Verstärkungsfaktor erhält man am genauesten aus einer aus mehreren Sprungantwortfunktionen gemittelten Übergangsfunktion.

Die Ermittlung des Frequenzganges für mittlere und hohe Frequenzen erhält man am genauesten

a) aus direkter Frequenzgangmessung oder

b) aus einer aus mehreren Rechteckimpulsantwortfunktionen gemittelten Antwortfunktion.

4.3.2.2. Verwendung statistischer Methoden

Sind die Störungen der Regelstrecke im Vergleich zur zulässigen Testsignalhöhe groß, dann muß man sich statistischer Methoden zur experimentellen Analyse von Regelstrecken bedienen. Als Testsignal werden künstliche periodische Signale, künstliche stochastische Testsignale oder die natürlich auftretenden stochastischen Störungen verwendet. An praktischen Regelstrecken wurden bisher jedoch nur wenig Meßmethoden erfolgreich angewandt. Viele Meßverfahren sind noch Gegenstand der Forschung und praktischen Erprobung. In vielen Fällen ist jedoch die vorausgesetzte Forderung der Stationarität der gemessenen Signale nicht erfüllt.

Ein in [25] angegebenes Frequenzgangmeßverfahren, das ein künstlich erzeugtes periodisches Testsignal verwendet, wurde bereits in mehreren Fällen erfolgreich angewandt. Es beruht wie viele Korrelationsverfahren auf einer Art Filterwirkung. Die periodischen Anteile der Störgröße, die nicht die gerade eingegebene Frequenz des Testsignals haben und alle regellosen Störgrößen werden unterdrückt (s. a. [16], S. 182). Im allgemeinen ist jedoch eine sehr große Meßzeit notwendig, die oft nicht zur Verfügung steht. Ein anderes Korrelationsverfahren ist in [26] angegeben.

4.3.2.3. Modellverfahren

Eine selbsttätig arbeitende Analyse einer Regelstrecke läßt sich mit Hilfe eines einstellbaren Modells erreichen. Das Modell wird der Regelstrecke im allgemeinen parallelgeschaltet und mit derselben Eingangsgröße x_e wie die Regelstrecke beaufschlagt, Bild 55; x_e kann dabei ein künstlich erzeugtes Testsignal oder aber eine natürlich schwankende, stochastische Einflußgröße sein. Aus den Ausgangsgrößen von Regelstrecke und Modell wird das Differenzsignal ε gebildet. Ein Anpassungsrechenwerk verstellt dann Parameter des Modells so lange, bis $\varepsilon = 0$ wird.

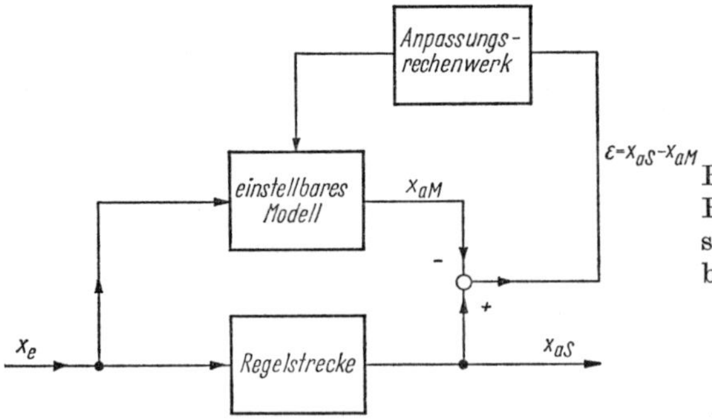

Bild 55
Blockschaltbild einer Regelstrecke mittels einstellbarem Modell

Man unterscheidet nun Modelle mit fest vorgegebener Struktur, bei denen lediglich einige Parameter, z. B. Zeitkonstanten, einzustellen sind und Modelle, bei denen aus mehreren Strukturen zunächst die der Regelstrecke am nächsten kommende ausgewählt wird und dann erst die Parameter eingestellt werden. Für das Modell mit fest vorgegebener Struktur und das Rechenwerk können meist Analogrechner verwendet werden. Die Modellmethode mit auswählbarer Struktur erfordert aber im allgemeinen Digitalrechner.

Ein Nachteil der Modellmethode ist neben dem großen Aufwand die oft langsame Einstellzeit, die kleiner sein muß als die Zeit zwischen Parameteränderungen der Regelstrecke. Die Modellverfahren sind heute noch weitgehend Gegenstand der Forschung und bisher in der Verfahrenstechnik kaum angewandt worden.

4.4. Zum dynamischen Verhalten von Reglern

Aus der großen Vielfalt ausgeführter Reglerbauarten soll hier nur die häufig anzutreffende prinzipielle Bauart der in der Verfahrenstechnik verwendeten, linearen und stetigen Regler betrachtet werden.

Ein Regler hat die Aufgabe, Soll- und Istwert zu vergleichen und aus dem Differenzsignal ein geeignet umgeformtes, leistungsverstärktes Stellsignal zu erzeugen. Der Regler muß daher außer dem Vergleicher einen Übertrager mit einstellbarem dynamischen Verhalten und einen Leistungsverstärker enthalten. Man kombiniert nun häufig die Leistungsverstärkung mit der Erzeugung des dynamischen Verhaltens, indem man einen Verstärker mit angebautem Rückführglied verwendet, Bild 56. Dem proportional- oder integralwirkenden Verstärker gibt man eine große Verstärkung, und der Rückführung gibt man ein bestimmtes dynamisches Verhalten, das im wesentlichen das des ganzen Reglers bestimmt. Die große Verstärkung bringt insbesondere den Vorteil, daß Störungen im Verstärker, also z. B. Netzspannungsschwankungen, Alterung oder Verschmutzung, durch die Wirkung des Rückführgliedes einen vernachlässigbaren Einfluß haben.

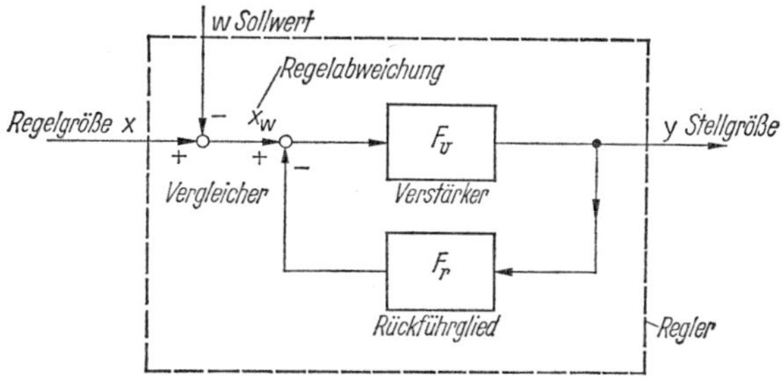

Bild 56
Blockschaltbild eines Reglers mit interner Rückführung

Man kann dies anschaulich der Frequenzganggleichung des Reglers entnehmen.

Schneidet man im Regler am Eingang des Rückführgliedes auf, dann erhält man, Bild 56,

$$y = F_v (x_w - F_r y) \tag{52}$$

oder

$$y (1 + F_r F_v) = F_v x_w .$$

Hieraus erhält man die Frequenzganggleichung des Reglers

$$F_R = \frac{y(p)}{x_W(p)} = \frac{F_V}{1 + F_r F_V} = \frac{1}{\dfrac{1}{F_V} + F_r} \tag{53}$$

Hat der Verstärker nun z. B. proportionales Verhalten mit dem Verstärkungsfaktor V_V, dann gilt $F_V = V_V$ und Gl. (53) geht für $V_V \to \infty$ über in $F_R = 1/F_r$. Für große Verstärkungsfaktoren gilt also

$$F_R \approx \frac{1}{F_r} \tag{54}$$

Das Verhalten des Reglers wird dann im wesentlichen durch das dynamische Verhalten der Rückführung bestimmt. Änderungen in den Eigenschaften des Verstärkers gehen also praktisch nicht mehr in das Übertragungsverhalten des Reglers ein.

Durch die Anordnung einer Rückführung im Regler entsteht aber ein dynamisches Verhalten des Reglers, das vom idealisierten PD-, PI- oder PID-Verhalten etwas abweicht.

Beispiele:

Hat der Verstärker proportionales Verhalten, dann erhält man z. B. einen PD-Regler durch eine verzögerte Rückführung, Bild 57. Setzt man den Frequenzgang F_r dieser Rückführung in Gl. (53) ein, dann wird

$$F_R = \frac{1}{\dfrac{1}{F_V} + F_r} = \frac{1}{\dfrac{1}{k_V} + \dfrac{k_r}{1 + T_r p}} = \frac{1 + T_r p}{\dfrac{1}{k_V}(1 + T_r p) + k_r} =$$

$$= \frac{k_V}{1 + k_r k_V} \; \frac{1 + T_r p}{1 + \dfrac{T_r}{1 + k_r k_V} p} = K_P (1 + T_V p) \frac{1}{1 + T p} \tag{55}$$

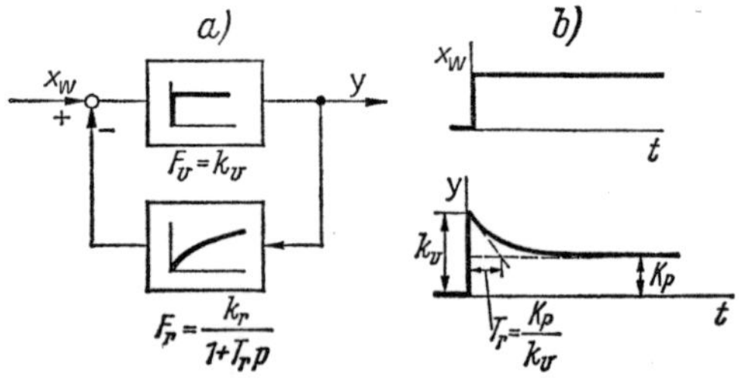

Bild 57. PD-Regler

a) Erzeugung des PD-Verhaltens eines Reglers mit verzögerter Rückführung
b) Übergangsfunktion

Man erhält also einen PD-Regler mit einer Verzögerung 1. Ordnung. Die einzelnen Parameter sind

$$K_P = \frac{k_V}{1 + k_r k_V} = \frac{1}{\dfrac{1}{k_V} + k_r} \tag{56}$$

$$T_V = T_r \tag{57}$$

$$T = \frac{T_r}{1 + k_r k_V} \tag{58}$$

Für sehr große Verstärkung des Verstärkers ($k_V \to \infty$) ergeben sich folgende Parameter

$$K_P = \frac{1}{k_r}\,; \qquad T_V = T_r \qquad \text{und} \qquad T = 0\,.$$

Mit $T = 0$ wird aus Gl. (55)

$$F_{\mathrm{R}} = K_{\mathrm{P}} (1 + T_{\mathrm{v}} \, p), \tag{59}$$

also die Gleichung des idealisierten PD-Reglers.

Einen PI-Regler erhält man mit proportionalwirkendem Verstärker durch eine nachgebende Rückführung, Bild 58. Seine Frequenzganggleichung lautet:

$$F_{\mathrm{r}} = \frac{1}{\dfrac{1}{F_{\mathrm{v}}} + F_{\mathrm{r}}} = \frac{1}{\dfrac{1}{k_{\mathrm{v}}} + \dfrac{k_{\mathrm{r}} \, T_{\mathrm{r}} \, p}{1 + T_{\mathrm{r}} \, p}} = \frac{k_{\mathrm{v}}}{1 + k_{\mathrm{r}} \, k_{\mathrm{v}}} \; \frac{1 + T_{\mathrm{r}} \, p}{\dfrac{1}{1 + k_{\mathrm{r}} \, k_{\mathrm{v}}} + T_{\mathrm{r}} \, p} \tag{60}$$

Wenn der Verstärkungsfaktor k_{v} des Verstärkers einen endlichen Wert hat, dann erhält man aus Gl. (60) mit Hilfe der Grenzwertbeziehungen zwischen Zeit- und Frequenzbereich [16], [17], [21]:

$$\lim_{p \to \infty} F(p) = \lim_{t \to 0} f(t) \tag{61}$$

$$\lim_{p \to 0} F(p) = \lim_{t \to \infty} f(t) \tag{62}$$

für

$$y(t)\Big|_{t \to \infty} : F_{\mathrm{R}}\Big|_{p \to \infty} = k_{\mathrm{v}}; \tag{63}$$

für

$$y(t)\Big|_{t \to \infty} : F_{\mathrm{R}}\Big|_{p \to \infty} = \frac{k_{\mathrm{v}}}{1 + k_{\mathrm{r}} \, k_{\mathrm{v}}} = K_{\mathrm{P}} \tag{64}$$

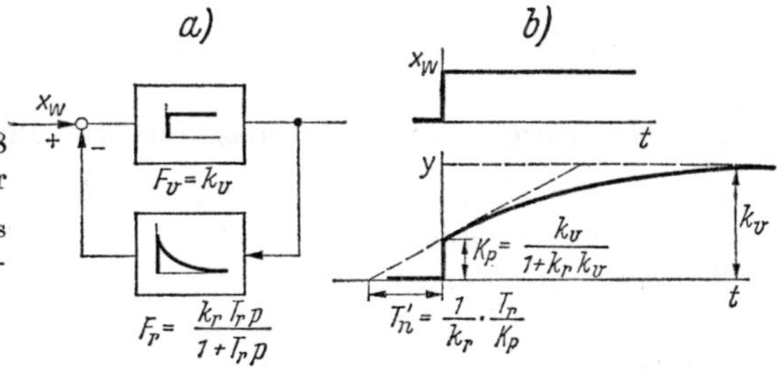

Bild 58
PI-Regler

a) Erzeugung des PI-Verhaltens eines Reglers mit nachgebender Rückführung
b) Übergangsfunktion

Mit diesen Beziehungen läßt sich die Übergangsfunktion des mit Hilfe einer nachgebenden Rückführung erzeugten PI-Reglers darstellen, Bild 58b. Dieser nichtidealisierte „PI-Regler" entspricht also nur für kleine t einem idealisierten „PI-Regler". Für große t verhält er sich aber wie ein „P-Regler", dessen größter Verstärkungsfaktor für $t \to \infty$ erreicht wird. Deshalb ergibt sich eine bleibende Regelabweichung, die aber meist sehr klein ist, weil k_{v} groß ist. Nur dann, wenn der Verstärkungsfaktor k_{v} des Verstärkers unendlich groß wird, verschwindet diese bleibende Regelabweichung. Denn für $k_{\mathrm{v}} \to \infty$ wird aus Gl. (60)

$$F_{\mathrm{R}} = \frac{1 + T_{\mathrm{r}} \, p}{k_{\mathrm{r}} \, T_{\mathrm{r}} \, p} = \frac{1}{k_{\mathrm{r}}} \left(1 + \frac{1}{T_{\mathrm{r}} \, p}\right) = K_{\mathrm{P}} \left(1 + \frac{1}{T_{\mathrm{n}} \, p}\right), \tag{65}$$

also die Frequenzganggleichung des idealisierten PI-Reglers mit den Parametern

$$K_{\mathrm{P}} = \frac{1}{k_{\mathrm{r}}} \tag{66}$$

$$T_{\mathrm{n}} = T_{\mathrm{r}} \tag{67}$$

An diesen beiden Beispielen ist zu sehen, daß die Reglerparameter [Gln. (56), (57) bzw. (66), (67)] bei einem sehr großen Verstärkungsfaktor k_V des Verstärkers nur von den Parametern des Rückführgliedes abhängen. Kleine Störungen im Verstärkerteil wirken sich deshalb praktisch nicht auf das dynamische Verhalten des Reglers aus.

Durch die Erzeugung des dynamischen Verhaltens mit einem Rückführglied können aber starke gegenseitige Abhängigkeiten der Reglerparameter entstehen.

Beim PI-Regler z. B. können am Rückführglied meist die Parameter k_r und T_r mit Einstellknöpfen verstellt werden. Dann ändert eine Verstellung von k_r nicht nur den Proportionalbeiwert K_P des Reglers, sondern auch die fiktive Nachstellzeit T_n', Bild 58. Diese auch als ,,interaction" bezeichnete gegenseitige Abhängigkeit der Reglerparameter bei der Verstellung eines am Regler einstellbaren Parameters im Rückführglied ist besonders stark beim PID-Regler ausgeprägt. Der PID-Regler entsteht mit einer Rückführung, die aus hintereinandergeschalteten nachgebenden und verzögerten Rückführgliedern aufgebaut ist, siehe z. B. [16], [19]. Zu der unerwünschten gegenseitigen Abhängigkeit der Reglerparameter kommt noch hinzu, daß überhaupt nur gewisse Bereiche von Parameterkombinationen einstellbar sind [16].

Außer den beschriebenen Abweichungen ausgeführter Regler vom idealisierten Verhalten müssen noch Nichtlinearitäten wie z. B. Ansprechempfindlichkeit und Hysterese berücksichtigt werden, wenn sie einen wesentlichen Einfluß auf das Verhalten des geschlossenen Regelkreises ausüben.

4.5. Betrachtungen am geschlossenen Regelkreis

Setzt man die Differentialgleichung des Reglers in die Differentialgleichung einer Regelstrecke mit konzentrierten Parametern durch Eliminieren der Stellgröße und unter Berücksichtigung der Vorzeichenumkehr im Regelkreis ein, so erhält man die Differentialgleichung des geschlossenen Regelkreises [16], [19] in der Form

$$\alpha_n x^{(n)} + \ldots + \alpha_1 x' + \alpha_0 x = \beta_m z^{(m)} + \ldots + \beta_1 z' + \beta_0 z + \\ + \gamma_k w^{(k)} + \ldots + \gamma_1 w' + \gamma_0 w \qquad (68)$$

Die Koeffizienten α_n, β_m, γ_k setzen sich aus Koeffizienten der Regelstrecke und des Reglers zusammen.

In Gl. (68) stehen links Größen mit x und deren Ableitungen und rechts Größen der den Regelkreis von außen anregenden Funktionen z und w bzw. deren Ableitungen, vergleiche Bild 59. Sind diese anregenden Funktionen z und w einschließlich ihrer Ableitungen gleich Null, dann erhält man

$$\alpha_n x^{(n)} + \ldots + \alpha_1 x' + \alpha_0 x = 0 \qquad (69)$$

Diese Gleichung beschreibt die Eigenbewegungen des Regelkreises bei fehlenden anregenden Funktionen und wird daher charakteristische Gleichung des

Regelkreises im Zeitbereich genannt. In Frequenzgangdarstellung erhält man als Gleichung des Regelkreises, wenn man bei x den Regelkreis, wie im Bild 60 eingezeichnet, aufgeschnitten denkt:

$$x(p) = F_{Sz}(p)\, z(p) - F_{Sy}(p)\, F_R(p)\, [x(p) - w(p)]$$

oder umgeformt

$$x(p)\,[1 + F_{Sy}(p)\, F_R(p)] = F_{Sz}(p)\, z(p) + F_{Sy}(p)\, F_R(p)\, w(p) \tag{70}$$

Setzt man für den Frequenzgang des offenen Regelkreises

$$F_0(p) = -\, F_{Sy}(p)\, F_R(p)\,, \tag{71}$$

dann lautet Gl. (70)

$$x(p)\,[1 - F_0(p)] = F_{Sz}(p)\, z(p) - F_0(p)\, w(p) \tag{70a}$$

Bild 59
Blockschaltbild eines vereinfachten Regelkreises

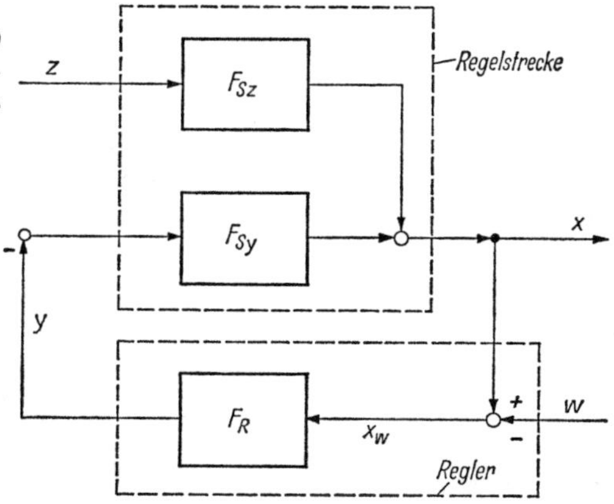

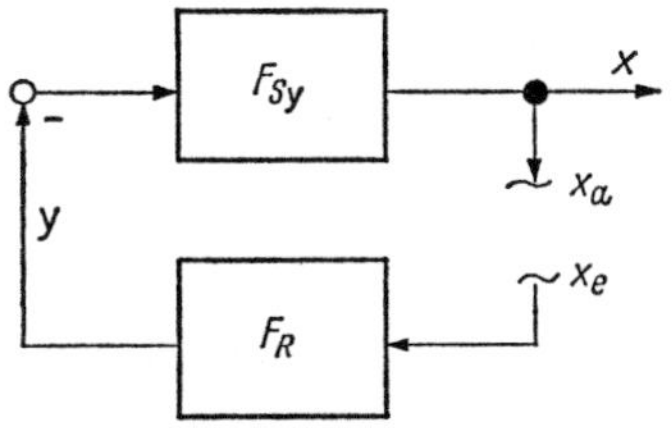

Bild 60. Blockschaltbild eines offenen Regelkreises

4.5.1. Stör- und Führungsverhalten

Aus Gl. (70) erhält man als Störfrequenzgang des Regelkreises ($w = 0$)

$$F_z(p) = \frac{x(p)}{z(p)} = \frac{1}{1 - F_0(p)}\, F_{Sz}(p) \tag{72}$$

und als Führungsfrequenzgang ($z = 0$)

$$F_w(p) = \frac{x(p)}{w(p)} = \frac{1}{1 - F_0(p)}\, [-\, F_0(p)] \tag{73}$$

Vergleicht man Gl. (70a) mit Gl. (68), so ist zu sehen, daß der Ausdruck

$$1 - F_0(p) = 0 \tag{74}$$

die charakteristische Gleichung des Regelkreises im Frequenzbereich ist.

Der in den Gln. (72) und (73) gemeinsam vorkommende Ausdruck

$$R(p) = \frac{1}{1 - F_0(p)} \tag{75}$$

wird dynamischer Regelfaktor genannt. Er entsteht z. B. für den Fall einer Änderung der Führungsgröße, Gl. (73), aus dem Verhältnis des Führungsfrequenzganges $F_W(p)$ bei geschlossenem Regelkreis zu dem Frequenzgang $-F_0(p)$ des vor der Vergleichsstelle geöffneten Regelkreises, gibt also in Frequenzgangform das an, was sich durch das Schließen des Regelkreises im Verhältnis zu dem Übertragungsverhalten bei offenem Regelkreis ändert.

Die Gln. (72) und (73) lauten mit Gl. (75)

$$F_Z(p) = \frac{x(p)}{z(p)} = R(p)\, F_{SZ}(p) \tag{72a}$$

$$F_W(p) = \frac{x(p)}{w(p)} = R(p)\, [-F_0(p)] \tag{73a}$$

Der dynamische Regelfaktor $R(p)$ charakterisiert also das Verhalten des geschlossenen Regelkreises. Er gibt auch Aufschluß über die Stabilität.

Der typische Verlauf des Betrages des Regelfaktors für einen Regelkreis mit P-Regler ist in Bild 61a zu sehen [16]. Für $\omega = 0$ $(t = \infty)$ hat der Regelfaktor eine endliche Größe. Darin drückt sich die bei Regelkreisen mit P-Regler entstehende bleibende Regelabweichung nach einer Störung aus. Für mittelgroße Kreisfrequenzen entsteht eine Resonanzstelle, da der Betrag des Regelfaktors größer als 1 wird. Für $\omega \to \infty$ $(t \to \infty)$ nimmt der Regelfaktor den Wert 1 an. Das bedeutet, daß Störungen mit hohen Frequenzen nicht ausgeregelt werden können, sondern die Regelgröße nur durch den Störfrequenzgang $F_{SZ}(p)$, Gl. (72), gedämpft beeinflussen.

Vergrößert man den Proportionalbeiwert K_P des Reglers, dann wird die Resonanzüberhöhung des Regelfaktors größer und verschiebt sich zu höheren Frequenzen, Bild 61a. In Bild 61b ist der Verlauf des Regelfaktors bei Verwendung eines PI-Reglers zu sehen. Durch Hinzunahme eines I-Anteils wird der Regelfaktor bei $\omega = 0$ ebenfalls gleich Null, was mit der verschwindenden bleibenden Regelabweichung zusammenhängt. Die Resonanzüberhöhung wird größer und verschiebt sich zu niedrigen Frequenzen.

Durch die Hinzunahme eines D-Anteils zum P-Regler (PD-Regler), Bild 61c, wird die Resonanzüberhöhung ebenfalls größer, verschiebt sich aber zu höheren Frequenzen.

Aus diesen Darstellungen des Regelfaktors läßt sich nun im Zusammenhang mit Gl. (72) erklären, wie der Regelkreis auf verschiedene Zeitfunktionen der Störgröße antwortet. Hierzu verwendet man die spektrale Darstellung des zeitlichen Verlaufs der Störgröße, die man bei determinierten Störfunktionen mit Hilfe der Fourier-Transformation [17] und bei stochastischen Störfunktionen mit Hilfe des Leistungsspektrums [32] findet, und kann dann betrachten, wie einzelne Bereiche des Störspektrums den Regelkreis durchlaufen. Man multipliziert die Kurven $| R |$ in Bild 61 hierzu mit dem Betrag des Störfrequenzganges $| F_{Sz} |$. Aus dem Verlauf von $| R | \cdot | F_{Sz} |$ kann dann entnommen werden, welche Frequenzbereiche des Störspektrums besonders verstärkt (Resonanzstellen) oder ganz unterdrückt werden. Beim PI-Regler werden so z. B. niederfrequente Bereiche des Störspektrums stark unterdrückt, mittelfrequente Bereiche nur wenig unterdrückt und hochfrequente Bereiche praktisch nur entsprechend $|F_{Sz}|$ verändert.

Aus dem Verlauf von $| R | \cdot | F_{Sz} |$ ist zu sehen, daß sich die Auslegung eines Regelkreises auch nach dem Frequenzspektrum der Störgröße(n) richten muß und daß die Optimierung des Regelkreises vom Frequenzspektrum der Störgröße, also vom zeitlichen Verlauf der Störgröße, abhängt.

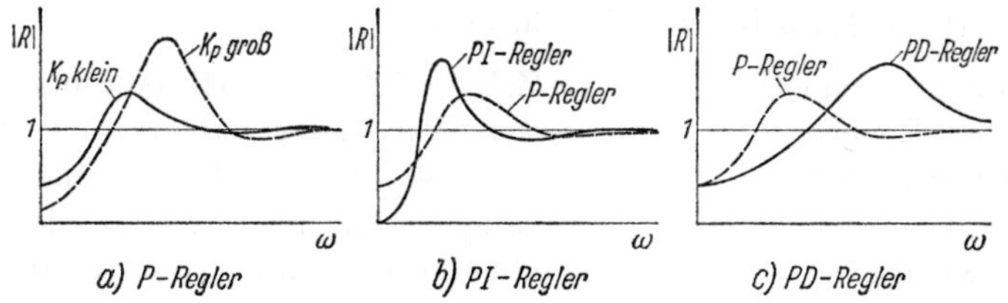

Bild 61. Schematischer Verlauf des Betrages $| R |$ des dynamischen Regelfaktors für verschiedene Reglertypen bzw. Reglereinstellungen

4.5.2. Stabilität

Eine der wichtigsten Bedingungen, die bei der Auslegung eines Regelkreises zu beachten sind, ist die Stabilität; sie ist bei linearen Regelkreisen dann erfüllt, wenn der Regelkreis nach einer Störung wieder einem Beharrungszustand zustrebt, die Regelgröße also Schwingungen mit abklingender Amplitude ausführt. Bei der Instabilität unterscheidet man zwei Arten:

Monotone Instabilität liegt dann vor, wenn sich die Regelgröße nach einer Störung in gleichförmiger Bewegung dauernd vom ursprünglichen Beharrungswert weiter entfernt, z. B. bei fehlender Vorzeichenumkehr im Regelkreis.

Bei der oszillatorischen Instabilität schwingt die Regelgröße mit immer größer werdenden Amplituden.

Schwingt die Regelgröße mit gleichbleibender Amplitude, dann befindet sich der Regelkreis auf der Stabilitätsgrenze. Da die Stabilität nicht von der Art der Anregung des Regelkreises abhängt, ist die charakteristische Gleichung, in der nur die Regelgröße x und ihre Ableitungen vorkommen, maßgebend für stabiles oder instabiles Verhalten. Es gibt nun einige Stabilitätskriterien, die von der Differentialgleichung des geschlossenen Regelkreises oder dem Frequenzgang des offenen oder geschlossenen Regelkreises ausgehen.

Im folgenden werden zwei Stabilitätskriterien als Beispiele kurz betrachtet.

4.5.2.1. Stabilitätskriterium nach Hurwitz

Das Stabilitätskriterium nach Hurwitz geht von der charakteristischen Gleichung im Zeitbereich, Gl. (72), aus [16], [19]. Damit keine monotone Instabilität auftritt, müssen folgende zwei Bedingungen erfüllt sein:

Alle Koeffizienten $\alpha_0, \alpha_1 \ldots, \alpha_n$ müssen vorhanden sein.

Alle Koeffizienten $\alpha_0, \alpha_1 \ldots, \alpha_n$ müssen gleiches Vorzeichen haben.

Damit keine oszillatorische Instabilität auftreten kann, muß zusätzlich noch eine dritte Bedingung erfüllt sein:

Die aus den Koeffizienten $\alpha_0, \alpha_1 \ldots, \alpha_n$ gebildete Determinante einschließlich ihrer Unterdeterminanten (die sogenannten Hurwitz-Determinanten) müssen größer als Null sein. Die Bildung der Hurwitz-Determinanten ist z. B. in [16], [17], [19], [24] ausführlich beschrieben.

Die charakteristische Gleichung im Zeitbereich läßt sich aber nur für Regelkreise, deren Regelstrecke konzentrierte Parameter haben, aufstellen. Wenn die Regelstrecke verteilte Parameter hat, dann kann das Stabilitätskriterium nach *Hurwitz* im allgemeinen nicht angewandt werden. Außerdem wird der Rechenaufwand bei Regelstrecken höherer Ordnung groß. In diesen Fällen ist dann z. B. das folgende Stabilitätskriterium zu verwenden:

4.5.2.2. Stabilitätskriterium nach Nyquist

Dieses Kriterium geht von der Frequenzganggleichung $F_0(p)$ des offenen Regelkreises aus. Der Regelkreis sei z. B. am Eingang des Reglers aufgeschnitten, Bild 60. Regt man nun die Eingangsgröße x_e des Reglers sinusförmig an, so erhält man ebenfalls eine sich sinusförmig ändernde Ausgangsgröße x_a der Regelstrecke. Zwischen beiden Größen gilt die Beziehung

$$\frac{x_a(p)}{x_e(p)} = -F_R(p)\,F_{Sy}(p) = F_0(p) \tag{76}$$

Wenn nun Amplitude und Phasenwinkel von Ein- und Ausgangsgröße genau gleich groß sind, also

$$x_e(p) = x_a(p) \quad \text{oder} \quad \frac{x_a(p)}{x_e(p)} = 1, \tag{77}$$

dann könnte man den Regelkreis an der Schnittstelle schließen, und der geschlossene Regelkreis würde mit gleicher Amplitude nach Ausschalten der künstlichen Anregung weiterschwingen. Der Regelkreis befände sich dann gerade auf der Stabilitätsgrenze. Für die Stabilitätsgrenze folgt also aus den Gln. (76) und (77)

$$F_0(p) = -F_R(p)\,F_{Sy}(p) = 1\,. \tag{78}$$

Die Lage der Ortskurve $F_0\,(p)$ in der Ortskurvenebene zum Punkt $(+\,1{,}0)$ dem sogenannten kritischen Punkt, gibt deshalb an, ob sich der Regelkreis im stabilen oder instabilen Bereich oder auf der Stabilitätsgrenze befindet, Bild 62.

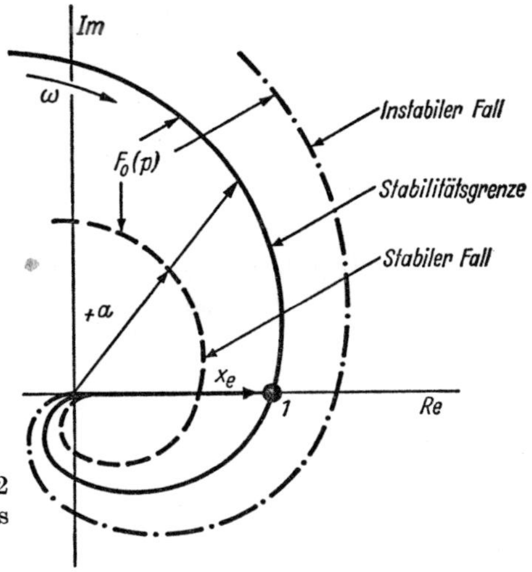

Bild 62
Ortskurven $F_0\,(p)$ des offenen Regelkreises

Das Stabilitätskriterium von *Nyquist* kann, in vereinfachter Form, wie folgt formuliert werden:

> Geht die Ortskurve $F_0(p)$ durch den Punkt 1 der reellen Achse hindurch, dann befindet sich der Regelkreis gerade auf der Stabilitätsgrenze. Schneidet die Ortskurve $F_0\,(p)$ die reelle Achse in einem Punkt, der kleiner ist als 1, dann ist der Regelkreis stabil, denn dann ist bei einer bestimmten Frequenz die Amplitude der Ausgangsschwingung kleiner als die Eingangsamplitude, und die Schwingungen würden nach Schließen des Regelkreises abklingen. Schneidet die Ortskurve $F_0\,(p)$ die reelle Achse in einem Punkt, der größer als 1 ist, dann ist der Regelkreis instabil.

Eine andere, häufig verwendete Formulierung des vereinfachten Nyquist-Kriteriums lautet:

> Der Regelkreis ist stabil, wenn der kritische Punkt $(+\,1{,}0)$ links von der Ortskurve $F_0\,(p)$ liegt, wenn diese in Richtung zunehmender Frequenzen durchlaufen wird.

Die Stabilitätsuntersuchung kann auch rein rechnerisch, ohne Aufzeichnen der Ortskurve $F_0\,(p)$ erfolgen, denn es interessiert bei den hier betrachteten Regelkreisen nur der Schnittpunkt von $F_0\,(p)$ mit der reellen Achse, den man durch Aufspalten von $F_0\,(p)$ in Real- und Imaginärteil

$$F_0\,(p) = \mathrm{Re}\,(p) + \mathrm{Im}\,(p) \tag{79}$$

für

$$\mathrm{Im}\,(p) = 0 \tag{80}$$

erhält.

Aus Gl. (80) läßt sich die Frequenz ω im Schnittpunkt berechnen. Setzt man diese Frequenz ω in die Gleichung für den Realteil ein, dann erhält man die Größe des Realteils. Die Stabilitätsbedingung lautet dann

$$\begin{aligned} &\mathrm{Re}\,(F_0) < 1 \rightarrow \text{Stabilität} \\ &\mathrm{Re}\,(F_0) = 1 \rightarrow \text{Stabilitätsgrenze} \\ &\mathrm{Re}\,(F_0) > 1 \rightarrow \text{Instabilität.} \end{aligned}$$

Als Beispiele sollen nun die Stabilitätsgrenzen für Regelkreise mit PI-Regler und Regelstrecken 1. und 2. Ordnung abgeleitet werden.

a) Regelstrecke 1. Ordnung und PI-Regler

Frequenzgang der Regelstrecke:

$$F_{\mathrm{Sy}} = \frac{K_{\mathrm{S}}}{1 + T\,p} \tag{81}$$

Frequenzgang des Reglers:

$$F_{\mathrm{R}} = K_{\mathrm{P}}\left(1 + \frac{1}{T_{\mathrm{n}}\,p}\right) \tag{82}$$

Die Gleichungen für die Stabilitätsgrenze erhält man durch Einsetzen in Gl. (78)

$$-\,K_{\mathrm{P}}\left(1 + \frac{1}{T_{\mathrm{n}}\,\omega\,i}\right) K_{\mathrm{S}} \frac{1}{1 + T\,\omega\,i} = 1\,. \tag{83}$$

Hieraus folgt

$$-\,K_{\mathrm{P}}\,K_{\mathrm{S}}\left(1 - \frac{1}{T_{\mathrm{n}}\omega\,i}\right) = 1 + T\,\omega\,i\,.$$

Durch Koeffizientenvergleich von Real- und Imaginärteil erhält man

$$-\,K_{\mathrm{P}}\,K_{\mathrm{S}} = 1 \tag{84}$$

$$\frac{K_{\mathrm{P}}\,K_{\mathrm{S}}}{T_{\mathrm{n}}\,\omega} = T\,\omega \tag{85}$$

Gl. (84) in Gl. (85) eingesetzt, ergibt

$$\omega^2 = -\,\frac{1}{T\,T_{\mathrm{n}}}, \tag{86}$$

Es existiert also keine reelle Lösung für die Frequenz an der Stabilitätsgrenze und damit auch keine Stabilitätsgrenze. Der untersuchte Regelkreis ist für alle Werte von K_{P} und T_{n} stabil. Man sagt, er ist strukturstabil [16]. Regelkreise sind dann strukturstabil, wenn die charakteristische Gleichung bei gleichen Vorzeichen der Koeffizienten nicht höher als 2. Ordnung ist.

b) Regelstrecke 2. Ordnung und PI-Regler

Frequenzgang der Regelstrecke:

$$F_{Sy} = \frac{K_S}{(1 + T\,p)^2} \tag{87}$$

Frequenzgang des Reglers:

$$F_R = K_P \left(1 + \frac{1}{T_n\,p}\right) \tag{82}$$

Nach Einsetzen der Gln. (87) und (82) in Gl. (78) erhält man

$$-K_P \left(1 + \frac{1}{T_n\,\omega\,i}\right) K_S \frac{1}{(1 + T\,\omega\,i)^2} = 1 \tag{88}$$

und nach Umformungen

$$K_S\,K_P + K_S\,K_P\,T_n\,\omega\,i = 2\,T\,T_n\,\omega^2 - T_n\,\omega\,(1 - T^2\,\omega^2)\,i.$$

Aus dem Koeffizientenvergleich von Real- und Imaginärteil folgt

$$\omega^2 = \frac{K_S\,K_r}{2\,T\,T_n} \tag{89}$$

$$K_S\,K_P = 1 - T^2\,\omega^2\,. \tag{90}$$

Setzt man Gl. (89) in Gl. (90) ein, so folgt für die Stabilitätsgrenze

$$T_n = \frac{T}{2\left(\frac{1}{K_P\,K_S} + 1\right)} \tag{91}$$

Läßt man $K_P \to \infty$ gehen, so strebt $T_n \to T/2$. Das bedeutet, daß der Verstärkungsfaktor für Nachstellzeiten $T_n \geqq T/2$ jeden beliebigen positiven Wert annehmen kann, ohne daß der Regelkreis instabil wird. Eine Stabilitätsgrenze existiert also nur für kleine T_n-Werte $T_n \leqq T/2$.

c) Regelstrecke höherer Ordnung und PI-Regler

Je höher die Ordnung der Regelstrecke, desto schwieriger wird die Berechnung der Stabilitätsgrenze. Für eine Regelstrecke 3. Ordnung ist die Berechnung der Stabilitätsgrenze z. B. in [19] gezeigt. Im Unterschied zur Regelstrecke 2. Ordnung ergeben sich Stabilitätsgrenzen, die über alle Werte der Nachstellzeit T_n gehen, Bild 63. Für $T_n \to \infty$ ergibt sich der kritische Verstärkungsfaktor für den Fall des P-Reglers.

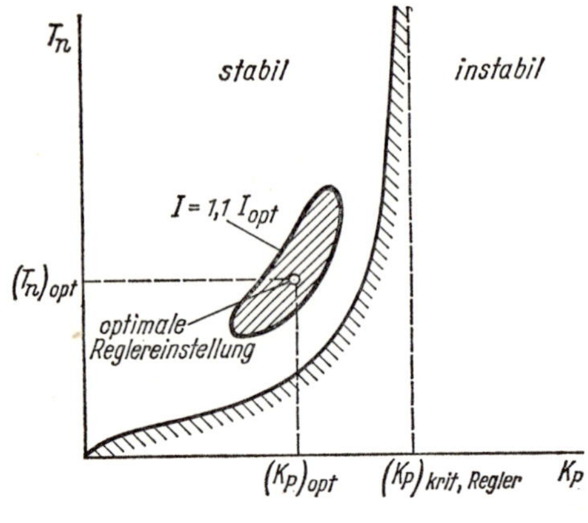

Bild 63
Verlauf der Stabilitätsgrenze in Abhängigkeit von den Einstellparametern eines PI-Reglers bei Regelstrecken von mindestens 3. Ordnung

4.5.3. Zur optimalen Reglereinstellung

Zur Ermittlung der optimalen Einstellung der Reglerparameter braucht man Kriterien der Regelgüte. Die bekanntesten Kriterien für die Regelgüte sind Überschwingweite und Ausregelzeit, der Dämpfungsfaktor des Einschwingvorganges oder die Integralkriterien, jeweils nach sprungförmiger Störung des Regelkreises [16]. Die Auswahl des Kriteriums richtet sich nach den Betriebsbedingungen des Regelkreises und ist oft Anschauungssache.

Mit Hilfe eines der Integralkriterien kann man für Regelkreise mit Regelstrecken höherer Ordnung optimale Werte der Reglerparameter finden, indem man z. B. mittels eines Analogrechners die Reglerparameter solange variiert, bis der Integralwert zum Minimum geworden ist. Man kann die Optimalwerte der Reglerparameter dann in ein Diagramm nach Bild 63 eintragen und wird feststellen, daß die optimalen Reglerparameter stets einen gewissen „Abstand" zur Stabilitätsgrenze haben. Die Lage der optimalen Reglerparameter steht deshalb immer in Beziehung zum Verlauf der Stabilitätsgrenze.

Es existieren aber nicht in allen Fällen optimale Einstellwerte des Reglers. Da ein Regelkreis mit Regelstrecke 1. Ordnung und PI-Regler, wie in Abschn. 4.5.2.2 beschrieben, strukturstabil ist, also keine Stabilitätsgrenze vorhanden ist, können alle Reglerparameter eingestellt werden. Es existieren dann keine optimalen Einstellwerte im Endlichen. Die Regelgüte wird umso besser, je größer der Verstärkungsfaktor und je kleiner die Nachstellzeit gewählt wird.

Bei einem Regelkreis mit Regelstrecke 2. Ordnung und PI-Regler existiert ebenfalls kein optimaler Einstellwert, weil der Regelkreis für Nachstellzeiten $T_{\mathrm{n}} \geqq T/2$ grundsätzlich für alle Proportionalbeiwerte $0 \leqq K_{\mathrm{P}} \leqq \infty$ stabil ist. Die Regelgüte wird umso besser, je größer der Proportionalbeiwert K_{P} gewählt wird. Zu jedem K_{P} existiert dann eine optimale Nachstellzeit T_{n}. Erst für Regelstrecken mit mindestens 3. Ordnung existiert bei einem PI-Regler ein optimaler Einstellwert, wenn also die charakteristische Gleichung des Regelkreises von mindestens 4. Ordnung ist.

In Bild 63 ist eine die optimale Parameterkombination einschließende Kurve für einen um 10 % größeren Integralwert $I = 1{,}1\ I_{\text{opt}}$ eingezeichnet. Diese Kurve schließt einen Bereich von Parameterkombinationen ein, die eingestellt werden dürfen, wenn der Integralwert I bis zu 10 % schlechter ist als im optimalen Fall. Dieser Bereich ist meist verhältnismäßig groß. Deshalb kommt es bei der Einstellung eines Reglers in der Praxis meist nicht so sehr auf die genaue Einhaltung des Optimalwertes an. Es ist oft völlig ausreichend, wenn man eine Parameterkombination einstellt, die innerhalb des in Bild **63** als Beispiel eingezeichneten, schraffierten Bereiches liegt. Oft muß man wegen einer ungenauen Kenntnis des dynamischen Verhaltens der Regelstrecke oder wegen Änderungen des dynamischen Verhaltens der Regelstrecke im Betrieb ohnehin eine Reglereinstellung wählen, die in allen Betriebsfällen mit Sicherheit genügend weit von der Stabilitätsgrenze entfernt ist und nicht den eigentlichen Optimalwerten entspricht. Es kommt noch hinzu, daß die optimale Einstellung der Reglerparameter von der Art der Störung abhängig ist. Deshalb ergeben sich für verschiedene zeitliche Funktionen der Störgröße verschiedene optimale Einstellwerte.

Auf Grund dieser Tatsachen und auch aus der Schwierigkeit der Formulierung eines Optimierungskriteriums ist es kaum möglich, eine einzige „optimale" Reglereinstellung anzugeben. Man wird daher besser einen Bereich von Reglerparametern angeben, der für den betrachteten Regelkreis praktisch gesehen annähernd optimales Regelverhalten ergibt.

5. DAS VERHALTEN VON REGELKREISEN BEI STOCHASTISCHEN STÖRSIGNALEN

5.1. Einleitung

Die Einstellregeln für PI- und PID-Regler, die im Laufe der Zeit entstanden, gehen von der Voraussetzung aus, daß der Regelkreis bei einer sprungförmigen Eingangsgröße möglichst günstiges Verhalten zeigen soll. Hierbei muß der Einschwingvorgang abgeklungen sein, ehe eine neue Störung auftritt. Wie man aber durch einen einfachen Versuch am Analogrechner feststellen kann, gilt die so gefundene optimale Einstellung keineswegs für beliebige Formen von Störungen. Jedoch werden diese Werte fast immer eine erste brauchbare Einstellung sein, von der ausgehend, man in der Praxis das erstrebte Optimum mit einigen Versuchen finden kann. So zeigt das **Bild 64** einen Regelkreis bei verschiedenen Einstellungen, einmal mit einer sprungförmigen Störung, zum anderen mit einer sog. stochastischen Störung. Es ist augenscheinlich, daß der Regelkreis jeweils eine andere optimale Einstellung verlangt.

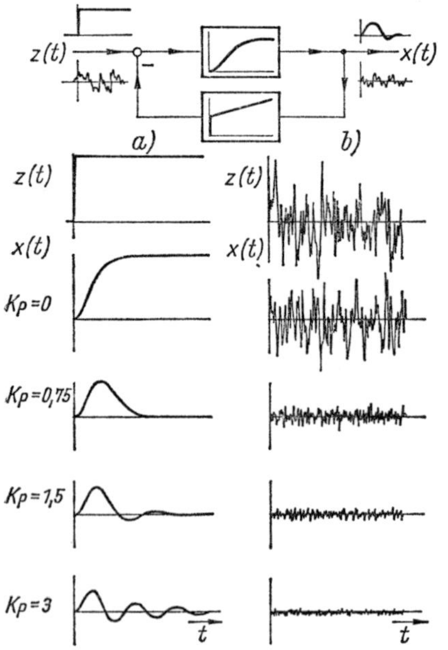

Bild 64
Regelkreis bei verschiedenen Einstellungen von K_P

a) mit Sprungstörung
b) mit stochastischer Störung

Es wird nicht sinnvoll sein, alle Regelkreise für sprungförmige Eingangsgrößen zu optimieren, denn in industriellen Anlagen treten solche einzelnen sprungförmigen Störungen nur selten auf. Die Belastung eines elektrischen Versorgungsnetzes wird sich z. B. in einer Weise ändern, wie sie das Bild 65a zeigt.

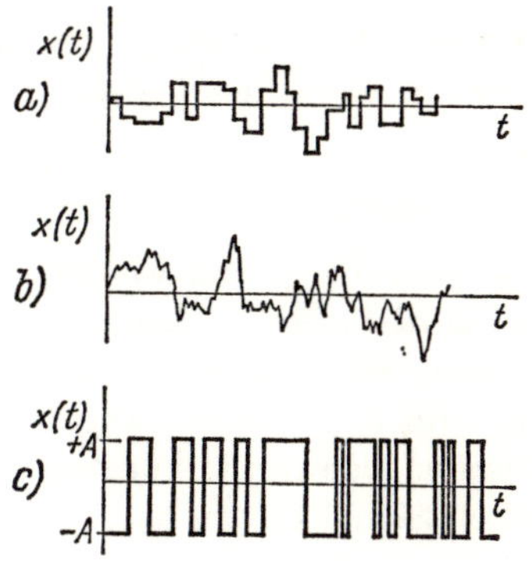

Bild 65
Formen stochastischer Störungen

a) stochastische Sprungfolge
b) Tiefpaßrauschen
c) binäres Rauschen

In einer völlig unregelmäßigen Folge werden laufend Verbraucher unterschiedlicher Größe an- und abgeschaltet. Eine Gesetzmäßigkeit läßt sich nicht erkennen, und der Verlauf der Belastung läßt sich nur durch statistische Kennwerte beschreiben. Hierbei handelt es sich zwar noch um sprunghafte Änderungen, jedoch folgen diese in einer so raschen und unregelmäßigen Folge aufeinander, daß es in keinem Falle erlaubt sein wird, sie voneinander isoliert zu betrachten. Solche „stochastische Sprungfolgen" werden jedoch im allgemeinen durch Verzögerungsglieder verschliffen, und sie erscheinen dann in einer Form, wie sie das Bild 65b zeigt.

Solche durch den Zufall bedingte Schwankungen der Eingangsgrößen, stochastische Störungen genannt, treten auf, wenn sich sehr viele Ereignisse überlagern und unabhängig voneinander auf das System einwirken, wie es an dem oben gezeigten Beispiel deutlich wird, weiterhin, wenn bestimmte Reaktionen und Vorgänge nur mit bestimmten Wahrscheinlichkeiten eintreten und ihre Intensitäten in ebensolcher Weise schwanken. Zeichnet man beispielsweise die Kräfte auf, die durch Windböen oder Strömungen auf Flugzeuge oder Schiffe einwirken, oder auch den zeitlichen Verlauf von physikalischen Größen in Reaktionsgefäßen, so erhält man einen ähnlichen Verlauf wie ihn das Bild 65b zeigt. Man bezeichnet solche Vorgänge auch als Rauschen, wie es bei entsprechenden akustisch wahrnehmbaren Erscheinungen (Wellenschlag, Brandung, Windböen) im allgemeinen Sprachgebrauch üblich ist.

Es ist leicht einzusehen, daß die oben erwähnten Gütekriterien für eine solche Störung ihren Sinn verlieren, da das System ja nie zur Ruhe kommt. Man kann in einem solchen Falle nur fordern, daß im zeitlichen Mittel die Abweichung vom Sollwert möglichst klein sein soll, oder analog zur quadratischen

Regelfläche der zeitliche Mittelwert des Quadrates der Regelabweichung bzw. das Quadrat des Effektivwertes ein Minimum annehmen soll:

$$\overline{x_{\mathrm{w}}(t)^2} = x_{\mathrm{weff}}^2 = \lim_{T \to \infty} \frac{1}{T} \int_0^T x_{\mathrm{w}}(t)^2 \, \mathrm{d}t = \text{Minimum} \qquad (92)$$

Eine zeitliche Gewichtung, wie sie beim ITAE-Kriterium verwendet wird, ist hierbei nicht mehr möglich.

5.2. Kennwerte stochastischer Funktionen

Im folgenden soll gezeigt werden, wie sich solche stochastische Vorgänge durch gewisse statistische Kennwerte so beschreiben lassen, daß eine allgemeine Behandlung möglich ist, so daß man auch hier Regeln für die optimale Einstellung von Regelkreisen angeben kann. Voraussetzung ist jedoch, daß diese statistischen Kennwerte konstant sind, d. h. daß man es mit einem stationären statischen Signal zu tun hat.

Es wird versucht, für die einzelnen Kennwerte eine anschauliche Erklärung zu finden. Bezüglich der exakten Definitionen und Ableitungen sei auf das Schrifttum verwiesen [28], [29], [30].

5.2.1. Amplitudenverteilung und Verteilungsdichtefunktion

Da die Veränderlichen vom Zufall bedingt sind, läßt sich im Gegensatz zu deterministischen Größen keine Aussage darüber machen, welchen Wert die stochastische Veränderliche zu einem bestimmten Zeitpunkt haben wird. Wohl läßt sich meist angeben, welche Wahrscheinlichkeit besteht, daß sie sich oberhalb oder unterhalb eines bestimmten Amplitudenwertes befindet. Leicht einzusehen ist das für das sogenannte „binäre Rauschen", Bild 65c, das aus einem Vorgang, wie ihn Bild 65b zeigt, durch Verstärkung und Begrenzung hervorgegangen sein kann. Dieses binäre Rauschen wird häufig als statistisches Testsignal verwendet, da das Verhältnis zwischen Leistung und Maximalwert sehr günstig ist, und es somit nicht so leicht zu Übersteuerungen in der untersuchten Anlage führt. Die Wahrscheinlichkeit, daß bei solchem binären Rauschen $x(t)$ zu einem bestimmten Zeitpunkt kleiner ist als $-A$ ist gleich Null. Die Wahrscheinlichkeit, daß es kleiner ist als ein Wert, der zwischen $-A$ und $+A$ liegt, ist gerade 0,5; denn in der Hälfte der Zeit ist $x(t)$ ja gerade gleich $-A$. Weiterhin ist die Wahrscheinlichkeit, daß $x(t)$ kleiner ist als ein Wert, der größer ist als $+A$ genau gleich 1. Diese Amplitudenverteilung, auch einfach als Verteilungsfunktion

$$W(X) = P(x(t) \leq X) \qquad (93)$$

($P(x(t) \leq X)$ bedeutet: die Wahrscheinlichkeit, daß $x(t) \leq X$ ist) bezeichnet, ist für das binäre Rauschen in Bild 66a dargestellt. Führt man die gleichen Überlegungen für den Vorgang b von Bild 65 durch, erhält man eine Verteilungsfunktion nach Bild 66b, die, da alle Werte von x vorkommen können, eine stetige Funktion ist. Die Wahrscheinlichkeiten lassen sich ermitteln, indem man bestimmt, zu wieviel Prozent der Zeit sich $x(t)$ ober- oder unterhalb des Wertes X befindet.

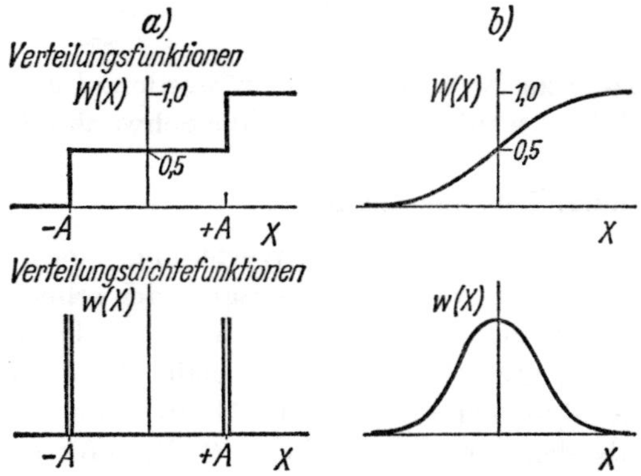

Bild 66
Verteilungsfunktion und Verteilungsdichtefunktion

a) von binärem Rauschen
b) von Rauschen mit Normalverteilung

Interessiert die Wahrscheinlichkeit, mit der Funktionswerte im Bereich zwischen X und $X + \mathrm{d}X$ vorkommen, so muß man statt der oben angegebenen Verteilungsfunktion die Verteilungsdichtefunktion betrachten, für die gilt

$$w(X) = \frac{\mathrm{d}W(X)}{\mathrm{d}X} = \frac{P(X < x(t) \leq X + \mathrm{d}X)}{\mathrm{d}X} = \frac{P(x(t) \leq X + \mathrm{d}X) - P(x(t) < X)}{\mathrm{d}X} \tag{94}$$

d. h., die Verteilungsdichtefunktion ist gleich der Ableitung der Verteilungsfunktion. Für die behandelten Beispiele enthält Bild 66 auch die Verteilungsdichtefunktionen; sie lassen sich in ähnlicher Weise durch Auswerten eines Diagrammes finden wie die Amplitudenverteilungen. Treten in der Verteilungsfunktion Sprünge auf, so befinden sich an den gleichen Stellen der Verteilungsdichtefunktion Deltafunktionen. Hat die Verteilungsdichtefunktion die Gestalt der Gauß'schen Glockenkurve, wie in Bild 66 angedeutet

$$w(X) = \frac{1}{\sqrt{2\pi}\, X_{\mathrm{eff}}}\, \mathrm{e}^{-\frac{X^2}{2 X_{\mathrm{eff}}^2}} \tag{95}$$

so spricht man von einer Normalverteilung des stochastischen Vorganges. Überlagert man viele voneinander unabhängige Größen mit beliebiger Amplitudenverteilung, so nähert sich die Verteilungsfunktion des resultierenden Vorganges ebenso der Normalverteilung an, wie wenn Funktionen beliebiger Amplitudenverteilung Tiefpaßglieder durchlaufen. Aus diesem Grunde treten in der Praxis meist stochastische Größen auf, die sich wenigstens näherungsweise durch eine solche Normalverteilung beschreiben lassen. Die Wahrscheinlichkeit, daß Werte auftreten, die größer sind als das Dreifache des Effektivwertes ist gleich 0,26 %, also praktisch gleich Null. Der Effektivwert ist, wie in Gl. (92) angegeben, gleich der Wurzel aus dem quadratischen Mittelwert und entspricht der Streuung des stochastischen Signals.

Im Vorausgegangenen ist der lineare Mittelwert

$$\overline{x(t)} = \lim_{T \to \infty} \frac{1}{T} \int_0^T x(t)\,\mathrm{d}t \tag{96}$$

stets zu Null angenommen worden. Das sei auch im folgenden beibehalten, d. h. es werden jeweils nur die Schwankungen um diesen Mittelwert betrachtet.

5.2.2. Leistungsdichte

Neben der Amplitudenverteilung eines stochastischen Signals interessiert vor allem, ob es sich langsam oder schnell ändert, oder, statt im Zeitbereich im Frequenzbereich betrachtet, ob das Signal im wesentlichen nur niederfrequente Schwingungen enthält oder auch hochfrequente Anteile. Eine solche Analyse kann man durchführen, indem man das stochastische Signal, z. B. als elektrische Spannung $u(t)$, Bild 67, auf eine Reihe von Bandpässen gibt, deren Durchlaßbereiche aneinander grenzen. Hinter jedem Bandpaß wird der quadratische Mittelwert des durchgelassenen Anteils von $x(t)$ gebildet.

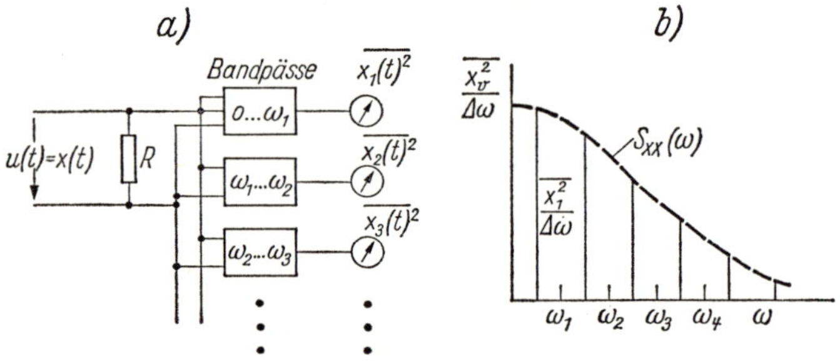

Bild 67. Ermittlung des Leistungsspektrums nach der Filtermethode

a) Meßanordnung, b) Auswertung

An den zugehörigen Instrumenten läßt sich ablesen, welchen Anteil an der gesamten in dem Widerstand R umgesetzten Leistung das entsprechende Frequenzband hat. Trägt man die Anzeigewerte der Instrumente über der jeweiligen Bandmittenfrequenz auf, erhält man das Leistungsspektrum des Vorganges $x(t)$, Bild 67b. Macht man die Durchlaßbereiche der Bandpässe beliebig klein, so erhält man eine kontinuierliche Verteilung über der Frequenz, die sogenannte Leistungsdichte $S_{xx}(\omega)$. Sie gibt an, wieviel Leistung im Mittel aus dem Frequenzintervall $\omega \ldots \omega + \mathrm{d}\omega$ in dem Widerstand verbraucht wird. Die Gesamtleistung ergibt sich aus der Summe aller Anteile über alle ω-Werte. Für den quadratischen Mittelwert gilt

$$\overline{x(t)^2} = \overline{x_1{}^2} + \overline{x_2{}^2} + \overline{x_3{}^2} + \ldots$$

für das Leistungsspektrum bzw.

$$\overline{x(t)^2} = \int_0^\infty S_{xx}(\omega)\, d\omega \tag{97}$$

für die kontinuierliche Leistungsdichte.

Kennt man von einem Vorgang die Leistungsdichte, so ist auch der quadratische Mittelwert bekannt. Wie im folgenden gezeigt wird, ist zu einer sinnvollen Betrachtung des Verhaltens von Regelkreisen bei stochastischen Störgrößen unbedingt eine genaue Kenntnis der Leistungsdichte des Störsignals erforderlich. Eine besondere Bedeutung unter den verschiedenen Formen der Leistungsdichten hat das sogenannte „weiße Rauschen", in dem alle Frequenzen von den tiefsten bis zu den höchsten gleichmäßig vorkommen sollen.

$$S_{zz}(\omega) = S_0 = \text{konst.}$$

Man kann sich leicht vorstellen, daß ein solches Rauschen nicht realisierbar ist, denn für endliche Werte von S_0 müßte die Gesamtleistung unendlich groß werden. Praktisch kann man jedoch schon einen Vorgang als weißes Rauschen bezeichnen, der für alle interessierenden Frequenzen eine konstante Leistungsdichte hat, die erst bei höheren Frequenzen abfällt. Man spricht dann auch von Breitbandrauschen.

Zur experimentellen Bestimmung der Leistungsdichte aus dem zeitlichen Verlauf geht man oft einen Umweg, indem man erst die sogenannte Autokorrelationsfunktion des Vorganges nach der Beziehung

$$\Phi_{xx}(\tau) = \lim_{T \to \infty} \frac{1}{2T} \int_{-T}^{+T} x(t)\, x(t-\tau)\, d\tau \tag{98}$$

bildet, was oft einfacher ist, als das Verfahren mit Hilfe von Bandpässen. Die Leistungsdichte erhält man dann durch eine Fouriertransformation der Autokorrelationsfunktion [33].

Durchläuft ein stochastisches Signal mit einer bestimmten Leistungsdichte ein frequenzabhängiges Glied, so wird das Spektrum verformt. Von einem Tiefpaßglied z. B. werden die niederfrequenten Anteile ungehindert übertragen, während die hochfrequenten abgeschwächt werden. Allgemein gilt für eine

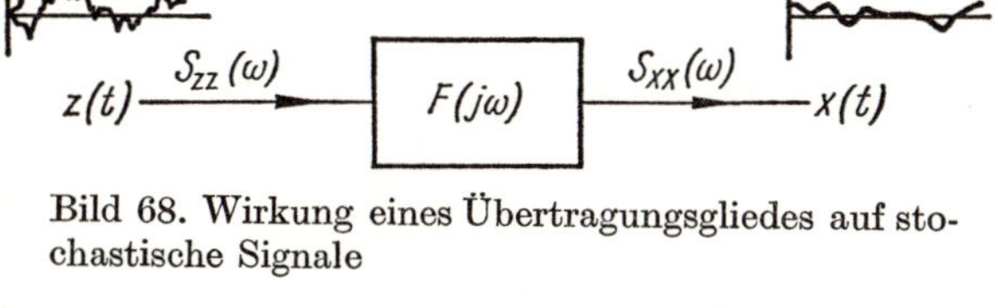

Bild 68. Wirkung eines Übertragungsgliedes auf stochastische Signale

solche Beeinflussung, wenn $S_{zz}(\omega)$ die Leistungsdichte des Eingangssignals des Blockes mit dem Frequenzgang $F(j\omega)$ ist und $S_{xx}(\omega)$ die des Ausgangssignals, Bild 68,

$$S_{xx}(\omega) = |F(j\omega)|^2 S_{zz}(\omega) \tag{99}$$

Gibt man beispielsweise auf ein Verzögerungsglied 1. Ordnung mit dem Frequenzgang

$$F(j\omega) = \frac{1}{1 + j\omega T} \tag{100}$$

weißes Rauschen $S_{zz}(\omega) = S_0$, so erhält man am Ausgang dieses Verzögerungsgliedes eine Leistungsdichte der Form

$$S_{xx}(\omega) = |F(j\omega)|^2 S_{zz}(\omega) = \frac{1}{1 + \omega^2 T^2} S_0 = \frac{S_0}{1 + \omega^2/\omega_g^2} \tag{101}$$

das sogenannte Rauschen 1. Ordnung (Bild 69, Kurve a). Die Frequenz $\omega_g = 1/T$, bei der die Leistungsdichte des Rauschens auf $S_0/2$ abgesunken ist, bezeichnet man als Grenzfrequenz. In ähnlicher Weise läßt sich durch weitere Verzögerungsglieder Rauschen 2. und höherer Ordnung erzeugen. Kurve b im Bild 69 zeigt das Rauschen 2. Ordnung mit gleicher Grenzfrequenz wie das Rauschen 1. Ordnung. Es fällt auf, daß der Abfall zu höheren Frequenzen wesentlich stärker ist, als beim Rauschen 1. Ordnung.

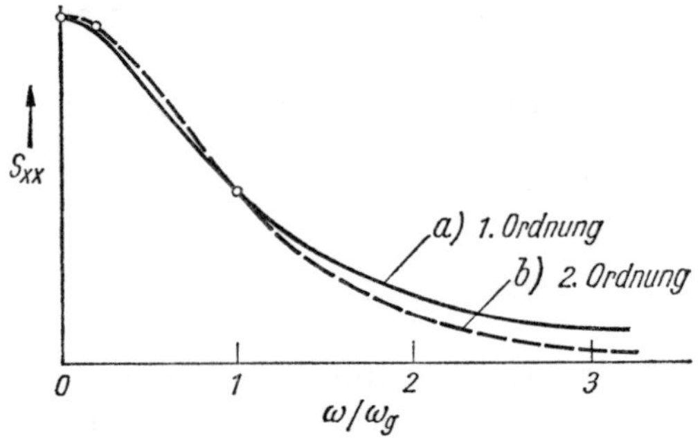

Bild 69
Leistungsdichte von Tiefpaßrauschen

5.3. Auswirkungen stochastischer Störgrößen auf Regelkreise

Im folgenden sei ein Regelkreis angenommen, auf dessen Eingang eine stochastische Störgröße $z(t)$ wirkt, die eine Leistungsdichte 1. Ordnung besitze (Bild 69). Die Leistungsdichte des Ausgangssignals $x(t)$ wird dann durch den Störfrequenzgang $F_z(j\omega)$ des Regelkreises bestimmt

$$S_{xx}(\omega) = |F_z(j\omega)|^2 S_{zz}(\omega) \tag{102}$$

Der Störfrequenzgang ergibt sich bekanntlich zu

$$F_z(j\omega) = \frac{F_S}{1 + F_S F_R}.$$

Den quadratischen Mittelwert des Ausgangssignals, der zur Optimierung zu einem Minimum zu machen ist, erhält man durch die Beziehung Gl. (96).

$$\overline{x(t)^2} = \int_0^\infty S_{xx}(\omega)\,d\omega = \int_0^\infty |F_z(j\omega)|^2 S_{zz}(\omega)\,d\omega \tag{103}$$

Die Störleistungsdichte $S_{zz}(\omega)$ ist also für alle ω-Werte mit dem Quadrat des Betrages des Störfrequenzganges des Regelkreises zu multiplizieren und dies über alle Frequenzen zu integrieren.

Um die Wirksamkeit eines Reglers zu untersuchen, läßt sich ein sogenannter stochastischer Regelfaktor definieren [31], [32], der nicht, wie bei deterministischen Signalen, auf rein proportional wirkende Regler beschränkt ist. Man betrachtet dazu die Auswirkungen der Störgröße, wenn der Regelkreis geschlossen ist und wenn der Regler nicht vorhanden ist (z. B. Bild 64). Im letzteren Falle ist in Gl. (103) der Störfrequenzgang des Regelkreises durch den Frequenzgang der Strecke allein zu ersetzen. Man erhält für den stochastischen Regelfaktor, bei dem statt des quadratischen Mittelwertes, der Effektivwert, d. h. die Wurzel aus dem quadratischen Mittelwert benutzt wird,

$$R_{st} = \frac{\sqrt{\overline{x(t)^2} \text{ mit Regler}}}{\sqrt{\overline{x(t)^2} \text{ ohne Regler}}} = \sqrt{\frac{\int_0^\infty |F_Z(j\omega)|^2 S_{zz}(\omega)\,d\omega}{\int_0^\infty |F_S(j\omega)|^2 S_{zz}(\omega)\,d\omega}} \tag{104}$$

Wird angenommen, daß die Regelstrecke fest vorgegeben ist, ihre Parameter sich nicht ändern, desgleichen die statistischen Kennwerte des Störsignals konstant sind, d. h., es liegt ein stationäres Signal vor, so bleibt die Aufgabe, die Parameter des Reglers so einzustellen, daß der quadratische Mittelwert $\overline{x(t)^2}$ bzw. der stochastische Regelfaktor R_{st} zu einem Minimum wird. Dazu muß man untersuchen, in welcher Weise der Betrag des Störfrequenzganges von der Einstellung der Reglerparameter abhängig ist. Für Strecken höherer Ordnung, mit denen man meist zu tun hat, wird der Einfluß prinzipiell der gleiche sein, so daß es sinnvoll ist, das Verhalten an einem speziellen Beispiel zu betrachten. Tafel 1 zeigt die Störfrequenzgänge (dick ausgezogen) eines Regelkreises, der aus einer Strecke mit Totzeit und Verzögerung 1. Ordnung ($T_g/T_t = 3$) und einem PI-Regler besteht, für verschiedene Werte von K_P und T_n. Zu jeder Zeile gehört ein bestimmter Wert von K_P, von oben nach unten jeweils um den Faktor $\sqrt{2}$ ansteigend, und zu jeder Spalte ein bestimmter Wert von T_n, ganz links die Einstellung $T_n \to \infty$, d. h. reiner P-Regler. Für die anderen Spalten gilt ein T_n, das sich jeweils um den Faktor 2 ändert. Für die Kurven in der 2. Zeile und 3. Spalte gelten die Werte, welche die optimale Einstellung für sprungförmige Störung nach dem ITAE-Kriterium darstellen. Vergleicht man die Zeilen miteinander, ist festzustellen, daß bei einer Vergrößerung von K_P

a) $|F_z|$ für kleine Frequenzen kleiner wird,

b) eine Resonanzüberhöhung immer stärker bemerkbar wird,

c) jedoch dieses Maximum zu immer höheren Frequenzen verschoben wird.

Vergleicht man hingegen die Spalten miteinander, so ergibt sich für eine schärfere Einstellung des I-Anteils (T_n kleiner):

a) $| F_z |$ von $\omega = 0$ wird zu Null, und damit wird auch der Störfrequenzgang für niedrige Frequenzen sehr klein (langsame Änderungen werden gut ausgeregelt),

b) auch hier macht sich eine Resonanzüberhöhung immer stärker bemerkbar,

c) das Maximum wird jedoch zu niedrigeren Frequenzen hin verschoben (deutlich in den beiden unteren Zeilen zu erkennen).

Tafel 1. Störfrequenzgang und Ausgangsleistungsdichte eines Regelkreises, der aus einer Strecke 1. Ordnung mit Totzeit und einem PI-Regler besteht ($T_g/T_t = 3$), bei verschiedenen Werten von K_P und T_n

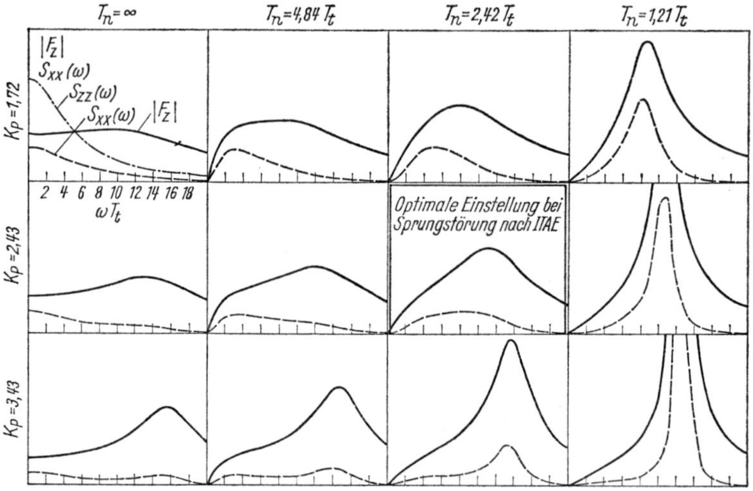

Nun sei versucht, diese Erkenntnisse auszunutzen, um den Regelkreis bei einer stochastischen Störung 1. Ordnung mit einer Grenzfrequenz $\omega_g = 5/T_t$, wie sie im linken oberen Bild der Tafel 1 strichpunktiert eingetragen ist, optimal einzustellen. Gestrichelt ist in Tafel 1 jeweils die Leistungsdichte des Ausgangssignals $x(t)$ eingetragen. Die Fläche unter dieser Kurve ist zu einem Minimum zu machen. Eine Erhöhung von K_P bedingt solange eine Näherung an das Optimum, wie die Verringerung des Betrages des Störfrequenzganges bei niedrigen Frequenzen, wo eine große Leistungsdichte vorliegt, nicht durch die Auswirkung der Resonanzüberhöhung ausgeglichen wird. Von großer Bedeutung ist hierbei, daß das Maximum zu höheren Frequenzen wandert, d. h. multipliziert mit der Störleistungsdichte S_{zz}, die dort unter Umständen schon stark abgesunken ist, nicht so sehr zu dem Gesamteffektivwert [s. Gl. (103)] beiträgt. Je stärker die Störleistungsdichte S_{zz} also mit wachsender Frequenz abfällt (ω_g klein, S_{zz} von höherer Ordnung), um so stärker kann man K_P einstellen, und um so dichter liegt die optimale Einstellung am Stabilitätsrand.

Eine schärfere Einstellung des integralen Anteils durch Verkleinern von T_n bringt im Vergleich zu den mittleren Frequenzbereichen nur eine weitere Verbesserung bei Störleistungsdichten, die sehr große Leistungsdichten im Bereich um $\omega = 0$ haben. In diesem Falle wird sich die Verbesserung bei $\omega = 0$ stärker auswirken als die Verschlechterung durch die Erhöhung und Verschiebung der Resonanzstelle. In dem in Tafel 1 gezeigten Beispiel wird, abweichend von der optimalen Einstellung für Sprungstörung (2. Zeile, 3. Spalte), die linke untere Einstellung in etwa die optimale sein.

Bezieht man die Grenzfrequenz des Rauschens ω_g auf die Frequenz ω_0, mit der der Regelkreis am Stabilitätsrand bei Verwendung eines P-Reglers schwingt,

$$\nu_g = \omega_g/\omega_0$$

so findet man, daß für $\nu_g > 0{,}25$ der I-Anteil keine Verbesserung mehr bringt. Der P-Regler ist in diesem Falle dem PI-Regler überlegen. Im allgemeinen wird man den I-Anteil nicht ganz abtrennen, sondern nur sehr schwach einstellen, damit langsame Driftbewegungen noch voll ausgeregelt werden können.

Tafel 2 zeigt die Regelfaktoren, die sich mit P-, I- und PI-Reglern an einer Strecke mit Totzeit und Verzögerung 1. Ordnung bei verschiedenen Werten von $\tau = T_g/T_t$ und in Abhängigkeit von ν_g für Störleistungsdichten 1. und 2. Ordnung erreichen lassen. Ein Regelfaktor von 1 bedeutet, daß der Regler keine Verbesserung mehr bringt.

Tafel 2. Erreichbare Regelfaktoren bei einer Strecke 1. Ordnung mit Totzeit ($\tau = T_g/T_t$ verschieden) und P-, I- bzw. PI-Regler in Abhängigkeit von der Grenzfrequenz der stochastischen Störung 1. bzw. 2. Ordnung (nach *Schäfer*, *O.* u. *Janzing*, *J.* [32])

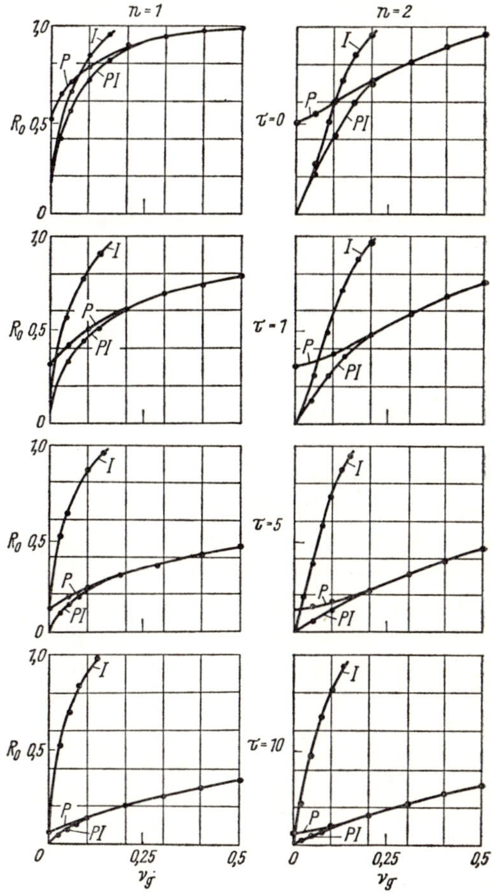

Tafel 3. Optimale Einstellwerte der Regler zu den Regelfaktoren von Tafel 2 (nach *Schäfer, O.* u. *Janzing J.* [32])

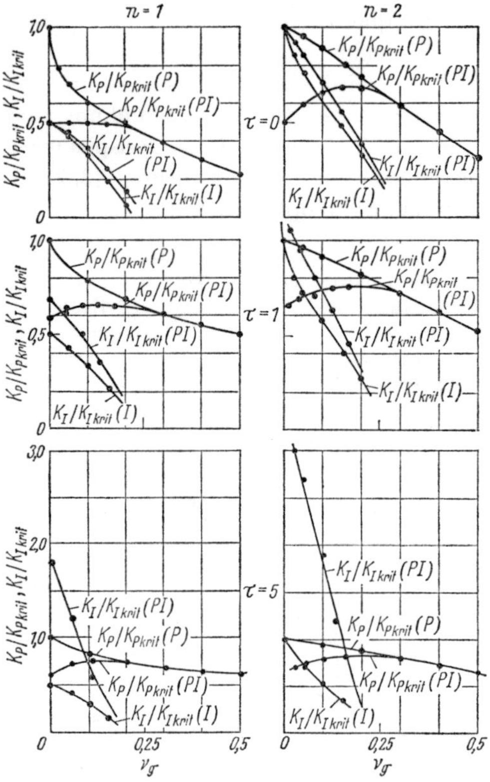

In gleicher Weise sind in **Tafel 3** optimale Einstellwerte für die Regler angegeben. Statt der Angaben K_P und T_n für den PI-Regler findet man hier die Angaben K_P und K_I, die man erhält, wenn man die Gleichung des PI-Reglers

$$y(t) = K_P \left(x(t) + \frac{1}{T_n} \int x(t)\,dt\right) \tag{104}$$

umformt in die Beziehung

$$y(t) = K_P\, x(t) + K_I \int x(t)\,dt. \tag{105}$$

Die Werte von K_P und K_I sind auf die kritischen Einstellwerte am Stabilitätsrand $K_{P\,krit}$ und $K_{I\,krit}$ bezogen. Diese Angaben und weitere ausführliche Untersuchungen dieser Probleme findet man in [32].

Wie die Kurven in Tafel 2 zeigen, ist selbst für eine reine Totzeitstrecke ein I-Regler einem P-Regler nur für sehr kleine Grenzfrequenzen der Störleistungsdichte überlegen. Dies widerspricht nicht den Erkenntnissen bei sprungförmigen Störungen, da diese eine Einstellung verlangen, wie sie für Rauschen mit einer sehr kleinen Grenzfrequenz optimal ist.

Soweit sich überhaupt eine allgemeine Aussage formulieren läßt, kann man sagen, daß bei stochastischen Störungen meist gegenüber der Einstellung bei sprungförmigen Störungen der P-Anteil des Reglers stärker und der I-Anteil schwächer einzustellen sind. Man wird die erzielbare Verbesserung oft jedoch nicht voll ausnutzen, um nicht zu nahe an den Stabilitätsrand zu kommen, da man meist mit gewissen Schwankungen der Streckenparameter rechnen muß. Für eine genaue Aussage sind in jedem Falle Kenntnisse der Störleistungsdichte notwendig.

Der Übergang vom PI- zum PID-Regler sei hier weiter nicht behandelt. Er bringt jedoch im allgemeinen stets eine Verbesserung, die sich mit der bei sprungförmigen Störungen vergleichen läßt.

6. MEHRGRÖSSENREGELUNG

6.1. Definition der Mehrgrößenregelung

In technischen Anlagen, wie Kraftwerken, Dampferzeugern, Destillationskolonnen und dergleichen tritt häufig das Problem auf, gleichzeitig mehrere Größen zu regeln, die durch innere Kopplungen voneinander abhängig sind. Derartige Systeme nennt man neuerdings Mehrgrößenregelungen, während bislang die Bezeichnung Mehrfachregelung üblich war. Die Strecke einer Mehrgrößenregelung besitzt im allgemeinen Fall n Ausgänge $x_1 \ldots x_n$, m Stellgrößeneingänge $y_1 \ldots y_m$ und o Störgrößeneingänge $z_1 \ldots z_0$. Dabei beeinflussen die einzelnen Eingangsgrößen infolge der Kopplungen jeweils alle Ausgangsgrößen.

Die folgenden Betrachtungen sollen sich jedoch hauptsächlich auf den Zweigrößenregelkreis beschränken, der mit nur zwei Regelgrößen noch relativ gut zu überblicken ist, aber doch die Problematik der Mehrgrößenregelung erkennen läßt. Darüber hinaus ist der Zweigrößenregelkreis das in der Praxis mit Abstand am häufigsten vorkommende System.

6.2. Darstellung und Beschreibung der Mehrgrößenregelung

In Bild 70 sind zwei Möglichkeiten einer Zweigrößenregelung als Blockschaltbild wiedergegeben. Bild 70a zeigt ein Blockschaltbild in gewohnter Art. Der Zusammenhang zwischen zwei Größen ist jeweils durch einen Block dargestellt. In die einzelnen Blöcke können Angaben über die Art des Zusammenhangs, also Übergangsfunktionen oder — wie hier — Frequenzgänge eingetragen werden. S_{11} und S_{22} sollen die Frequenzgänge der Hauptstrecken, S_{12} und S_{21} die der Koppelstrecken sein. Der erste Index weist jeweils auf die Ausgangsgröße hin, der zweite auf die Eingangsgröße. Damit kann man aus dem Bild 70a sofort folgende Beziehungen ablesen:

$$x_1 = S_{11}\,(z_1 - y_1) + S_{12}\,(z_2 - y_2) \tag{106a}$$

$$x_2 = S_{21}\,(z_1 - y_1) + S_{22}\,(z_2 - y_2) \tag{106b}$$

und

$$y_1 = R_{11}\,(x_1 - w_1) \tag{106c}$$

$$y_2 = R_{22}\,(x_2 - w_2) \tag{106d}$$

Bei dieser Darstellungsart läßt sich die Struktur des Systems gut erkennen; bei mehr als zwei oder drei Regelgrößen wird der Zeichenaufwand jedoch so beträchtlich und die Darstellung so unübersichtlich, daß sie praktisch kaum mehr anwendbar ist. Etwas ungewohnt, aber dafür sehr einfach, auch bei Systemen höherer Ordnung, ist die Darstellung nach Bild 70b; $\bar{x}$, $\bar{y}$, $\bar{z}$ und $\bar{w}$ sind Vektoren von der Form:

$$\bar{x} = \begin{pmatrix} x_1 \\ x_2 \end{pmatrix}, \ \bar{y} = \begin{pmatrix} y_1 \\ y_2 \end{pmatrix}, \ \bar{z} = \begin{pmatrix} z_1 \\ z_2 \end{pmatrix} \text{ und } \bar{w} = \begin{pmatrix} w_1 \\ w_2 \end{pmatrix} \tag{107}$$

$\bar{S}$ und $\bar{R}$ sind Matrizen, und zwar ist die Streckenmatrix

$$\bar{S} = \begin{pmatrix} S_{11} & S_{12} \\ S_{21} & S_{22} \end{pmatrix} \tag{108}$$

und die Regelmatrix

$$\bar{R} = \begin{pmatrix} R_{11} & 0 \\ 0 & R_{22} \end{pmatrix} \tag{109}$$

Damit kann man folgende Gleichungen anschreiben:

$$\bar{x} = \bar{S}\,(\bar{z} - \bar{y}) \text{ und } \bar{y} = \bar{R}\,(\bar{x} - \bar{w}) \tag{110}$$

die genau dem aus Bild 70a abgeleiteten Gleichungssystem entsprechen.

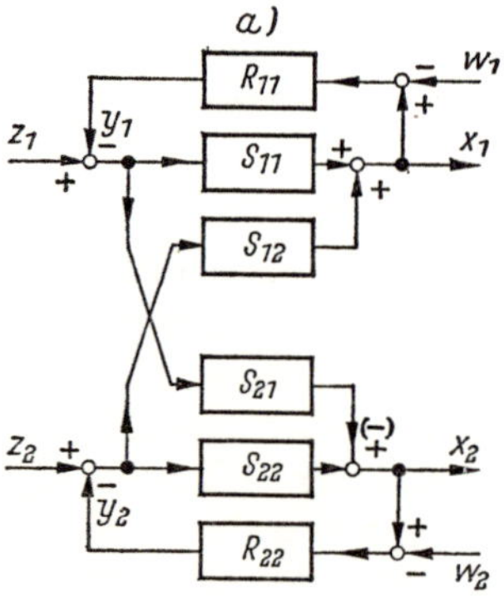

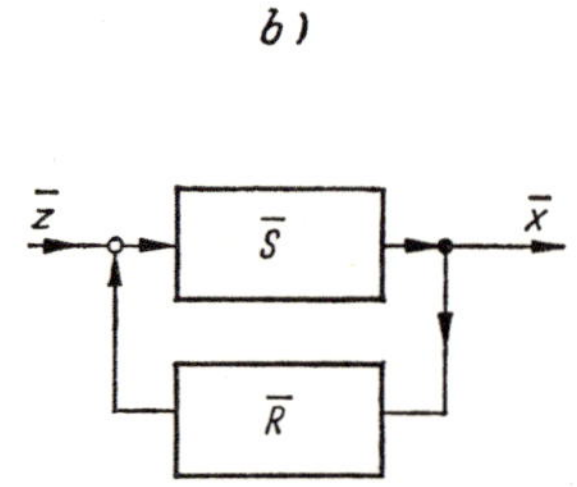

Bild 70. Zweigrößenregelkreis

a) Blockschaltbild in gewohnter Art
b) Blockschaltbild vereinfacht für Systeme höherer Ordnung

Man erkennt schon an diesem einfachsten Fall, welche Vorteile die Anwendung der Matrizenrechnung bei der Behandlung von Mehrgrößenregelungen bringt. Für Systeme mit mehr als zwei Regelgrößen ist sie praktisch die einzige brauchbare Methode. Trotzdem soll hier nicht weiter auf diese Methode eingegangen werden, da sie wenig anschaulich ist und umfangreiche Kenntnis der Matrizenrechnung voraussetzt. Statt dessen sei auf das Schrifttum verwiesen, in der die Anwendung der Matrizenrechnung auf Mehrgrößenregelungen ausführlich beschrieben wird.

6.3. Wirkungssinn der Kopplungen

Von besonderer Bedeutung für die Wirkung der Kopplungen ist das Vorzeichen, mit dem die Kopplungsstrecken auf die Regelgrößen einwirken. Sind beide Vorzeichen gleich, so spricht man von positiver Kopplung. Die Wirkung dieser Kopplung ist leicht zu erkennen. Verstellt man die Führungsgröße w_1, dann wird der Regler R_{11} so lange arbeiten bis $x_1 - w_1 = 0$ wird. Gleichzeitig wird aber auch x_2 über die Kopplungsstrecke S_{21} verändert, was ein Eingreifen des Reglers R_{22} und somit eine Verstellung von y_2 bewirkt. Über die Kopplungsstrecke S_{12} wird dadurch wieder x_1 beeinflußt, und zwar entgegengesetzt der Beeinflussung durch y_1. Die Anlage verhält sich so, als ob die Regler zu schwach eingestellt wären, d. h. daß der Regelverlauf viel stärker gedämpft ist, als bei einem einfachen Regelkreis mit der gleichen Reglereinstellung. Dabei ist noch zu beachten, daß die Stellglieder an die Anschläge geraten, wenn bei dieser Anordnung der Übertragungsfaktor der Kopplungsstrecken $K_{S12}\,K_{S21} > K_{S11}\,K_{S22}$, den Übertragungsfaktoren der Hauptstrecken ist.

Völlig anders ist das Regelverhalten eines Zweigrößenregelkreises bei negativer Kopplung, d. h. wenn die Kopplungsstrecken mit verschiedenen Vorzeichen in die Hauptstrecken einmünden. Man erkennt, daß bei einer Verstellung der Führungsgröße w_1 jetzt beide Stellgrößen y_1 und y_2 im gleichen Sinn auf die Regelgröße x_1 wirken. Der Kreis verhält sich so, als ob die Regler zu stark eingestellt wären. Der Regelverlauf ist weniger gedämpft und das gesamte Regelsystem neigt mehr zur Instabilität.

6.4. Beispiele von Mehrgrößenregelungen

Bevor untersucht wird, wie und in welchem Maße man dem Einfluß der Kopplungen entgegenwirken kann, sollen zunächst zwei Beispiele praktisch vorkommender Zweigrößenregelungen betrachtet werden.

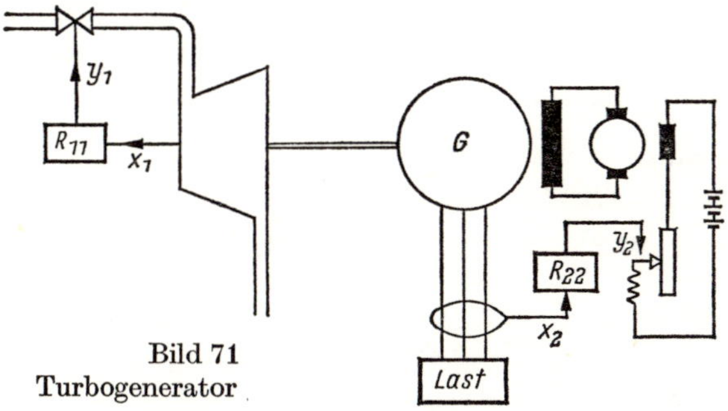

Bild 71
Turbogenerator

Turbogenerator, Bild 71

Die Regelgrößen sind Drehzahl (Frequenz) x_1 und Spannung x_2 des Turbogenerators. Die Drehzahl kann durch das Stellglied, die Spannung durch das Erregerfeld beeinflußt werden. Jede Stellgröße wirkt aber nicht nur auf die ihr zugeordnete Regelgröße, sondern gleichzeitig auf die andere Regelgröße ein. Bei einer Verzögerung der Ventilöffnung wird sowohl die Drehzahl als auch die Spannung erhöht. Bei einer Vergrößerung des Erregerstromes wird die Spannung ansteigen. Bei konstantem Belastungswiderstand ist damit eine Erhöhung der Wirkleistung verbunden, was zu einer Abnahme der Turbinendrehzahl führt. Es liegt also eine negative Kopplung vor. Die Regler unterstützen sich in ihrer Wirkung, was zu Instabilität führen kann.

Destillationskolonne, Bild 72

Die Regelung von Destillationskolonnen ist das typische Beispiel einer Mehrgrößenregelung in der chemischen Industrie. Diese Anlagen sind meist sehr kompliziert und unübersichtlich und besitzen eine Vielzahl miteinander gekoppelter Regelkreise. Bild 72 zeigt ein sehr stark vereinfachtes Schema einer Destillationskolonne. Regelgrößen sind hier die Temperatur x_1, die auf einem mittleren Boden gemessen wird und der Druck x_2, der am Kopf der Kolonne abgenommen wird. Als Stellgeräte stehen zur Verfügung ein Ventil zur Beeinflussung des Heizdampfstromes und ein Ventil zur Verstellung der durch den Kondensator fließenden Kühlwassermenge.

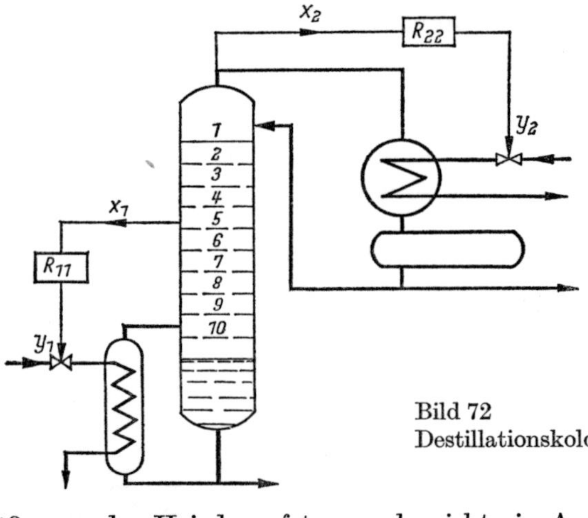

Bild 72
Destillationskolonne

Eine Vergrößerung des Heizdampfstromes bewirkt ein Ansteigen der Temperatur und damit gleichzeitig eine Druckerhöhung. Das Stellglied des Reglers R_{22} wirkt gleichfalls auf beide Regelgrößen. Eine größere Kühlwassermenge bewirkt eine stärkere Kondensation und damit verbunden eine Druck- und Temperaturabsenkung. Beide Stellgeräte wirken jeweils mit gleichem Vorzeichen auf beide Regelgrößen. Es liegt also eine positive Kopplung vor. Die beiden Regler werden sich somit gegenseitig dämpfen.

6.5. Entkopplung der Regelkreise

Das Einstellen der Regler an einer Mehrgrößenregelung bereitet erhebliche Schwierigkeiten. Lediglich für den Zweigrößenregelkreis ist es in jüngster Zeit gelungen, Einstellregeln ähnlich denen von *Ziegler* und *Nichols* anzugeben. Für Mehrgrößenregelungen mit mehr als zwei Regelgrößen gibt es noch keinerlei

Einstellregeln. Man ist in diesen Fällen weitgehend auf Probieren angewiesen, was sehr langwierig werden kann, da infolge der Kopplungen zwischen den einzelnen Kreisen das Verhalten des Systems und damit der Einfluß von Reglerverstellungen nur sehr schwer zu überblicken ist.

Aber selbst wenn es gelingt, die Regler optimal einzustellen — was bei dem gegenseitigen Einfluß fast zu einem Glücksspiel wird — kann das Verhalten des Mehrgrößensystems schlechter sein als das Verhalten eines vergleichbaren Einfachregelkreises, und in jedem Fall bleiben die unerwünschten Auswirkungen auf alle Regelgrößen, wenn nur ein Regelkreis infolge einer Störung oder Änderung der Regelgröße angestoßen wird.

Aus diesen Gründen ist es naheliegend zu versuchen, die Wirkungen der inneren Kopplungen durch äußere, sogenannte Entkopplungsglieder zu eliminieren, so daß sich die einzelnen Kreise wie Einfach-Regelkreise verhalten. Eine derartige Entkopplung oder Autonomisierung kann nur für verschiedene Regelkreisgrößen versucht werden. Dementsprechend unterscheide man

Eigenautonomie, wenn Änderungen einer Regelgröße ohne Einfluß auf die anderen Regelgrößen bleiben;

Führungsautonomie, wenn Änderungen einer Führungsgröße ausschließlich auf die eine zugehörige Regelgröße wirken;

Störungsautonomie, wenn eine Störgröße jeweils nur auf eine Regelgröße wirkt.

Die Störungsautonomie ist dabei von geringerem Interesse. Gelingt es nämlich, eine Entkopplung für die Regelgrößen durchzuführen (Eigenautonomie), so wirkt zwar eine Störgröße noch auf alle Regelgrößen, die einzelnen Kreise verhalten sich aber wie voneinander völlig unabhängige Einfachregelkreise. Durch entsprechende Reglereinstellung kann man dann ein zufriedenstellendes Störverhalten erreichen. Es läßt sich zeigen, daß man im allgemeinen durch komplizierte Netzwerke auch eine Störungsautonomie erreichen kann. Da dies jedoch ohne praktische Bedeutung ist, wird darauf verzichtet.

Wichtiger ist dagegen schon die Führungsautonomie, da es unerwünscht ist, daß sich Veränderungen einer Führungsgröße als Störungen für die anderen Kreise auswirken. Der Eigenautonomie kommt selbstverständlich die größte Bedeutung zu.

Für einen Zweifachregelkreis lassen sich die Entkopplungsbedingungen leicht ableiten. Bild 73 zeigt das schon bekannte Blockschaltbild eines Zweigrößenregelkreises, das durch die beiden Entkopplungsregler R_{12} und R_{21} ergänzt worden ist.

Mit S_{ik} für die Streckenfrequenzgänge und R_{ik} für die Reglerfrequenzgänge kann man folgende Gleichungen aufstellen

$$x_1 = S_{11}\, y_1 + S_{12}\, y_2 \qquad y_1 = -\, R_{11}\, x_{w1} + R_{12}\, x_{w2} \tag{111}$$

$$x_2 = -\, S_{21}\, y_1 + S_{22}\, y_2 \qquad y_2 = -\, R_{21}\, x_{w1} + R_{22}\, x_{w2} \tag{112}$$

und kommt durch Einsetzen der Größen y_1 und y_2 zu

$$x_1 = (- S_{11} R_{11} - S_{12} R_{21})\, x_{w1} + (S_{11} R_{12} - S_{12} R_{22})\, x_{w2} \tag{113}$$

$$x_2 = (- S_{22} R_{22} - S_{21} R_{12})\, x_{w2} + (- S_{22} R_{21} + S_{21} R_{11})\, x_{w1} \tag{114}$$

Soll x_1 nur von x_{w1} bzw. x_2 nur von x_{w2} abhängen, dann muß jeweils der letzte Summand in beiden Gleichungen verschwinden. Das führt zu den Gleichungen für die Entkopplungsglieder

$$R_{12} = R_{22} \frac{S_{12}}{S_{11}} \qquad R_{21} = R_{11} \frac{S_{21}}{S_{22}} \tag{115}$$

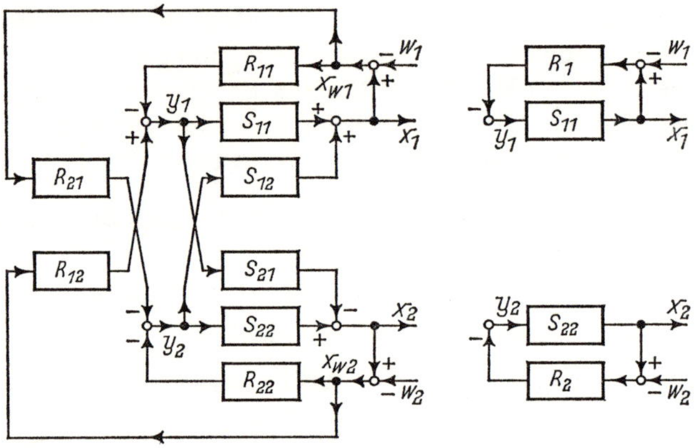

Bild 73. Zweigrößenregelkreis mit Entkopplungsgliedern und entkoppelte Einfachregelkreise

Die Reglerfrequenzgänge für die beiden jetzt autonomen Kreise lauten

$$R_1 = R_{11} + \frac{S_{12} R_{21}}{S_{11}} \qquad R_2 = R_{22} + \frac{S_{21} R_{12}}{S_{22}} \tag{116}$$

oder mit den Gleichungen für die Entkopplungsregler

$$R_1 = R_{11}\left(1 + \frac{S_{12} S_{21}}{S_{11} S_{22}}\right) \quad R_2 = R_{22}\left(1 + \frac{S_{12} S_{21}}{S_{11} S_{22}}\right) \tag{117}$$

Man wird nun üblicherweise für R_1 bzw. R_2 ein PI- bzw. PID-Verhalten fordern. Das bedeutet, daß die Regler R_{11} und R_{22} aus einem Netzwerk, bestehend aus R_1 bzw. R_2 und einem Korrekturglied

$$K = \frac{1}{1 + \dfrac{S_{12} S_{21}}{S_{11} S_{22}}} \tag{118}$$

aufgebaut sein müssen.

Im vorliegenden Fall ist durch die Entkopplung offensichtlich Eigen- und Führungsautonomie erreicht worden. Das wurde dadurch erzielt, daß man $(x - w)$ als Eingangsgröße für den Entkopplungsregler gewählt hat.

Gerade dieses Signal ($x - w$) steht aber meist nicht zur Verfügung, da üblicherweise der Soll-Istwert-Vergleich im Regler durchgeführt wird. Wählt man statt dessen das Meßsignal x, das in jedem Fall zugänglich ist, als Eingangsgröße für den Entkopplungsregler, so geht die Führungsautonomie verloren.

Unter Umständen kann auch die Ausgangsgröße des Hauptreglers auf die Entkopplungsregler gegeben werden. In diesem Fall lauten die Entkopplungsbedingungen, mit denen wieder Eigen- und Führungsautonomie erreicht wird

$$R_{12} = \frac{S_{12}}{S_{11}} \quad \text{und} \quad R_{21} = \frac{S_{21}}{S_{22}} \tag{119}$$

Haben S_{12} und S_{11} bzw. S_{21} und S_{22} ähnliche Frequenzgänge, Verzögerungen gleicher und annähernd gleicher Ordnung, so reicht ein einfaches proportionales Glied als Entkopplungsregler. Bei der Regelung von Entnahmedampfturbinen wird beispielsweise davon Gebrauch gemacht, indem man die Regler auf ein Hebelgestänge wirken läßt, mit dem dann gleichzeitig beide Stellgeräte betätigt werden, Bild 74. Dagegen würde im zweiten Fall die Form der Entkopplungsregler unverändert bleiben. Es läßt sich damit jedoch nur mehr Eigenautonomie und keine Führungsautonomie erreichen.

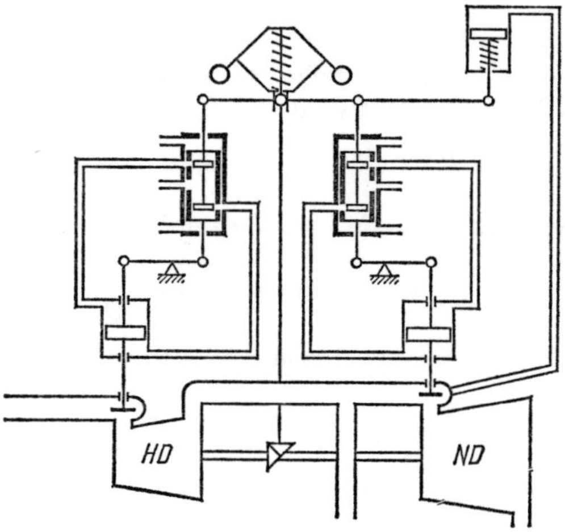

Bild 74
Entnahmedampfturbine

6.6. Näherungsweise Entkopplung von Zweigrößenregelkreisen

Eine Betrachtung der im vorhergehenden Abschnitt abgeleiteten Entkopplungsbedingungen läßt erkennen, daß im allgemeinen eine exakte Entkopplung mit einem vertretbaren Aufwand nicht zu verwirklichen ist. Nur in Sonderfällen, z. B. wenn Haupt- und Kopplungsstrecken die gleichen Verzögerungen haben, wird man die geforderten Netzwerke tatsächlich aufbauen können. Es ist daher zu untersuchen, inwieweit man durch einfache Glieder eine näherungsweise Entkopplung durchführen kann und welcher Regelverlauf sich damit erreichen läßt. Besonders kritisch sind dabei Regelsysteme, in denen die Hauptstrecken von höherer Ordnung sind als die Kopplungsstrecken. Die

Entkopplungsbedingungen erfordern in diesen Fällen mehrfache Differentiationen, die praktisch nicht realisiert werden können, während im umgekehrten Fall der Entkopplungsregler vorwiegend nur Verzögerungsglieder enthält. Da diese Verzögerungsglieder unproblematisch sind, erübrigt sich eine weitere Untersuchung.

Ein einfaches Verfahren zur Entkopplung von Zweigrößenregelkreisen, bei dem auch für die Entkopplungsglieder nur handelsübliche PID-Regler verwendet werden, ist von *H. Schwarz* [34] angegeben worden. Bei diesem Verfahren werden zunächst die Einstellwerte der Regler R_1 und R_2 der autonomen Kreise nach einem üblichen Verfahren, z. B. nach Ziegler-Nichols, ermittelt. Dann ermittelt man die exakte Entkopplungsbedingung und zeichnet im Bodediagramm den zugehörigen Amplitudengang. Die Einstellwerte der Entkopplungsregler erhält man, indem man diesen Amplitudengang durch den Amplitudenverlauf eines PID-Reglers annähert. Dabei ist die Tatsache zu berücksichtigen, daß bei üblichen Reglern, proportionaler Verstärker mit verzögert-nachgebender Rückführung, nur ein Verhältnis $T_n/T_v > 4$ eingestellt werden kann. Das Verfahren ist auch anwendbar, wenn die exakten Entkopplungsbedingungen eine mehrfache Differentiation fordern. Es ist dann darauf zu achten, daß die Annäherung besonders für niedrige Frequenzen dem exakten Verlauf der Kurve entspricht. Für die Einstellung der Regler R_{11} und R_{22} ist es ausreichend, wenn der Korrekturfaktor K nur als konstanter Faktor berücksichtigt wird [35].

An einem Beispiel soll dieses Verfahren erläutert werden.

Beispiel: Die beiden Hauptstrecken sind gleich und haben den Frequenzgang

$$S_{11} = S_{22} = \frac{1}{(1 + 0{,}1\,p)^3} \tag{120}$$

Die Koppelstrecken sind ebenfalls gleich und haben den Frequenzgang

$$S_{12} = S_{21} = \frac{1}{(1 + 0{,}1\,p)^2} \tag{121}$$

Für die Regler R_1 und R_2 wird PID-Verhalten gefordert. Nach den Einstellkriterien für Einzelregelkreise ergeben sich für diese Regler die Frequenzgänge

$$R_1 = R_2 = 4{,}8\left(1 + \frac{1}{0{,}18\,p} + 0{,}045\,p\right) \tag{122}$$

$$= 4{,}8\left(1 + \frac{1}{0{,}18\,p}\right)(1 + 0{,}045\,p) \tag{123}$$

Für die Hauptregler R_{11} und R_{22} wird ein Korrekturglied erforderlich:

$$K = \frac{1}{1 + \dfrac{S_{21}\,S_{12}}{S_{11}\,S_{22}}} = \frac{1}{1 + \dfrac{(1 + 0{,}1\,p)^6}{(1 + 0{,}1\,p)^4}} \tag{124}$$

$$= \frac{1}{1 + (1 + 0{,}1\,p)^2} \tag{125}$$

Den Hauptreglern müßten also Verzögerungsglieder vorgeschaltet werden, um ein exaktes PID-Verhalten zu erreichen. Im vorliegenden Fall wird darauf verzichtet und

$$R_{11} = R_{22} = R_1 = R_2 \tag{126}$$

gewählt.

Für die Entkopplungsregler waren die Beziehungen

$$R_{21} = R_{11} \frac{S_{21}}{S_{22}} \quad \text{und} \quad R_{12} = R_{22} \frac{S_{12}}{S_{11}} \tag{127}$$

abgeleitet worden. Mit den gegebenen Werten wird dann

$$R_{21} = R_{12} = 4{,}8 \left(1 + \frac{1}{0{,}18\,p}\right) (1 + 0{,}045\,p) \frac{(1 + 0{,}1\,p)^3}{(1 + 0{,}1\,p)^2} \tag{128}$$

$$R_{21} = R_{12} = \frac{4{,}8}{0{,}18\,p} (1 + 0{,}18\,p)(1 + 0{,}1\,p)(1 + 0{,}045\,p) \tag{129}$$

Der Amplitudenverlauf für diese Funktion ist in Bild 75 dargestellt. Da nur ein einfacher PID-Regler als Näherung benutzt werden soll, wird der Verlauf, wie gezeigt, durch einen Amplitudengang eines PID-Reglers ersetzt. Damit findet man die Frequenzgänge der angenäherten Entkopplungsregler

$$R_{21} = R_{12} = \frac{7{,}5}{0{,}28\,p} (1 + 0{,}28\,p)(1 + 0{,}07\,p) \tag{130}$$

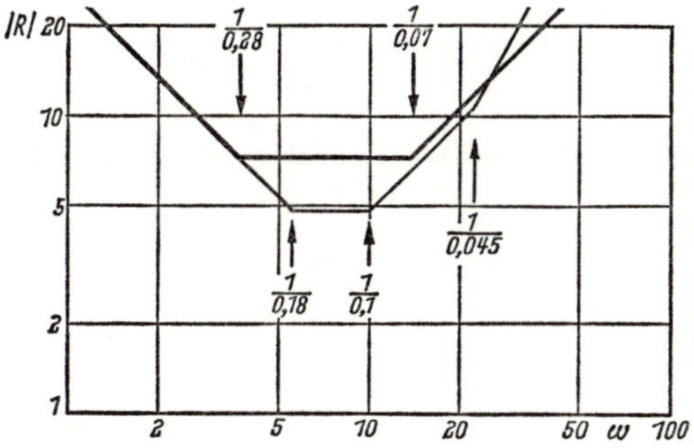

Bild 75. Amplitudenverlauf der exakten Entkopplungsbedingung und des angenäherten PID-Entkopplungsgliedes

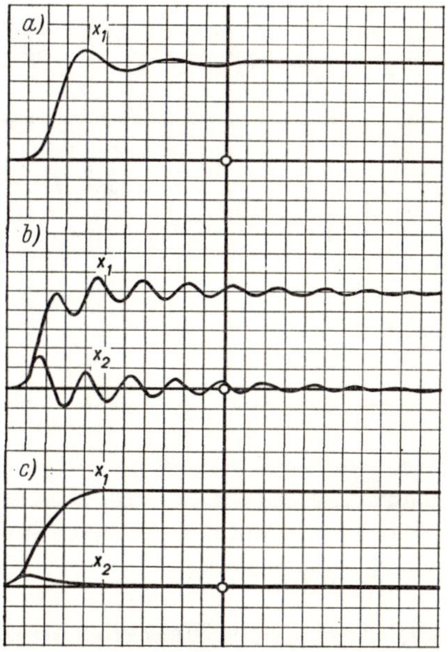

Bild 76
Verlauf der Regelgrößen x_1 und x_2 bei einer sprungartigen Verstellung von w_2

a) Vergleichs-Einfachregelkreis
b) nicht entkoppelter Zweigrößenregelkreis
c) näherungsweise entkoppelter Zweigrößenregelkreis

Die Wirkung dieser Entkopplung ist in Bild 76 zu erkennen. Die Kurve a zeigt den Verlauf der Regelgröße x_1 eines Einfachregelkreises mit der Strecke S_{11} und dem Regler R_1 bei einer sprungförmigen Verstellung der Führungsgröße w_1. Die Kurven b zeigen den Verlauf von x_1 und x_2 für den nicht entkoppelten Zweigrößenregelkreis bei der gleichen Änderung der Führungsgröße und die Kurven c den Verlauf bei näherungsweiser Entkopplung, wobei in allen Fällen die für den Einfachregelkreis ermittelte Reglereinstellung unverändert beibehalten wurde.

Für den gleichen Regelkreis wie im vorhergehenden Beispiel, jedoch jetzt mit PI-Regler als Hauptregler, ergeben sich die Kurven nach Bild 77 für Führungsverhalten und nach Bild 78 für Störverhalten.

Der Nachteil der nach diesem Verfahren durchgeführten Entkopplung besteht darin, daß die Hauptregler R_{11} und R_{22} mit einem Korrekturnetzwerk K zu versehen sind, um das geforderte PI- oder PID-Verhalten zu erhalten. Zwar kann man in vielen Fällen, wie in dem behandelten Beispiel, auf diese Korrektur verzichten, oft wird aber zumindest eine Nachstellung der Hauptregler erforderlich. Ganz umgehen kann man die Korrektur, wenn man bei der Anordnung die Struktur der Mehrgrößenregelung berücksichtigt.

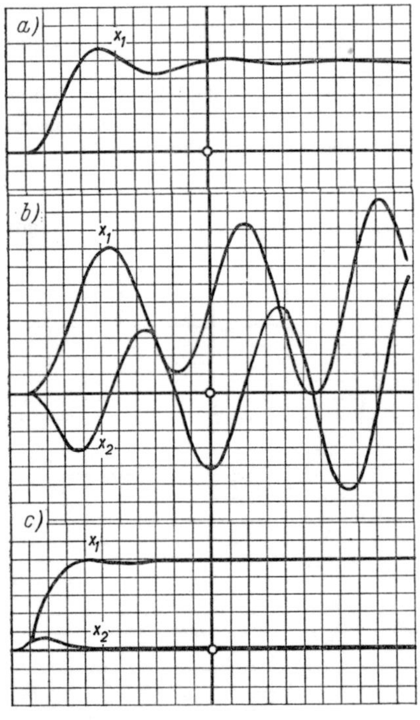

Bild 77. Verlauf der Regelgrößen x_1 und x_2 bei einer sprungartigen Verstellung von w_1

a), b), c) wie in Bild 76

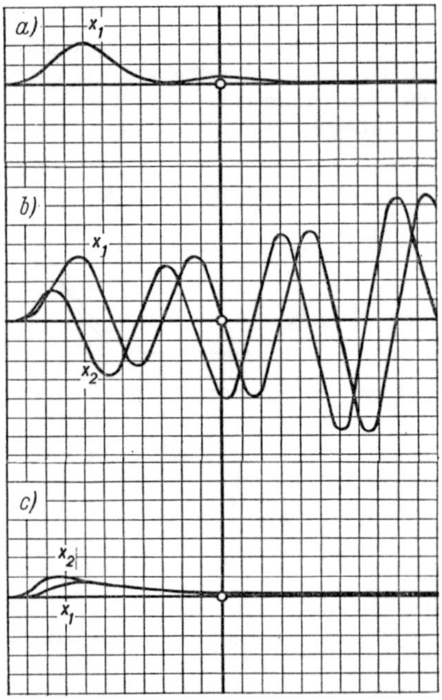

Bild 78. Störverhalten des gleichen Systems wie in Bild 77

6.7. Struktur der Mehrgrößenregelkreise

In den bisherigen Betrachtungen waren Regelsysteme mit einem Aufbau nach Bild 73 angenommen worden. Die Eingänge für die Haupt- und Kopplungsstrecken waren jeweils die gleichen und die Ausgänge der Kopplungsstrecken wirkten direkt auf die entsprechende Regelgröße. Die Annahme einer derartigen Struktur ist besonders günstig für die experimentelle Untersuchung eines Mehrgrößenregelkreises. Betrachtet man die Regelstrecke als schwarzen

Kasten, über dessen inneren Aufbau man keine genauen Kenntnisse hat, dann kann man lediglich die einzelnen Eingangsgrößen $y_1 \dots y_n$ nacheinander verändern und dabei gleichzeitig die Änderungen aller Ausgangsgrößen $x_1 \dots x_n$ beobachten. Diese Methode, die meist die einzige Möglichkeit zur Untersuchung von Mehrgrößenregelkreisen ist, führt zwangsläufig zur Annahme der beschriebenen Struktur.

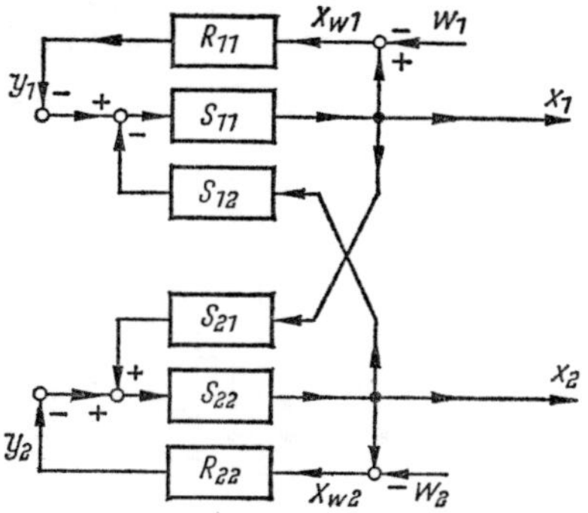

Bild 79
Zweigrößenregelkreis in V-Struktur

Betrachtet man unter diesem Gesichtspunkt noch einmal die Beispiele für Zweigrößenregelkreise in Abschn. 6.4, so stellt man fest, daß lediglich die Entnahmeturbine (Bild 74) eine derartige Struktur hatte. In dem anderen Beispiel lag eine Struktur mehr nach Bild 79 vor.

Allgemein kann man sagen, daß eine Ausgangsgröße nicht nur von allen Eingangsgrößen, sondern auch über Kopplungsglieder von allen anderen Ausgangsgrößen beeinflußt werden kann. Damit ergibt sich eine Vielzahl von möglichen Strukturen für eine Mehrgrößenregelstrecke, von denen einige für die Bearbeitung besonders geeignet sind und als normale Strukturen bezeichnet werden. Von besonderer Bedeutung sind in diesem Zusammenhang zwei Systeme [36], für die sich in Anlehnung an die Matrizenrechnung die Bezeichnung P-kanonische und V-kanonische Systeme oder kurz P- und V-Systeme eingebürgert hat, Bild 80.

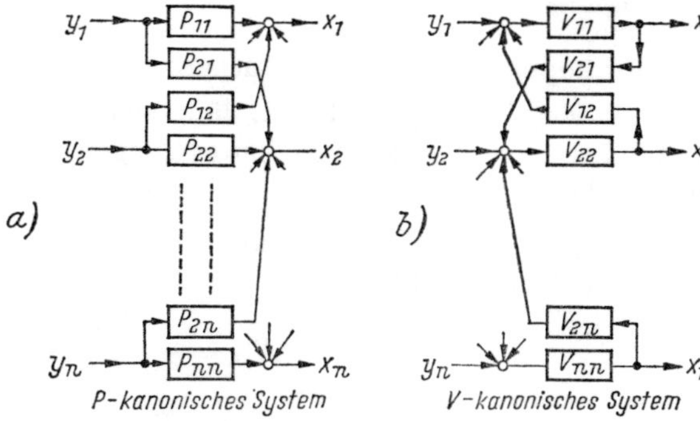

Bild 80. Mehrgrößenregelstrecken

a) P-kanonisches System
b) V-kanonisches System

Beim P-System befinden sich alle Additionsstellen an den Ausgängen der Strecken, beim V-System dagegen an den Eingängen. Natürlich kann man beliebige Strukturen in eine P- bzw. V-Struktur umrechnen und insbesondere auch P-Strukturen in V-Strukturen umwandeln und umgekehrt.

Aus der Kenntnis der Struktur einer Mehrgrößenregelung ergeben sich interessante Aspekte für die Entkopplung der Regelkreise. [37], [39]. Ordnet man das Entkopplungsnetzwerk, wie in Bild 81, zwischen Regler und Strecke an und gibt man dem Netzwerk bei einer P-kanonischen Strecke eine V-Struktur (Bild 81 a) und umgekehrt (Bild 81 b), dann werden die Entkopplungsbedingungen besonders einfach. Die Entkopplung ist erreicht, wenn über den Kopplungs- und Entkopplungsweg das gleiche Signal auf die Regelgröße wirkt. Wie leicht zu erkennen ist, lauten die Entkopplungsbedingungen für das Bild 81 a

$$N_{12} = -\frac{P_{12}}{P_{11}} \qquad N_{21} = -\frac{P_{21}}{P_{22}} \tag{131}$$

und für das Bild 81 b

$$N_{12} = -V_{12}\,V_{22} \qquad N_{21} = -V_{21}\,V_{11} \tag{132}$$

Die Vorzeichen an den Summenpunkten sind hier als mit zu dem Frequenzgang gehörend betrachtet.

Die Entkopplungsnetzwerke sind also unabhängig von den Hauptreglern. Darüber hinaus läßt sich zeigen, daß für die Hauptregler bei einer derartigen Entkopplung kein Korrekturnetzwerk erforderlich ist.

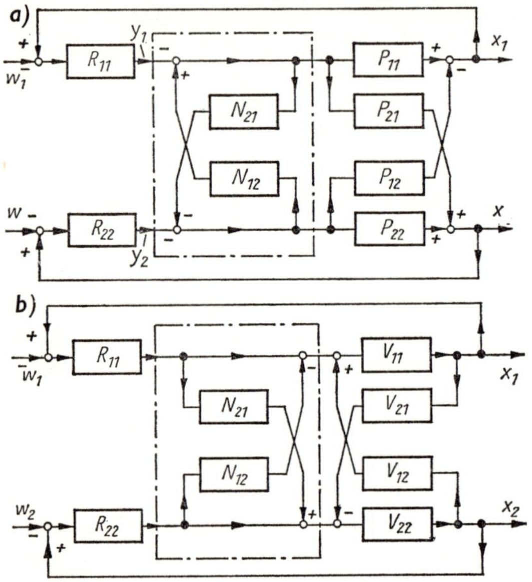

Bild 81. Zweigrößenregelkreis mit Entkopplungsnetzwerk

a) P-kanonisches System mit V-kanonischer Entkopplung
b) V-kanonisches System mit P-kanonischer Entkopplung

Wie *W. Engel* [38] gezeigt hat, läßt sich diese Erkenntnis verallgemeinern und führt auch bei Mehrgrößenregelungen mit mehr als zwei Regelgrößen zu den gleichen einfachen Entkopplungsnetzwerken. Allgemein gilt

für P-kanonische Strecken mit V-kanonischen Entkopplungsnetzwerken zwischen Regler und Strecke

$$N_{ik} = -\frac{P_{ik}}{P_{ii}} \tag{133}$$

und für V-kanonische Strecken mit P-kanonischen Entkopplungsnetzwerken

$$N_{ik} = -V_{ik}\,V_{kk} \tag{134}$$

Die technische Realisierung dieser Netzwerke ist mit den Methoden der Netzwerksynthese oder durch Zusammensetzen einfacher Analogrechnerbausteine immer dann möglich, wenn die Entkopplungsbedingungen keine mehrfachen Differentiationen fordern. In ungünstigen Fällen wird man sich wiederum mit Näherungen zufrieden geben müssen.

6.8. Verhalten nicht entkoppelter Mehrgrößenregelkreise

In den bisherigen Betrachtungen war im wesentlichen von der Entkopplung von Mehrgrößenregelungen die Rede. Dies darf jedoch nicht zu dem Schluß führen, daß Mehrgrößenregelungen grundsätzlich zu entkoppeln sind. Die Entkopplung schafft in erster Linie klare Verhältnisse. Statt eines komplexen Systems, bei dem oft nicht zu überblicken ist, welche Auswirkungen Änderungen der Reglereinstellungen auf das Verhalten der einzelnen Regelgrößen haben, erhält man voneinander unabhängige Einzelregelkreise, die nach den bekannten Methoden einfach zu optimieren sind. Dies ist ein beachtenswerter Vorteil, wenn man bedenkt, wie schwierig es sein kann, mehrere Regler an miteinander gekoppelten Kreisen einzustellen.

Entkoppeln bedeutet jedoch nicht immer, daß dadurch das Regelverhalten des Systems verbessert wird. Es ist durchaus möglich, daß das nichtentkoppelte System dynamisch günstiger oder nur unbedeutend schlechter ist als das entkoppelte. Diese Verhältnisse kann man sich an Hand eines Zweigrößenregelkreises anschaulich klarmachen, wenn man das Blockschaltbild des Systems gemäß Bild 82 zeichnet.

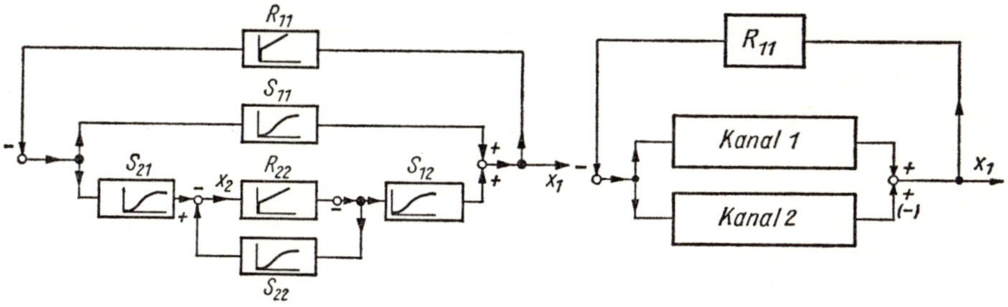

Bild 82. Umgeformtes Blockschaltbild eines Zweigrößenregelkreises in zwei verschiedenen Darstellungsarten

Der Regler R_{11} arbeitet jetzt mit einer Strecke zusammen, die aus zwei parallelen Signalwegen besteht, dem Kanal 1 mit der Hauptstrecke S_{11} und dem Kanal 2 mit den Koppelstrecken S_{12} und S_{21} sowie einer Rückführschleife mit R_{22} im Vorwärtskanal und S_{22} in der Rückführung. Aus dieser Darstellung lassen sich nun einige qualitative Schlüsse auf das Verhalten des Gesamtsystems ziehen, wenn man betrachtet, in welcher Weise die Regelgröße x_1 über den zweiten Kanal beeinflußt wird. Dabei kann zunächst festgestellt werden, daß der Einfluß der Kopplung immer dann gering ist, wenn der Übertragungsfaktor des Kanals 2 wesentlich kleiner ist als der Übertragungsfaktor des Kanals 1, wenn also die Übertragungsfaktoren der Koppelstrecken sehr klein sind oder der Regler R_{22} sehr schwach eingestellt ist.

Ist der Übertragungsfaktor von Kanal 2 nicht sehr klein, dann hängt der Einfluß der Kopplung von den Verzögerungen im Kanal 2, bezogen auf die Verzögerungen im Kanal 1, und von dem Vorzeichen der Kopplung ab.

Negative Kopplung: Sind die Verzögerungen im Kanal 2 sehr groß, so wird x_1 über diesen Weg nur langsam beeinflußt, was über den schnelleren Signalweg 1 ausgeregelt werden kann. Der Einfluß der Kopplung ist gering, wenn nicht der Übertragungsfaktor von Kanal 2 sehr groß ist. Dann nämlich muß der Regler an den langsamen Kanal 2 angepaßt werden, was eine Verschlechterung des Regelverhaltens bedeutet.
Bei annähernd gleichen Verzögerungen in beiden Kanälen muß man ebenfalls mit einer Verschlechterung rechnen, da der Gesamtübertragungsfaktor beider Kanäle bei gleicher Verzögerung größer ist als im Kanal 1 allein und demzufolge der Übertragungsfaktor K_{P1} des Reglers R_{11} verringert werden muß.
Sind hingegen die Verzögerungen im Kanal 2 wesentlich geringer als im Kanal 1, so wird die Regelgröße x_1 über die Koppelstrecken schneller beeinflußt als über die Hauptstrecke; der Regler R_{11} kann entsprechend schärfer eingestellt werden, und das Regelverhalten wird damit besser als beim Einfachregelkreis.

Positive Kopplung: Für die positive Kopplung läßt sich zeigen, daß das System monoton instabil ist, wenn beide Regler einen I-Anteil haben und der Übertragungsfaktor der Koppelstrecken größer ist als der Übertragungsfaktor der Hauptstrecken, also wenn $K_{S12}\, K_{21} \geq K_{S11}\, K_{22}$ ist. In einem solchen Fall muß entweder, sofern das möglich ist, die Zuordnung zwischen Regelgröße und Stellglied verändert werden, d. h. die Haupt- und Koppelstrecken gegeneinander vertauscht werden, oder es muß ein Regler umgepolt werden.
Für $K_{S12}\, K_{S21} < K_{S11}\, K_{S22}$ kann die Kopplung wiederum zu einer Verbesserung oder Verschlechterung des Regelverhaltens führen. Die Zusammenhänge sind jedoch nicht so leicht zu überblicken wie bei der negativen Kopplung.
An dieser Stelle muß darauf hingewiesen werden, daß die vorstehenden Betrachtungen nur einen qualitativen Einblick in das Verhalten nichtentkoppelter Systeme geben sollen. Zu quantitativen Aussagen kann man nur durch eine genaue Analyse des Systems gelangen. Eine recht einfache Methode dieser Analyse mit Hilfe des Bode-Diagramms ist in [40] beschrieben.

6.9. Reglereinstellung an nicht entkoppelten Zweigrößenregelkreisen

In der Praxis wird man in vielen Fällen auf eine Entkopplung verzichten, die, wie gezeigt wurde, oft keine oder nur eine geringe Verbesserung bringt, zumal sie meist nur näherungsweise realisiert werden kann, aber immer einen nicht unbeträchtlichen Aufwand erfordert. Der Verzicht auf eine Entkopplung führt zu der Frage, wie die Regler an dem nicht entkoppelten System einzustellen sind. Eine brauchbare Reglereinstellung läßt sich nach einem Verfahren finden, das den Einstellregeln von *Ziegler* und *Nichols* entspricht.
Es ist hier bewußt der Ausdruck „brauchbar“ und nicht „optimal“ benutzt worden, denn schon beim Einfachregelkreis war eine eindeutige Festlegung

des Begriffes optimal nicht möglich (vgl. Abschn. 3.3). Für den Zweigrößenregelkreis, bei dem auch noch eine unterschiedliche Bedeutung der Regelgrößen vorhanden ist, kann es „die optimale Einstellung" für alle Fälle erst recht nicht geben. Die folgenden Regeln führen zu einer Reglereinstellung, mit der ein gut gedämpfter Regelverlauf erreicht wird und gleichzeitig die Summe der Regelflächen $\int |x_1| \, dt + \int |x_2| \, dt$ näherungsweise zum Minimum wird.

Zur Ermittlung der Reglereinstellung geht man von einem System mit P-Reglern aus. Sofern die Hauptstrecken des Systems Verzögerungen mindestens 3. Ordnung enthalten, was praktisch meistens der Fall ist, kann der Zweigrößenregelkreis mit entsprechenden K_P-Werten an den Stabilitätsrand gebracht werden. Für Systeme mit gleichen Hauptstrecken ergeben sich die in Bild 83 und für Systeme mit ungleichen Hauptstrecken die in Bild 84 dargestellten Stabilitätsgebiete in der K_{P1}-K_{P2}-Ebene. Sehr schmale Stabilitätsgebiete, wie in den Bildern 83a und 84a, deuten auf einen starken Einfluß der Kopplung hin. Bei breiteren Gebieten wie in den Bildern 83b und 84b ist der Einfluß der Kopplung geringer, während bei den Gebieten nach den Bildern 83c und 84c praktisch kein Einfluß der Kopplung mehr vorhanden ist.

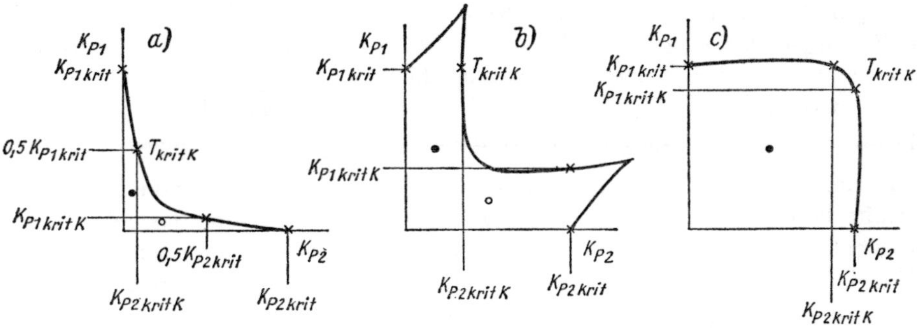

Bild 83. Stabilitätsgebiete für Systeme mit gleichen Hauptstrecken in der K_{P1} - K_{P2} - Ebene

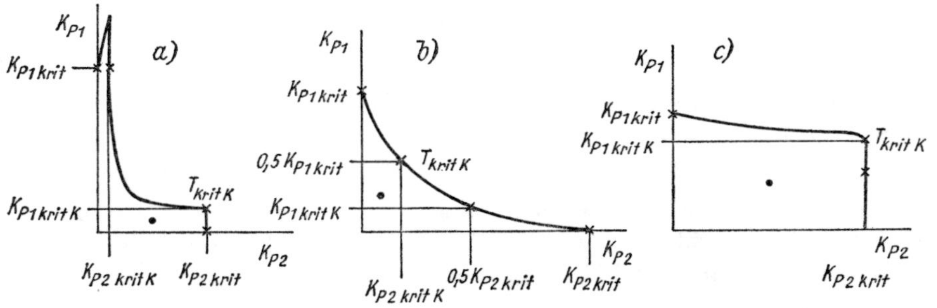

Bild 84. Stabilitätsgebiete für Systeme mit ungleichen Hauptstrecken in der K_{P1} - K_{P2} - Ebene

Es ist selbstverständlich, daß bei Verwendung von Reglern ohne D-Anteil die Einstellwerte für K_P in diesen Stabilitätsgebieten liegen müssen, und eine genauere Untersuchung zeigt, daß das oben angegebene Kriterium näherungsweise zu einem Minimum wird, wenn man den Einstellpunkt in die Mitte des breiten Astes dieser Gebiete legt.

Natürlich ist es nicht erforderlich, das gesamte Stabilitätsgebiet zu ermitteln. Es genügen vielmehr im allgemeinen vier Messungen, durch die das Gebiet hinreichend genau festgelegt ist. Man ermittelt zunächst den Stabilitätsrand eines Einfachregelkreises, indem man z. B. den Regler R_{22} ganz abschaltet und K_{P1} so lange vergrößert, bis bei $K_{P1\,krit}$ eine ungedämpfte Schwingung auftritt. Jetzt wird K_{P2} vergrößert. Dabei kann das System, wie in den Bildern 83b, c und 84a, zunächst stabil werden und erst mit $K_{P2\,krit\,K}$ ist der Stabilitätsrand wieder erreicht. Die Messung wird für den anderen Teil des Zweigrößenregelkreises wiederholt und man erhält die vier durch Kreuze gekennzeichneten Meßpunkte. Der Einstellpunkt wird in die Mitte eines Astes des Stabilitätsgebietes gelegt, und zwar, wenn Unterschiede vorhanden sind, in die Mitte des breiteren Astes wie in den Bildern eingezeichnet. Wird bei der Vergrößerung von K_{P2} das System sofort instabil (Bild 83a sowie Bild 84b und c), so verkleinert man K_{P1} auf $0{,}5\ K_{P1\,krit\,K}$ und vergrößert dann K_{P2}, bis bei $K_{P2\,krit\,K}$ wieder der Stabilitätsrand erreicht wird. Ergeben sich dabei Meßpunkte wie in Bild 83a bzw. 84b, so wählt man als Einstellwerte $K_{P1} = 0{,}25\ K_{P1\,krit}$ und $K_{P2} = 0{,}5\ K_{P2\,krit\,K}$ bzw., wenn der andere Ast breiter ist, die entsprechenden Werte. Ergeben sich hingegen Meßpunkte nach Bild 84c, dann wird der Einstellpunkt in die Mitte des Stabilitätsgebietes gelegt, was praktisch der Einstellung für die Einfachregelkreise gleichkommt.

Die Einstellwerte für die Nachstellzeiten T_n bei Verwendung von PI-Reglern ermittelt man aus der Periodendauer $T_{krit\,K}$ der Schwingung des gekoppelten Systems an dem für die Einstellung des Systems interessierenden Meßpunkt. Dabei hängen die Nachstellzeiten von der Breite des Stabilitätsgebietes ab.

Für $K_{P\,krit\,K} < 0{,}3\ K_{P\,krit}$ werden die Nachstellzeit des Reglers, dessen P-Anteil im Vergleich zum Einfachregelkreis wesentlich schwächer eingestellt ist, mit $T_n = T_{krit\,K}/1{,}5$ und die Nachstellzeit des anderen Reglers mit $T_n = T_{krit\,K}/0{,}75$ gewählt. Im Beispiel nach Bild 83a ist also $T_{n1} = T_{krit\,K}/0{,}75$ und $T_{n2} = T_{krit\,K}/1{,}5$ zu wählen.

Für $0{,}3\ K_{P\,krit} < K_{PkritK} < 0{,}7\ K_{PkritK} < 0{,}7\ K_{Pkrit}$ wird $T_{n1} = T_{n2} = T_{krit\,K}$ eingestellt und für $K_{P\,krit\,K} > 0{,}7\ K_{P\,krit}$ wählt man $T_{n1} = T_{n2} = T_{krit\,K}/1{,}2$, also wie beim Einfachregelkreis.

Bei Verwendung von PID-Reglern können die K_P-Werte vergrößert und die Nachstellzeiten verkleinert werden. Ausgehend von den Einstellwerten des PI-Reglers sind dann am PID-Regler einzustellen

$$K_{P\,PID} = 1{,}25\ K_{PPI}$$
$$T_{n\,PID} = 0{,}5\ T_{n\,PI}$$
$$T_{v\,PID} = 0{,}25\ T_{n\,PID}$$

Dabei ist wieder die Tatsache berücksichtigt, daß bei den üblichen PID-Reglern maximal ein $T_V = T_n/4$ eingestellt werden kann.

Die angegebenen Regeln gelten für Zweigrößenregelkreise mit negativer Kopplung. Sie lassen sich in ähnlicher Weise jedoch auch bei Systemen mit positiver Kopplung anwenden.

Die Einstellregeln mögen im ersten Moment etwas kompliziert erscheinen; man bedenke aber, daß mit wenigen Messungen die Eigenschaften von vier Regelstrecken erfaßt werden müssen. Wer einmal versucht hat, an einem nicht entkoppelten Zweigrößenregelkreis die Regler einzustellen, wird den Wert dieser Regeln erkennen, zumal umfangreiche Untersuchungen am Analogrechner gezeigt haben, daß die Anwendung dieser Regeln zu erstaunlich guten Ergebnissen führt und meist nur geringe Korrekturen der Einstellwerte erforderlich sind. In einigen Fällen sind allerdings noch Besonderheiten zu beachten, auf die hier nicht näher eingegangen werden kann, die jedoch in [40] ausführlich beschrieben sind.

7. BEISPIELE AUSGEFÜHRTER REGELANLAGEN

7.1. Einleitung

An einen neuzeitlichen Produktionsprozeß werden ganz bestimmte Forderungen gestellt: sein Ablauf soll gewährleisten, daß die Enderzeugnisse von hoher Qualität sind, daß die Produktionsausbeute möglichst groß ist und daß der Energieaufwand möglichst niedrig bleibt.

Jeder verfahrenstechnische Prozeß unterliegt einer Anzahl schwankender Einflußgrößen, die verhindern, daß diese Forderungen nach einmalig erprobter Einstellung der Kennwerte des Prozesses ständig erfüllt bleiben. Als Folge des Angriffs dieser Einflußgrößen, der sogenannten Störgrößen, kommt es zu fortlaufenden Abweichungen der Betriebsgrößen von ihren optimalen Werten. Die Forderung nach einem sogenannten optimalen Prozeßablauf läßt sich demnach nur so erfüllen, daß diese Störgrößen verhindert oder — da sie oftmals nicht erfaßbar sind — die Betriebsgrößen zur Kompensation der Störgrößen durch ständige Eingriffe korrigiert und auf ihre günstigsten Werte gebracht werden.

Zur Erfüllung dieser Aufgabe wäre es das erstrebenswerte Ziel der Regelung, einen Prozeß nach den kennzeichnenden Eigenschaften seines Produktes vollautomatisch zu führen. Eine Voraussetzung hierfür wäre jedoch die Kenntnis der Prozeßgleichungen, der Zusammenhänge der Veränderlichen im Prozeß. In den meisten Fällen sind diese Zusammenhänge auf Grund vieler Prozeßgrößen und Einflußgrößen jedoch derart verwickelt und wenig überschaubar, daß von den kennzeichnenden Eigenschaften des Produktes abgeleitete Eingriffe nicht möglich sind.

Die konventionelle Regelungstechnik bedient sich zur sicheren Beherrschung solcher komplexen Regelstrecken, die aus einer Vielzahl von Teilregelstrecken zusammengesetzt sind, einer Methode, die anstelle der Kenntnis der exakten Prozeßzusammenhänge nur gewisse Grundkenntnisse der betreffenden Anlage voraussetzt: Sie unterteilt die komplexe Regelstrecke in eine Anzahl von Einzelregelstrecken und hält in ihnen kennzeichnende Betriebsgrößen durch Einsatz der bekannten Regelschaltungen für den einfachen Regelkreis und die vermaschten Regelkreise konstant.

Damit der Regelungstechniker ohne große Einsicht in das jeweilige chemische oder physikalische Verfahren die komplexe Anlage dennoch regelungstechnisch sinnvoll projektieren kann, bedient er sich einer abstrakten Betrachtungsweise:

Er betrachtet die komplexe Anlage losgelöst von dem speziellen Anwendungsfall, indem er die physikalischen und chemischen Prozesse verallgemeinert. Diese Betrachtungsweise führt zur Erkenntnis, daß die Prozeßzusammenhänge bei sehr vielen Anlagen im Prinzip keine Unterschiede aufweisen.

So geht es bei allen verfahrenstechnischen Prozessen darum, einen oder mehrere Eingangsstoffe unter Zuführung von Reaktionsenergie in ein oder mehrere Ausgangsprodukte überzuführen.

Im folgenden werden Beispiele angeführt, die zeigen, wie bei konsequenter Verfolgung dieses Prinzips die Automatisierung komplexer Anlagen möglich wird. Im wesentlichen ist bei zu regelnden Anlagen zwischen kontinuierlichen und absatzweisen Prozessen zu unterscheiden. Ein kontinuierlicher Verfahrensablauf verlangt eine stetige, gleichbleibende Zusammensetzung der Einsatzprodukte, da deren Änderungen als unerwünschte Störgrößeneinflüsse anzusehen sind.

Auch beim absatzweisen Betrieb wird diese Forderung erhoben; hier läßt sie sich jedoch leichter erfüllen. Während nämlich bei kontinuierlichen Verfahren die einzelnen Teilprozesse in mehreren Apparaturen gleichzeitig vollzogen werden, laufen sie im diskontinuierlichen Verfahren in einer einzigen Apparatur in zeitlicher Aufeinanderfolge ab. Dies ermöglicht eine sorgfältige Bereitstellung der zu verarbeitenden Stoffe nach Volumen oder Gewicht, wobei die erwähnten Störgrößenänderungen weitgehend vermieden werden. Im Gegensatz zum kontinuierlichen Fluß erfordert ein Chargenbetrieb jedoch ein absatzweises Füllen und Entleeren der Chargenapparatur. Gelingt es, die Einsatzprodukte eventuell durch sorgfältiges Mischen verschiedener Komponenten in ihren Zusammensetzungen konstant zu halten, so verbleiben als wesentlichste Störgrößenänderungen nur noch die Betriebsdaten der Energieversorgungsnetze, die für Heizung oder Kühlung herangezogen werden. Weiterhin ist es auch wünschenswert, daß der jeweilige Füllgrad der Apparatur ebenfalls gleichbleibt, was sich stets einrichten läßt.

Es ist nicht schwierig, einen derartigen einfachen Chargenprozeß zu regeln, sofern das Einfüllen, Anfahren und Entleeren von Hand vorgenommen wird.

7.2. Regelung diskontinuierlicher Anlagen

7.2.1. Regelung einer Bleichanlage für Speiseöl

Es sei die halbautomatische Regelung einer Bleichanlage für Speiseöl als Beispiel für einen Chargenprozeß angeführt, Bild 85.

Dem Bleichverfahren fällt die Aufgabe zu, unerwünschte Farbstoffe, die dem Öl ein unschönes Aussehen geben, zu entfernen. Das Öl wird in einen Reaktionsbehälter b eingefüllt, wobei ein Standregler L dafür sorgt, daß bei Erreichen des gewünschten Niveaus der weitere Zulauf über ein Stellglied f unterbunden wird.

Sodann wird eine möglichst genau dosierte Menge Bleicherde von Hand durch Öffnen des Ventiles a zugesetzt. Ein in den Reaktionsbehälter eingebautes Rührwerk e erzielt einen guten Mischvorgang. Es besteht nun die verfahrenstechnische Aufgabe, diese Mischung durch den Temperaturregler T auf eine günstige Temperatur zu bringen und diese eine halbe Stunde lang zu halten.

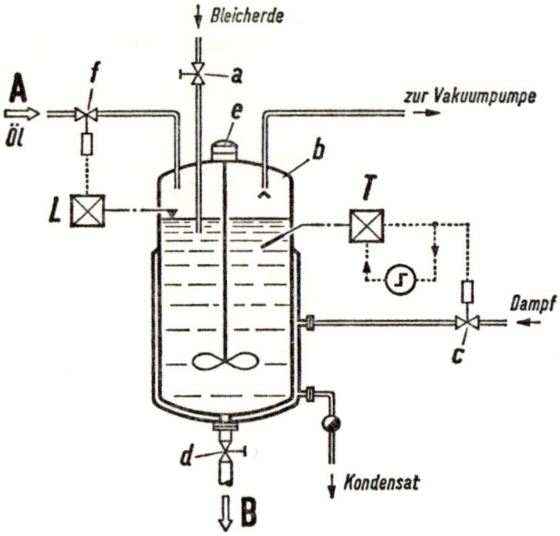

Bild 85
Regelschema für eine diskontinuierliche Bleichanalge

A Ölzufuhr
B Ölablaß
a Handventil
b Reaktionsbehälter
c Stellglied
d Handventil
e Rührwerk
f Stellglied
L Niveauregler
T Temperaturregler mit Strukturumschaltung

Damit die Charge dem qualitätsmindernden Einfluß des Luftsauerstoffes nicht ausgesetzt bleibt, wird der Behälter durch eine Vakuumpumpe evakuiert. Nach Ablauf des Prozesses wird das Füllgut durch Öffnen des Ventils d abgelassen, und der Behälter ist für die nächste Charge bereit. Da das eingebrachte Gut gegen Temperaturüberschreitungen empfindlich ist und eine auch nur kurzzeitig auftretende zu hohe Temperatur dessen Qualität mindert, empfiehlt es sich, den PID-Temperaturregler mit Strukturumschaltung zu betreiben. Der Regler arbeitet während des Anfahrens zunächst als Proportional-Differentialregler, wobei bereits beim Einlaufen der Regelgröße in den eingestellten Proportionalbereich während des Aufheizens eine Stellsignaländerung an das Stellgerät gegeben wird. Erst bei Erreichen des Sollwertes wird das Integralverhalten durch den Strukturumschalter zugeschaltet, so daß ohne bleibende Regelabweichung auf die Optimaltemperatur geregelt wird.

Wie eingangs betont, bietet zwar der Chargenprozeß die Möglichkeit, sorgfältig zu dosieren, jedoch ist es ein Nachteil, daß die Apparatur ständig von Hand gefüllt und entleert werden muß. Daher wird angestrebt, diese diskontinuierlichen Prozesse möglichst zu verlassen und zu kontinuierlich ablaufenden Verfahren überzugehen, es sei denn, man versucht, die noch von Hand ausgelösten Vorgänge einer steuernden Automatik zu übertragen.

Da die Vorgänge in zeitlicher Folge ablaufen, liegt der Gedanke nahe, hierfür ein Programm- oder Zeitschaltwerk zu verwenden, dem man die aus der Anlage gewonnenen Verfahrenszeiten eingibt. Da dies jedoch ein reiner Steuervorgang ist, fehlt die Rückmeldung der durch die Steuersignale ausgelösten Wirkungen.

Es empfiehlt sich daher, in den Signalplan Regler einzusetzen, die in einem derart komplexen System die wesentlichsten Störgrößenänderungen in besonderen Regelkreisen ausgleichen.

7.2.2. Regelung der Desodorisation von Speiseöl

Um dies besser verständlich zu machen, sei die Verfahrensstufe der Desodorisation (Entduftung) von Speiseöl behandelt.

Bild 86 zeigt das Regel- und Steuerschema für einen Girdler-Desodoriseur. Die Aufgabe dieser Apparatur besteht darin, die unerwünschten, den Geschmack ungünstig beeinflussenden Geruchstoffe aus dem Speiseöl zu entfernen. Um dies zu erreichen, wird Ausziehdampf in die einzelnen Stufen des Turmes eingeblasen. Die vollständige Entduftung wird nur bei einer bestimmten Temperatur des Speiseöles erzielt, wenn das Öl dabei auch über eine vorgegebene Zeit dem Ausziehdampf ausgesetzt ist. Wie das Bild weiterhin zeigt, geht dies in den Stufen I bis IV vor sich, während in Stufe V durch Zufuhr von Kaltwasser das entduftete Öl für die weitere Verarbeitung wieder auf Umgebungstemperatur herabgesetzt wird.

Zentrales Steuergerät ist ein Zeitschaltwerk d, von dem einzelne elektrische Signalleitungen zu Magnetventilen zwischen den Stufen im Turm geführt werden. Um die Vielzahl der Störgrößeneinflüsse auszugleichen, ist es zunächst erforderlich, die Menge des zu desodorisierenden Öles der Aufnahmefähigkeit der Stufen anzupassen. Durch einen Dosierbehälter a läßt sich über einen Niveauregler L_2, der das Schaltschütz einer Förderpumpe am Eingang der Anlage bei A schaltet, die gestellte Bedingung erfüllen. Dieser Regelkreis wirkt somit einer Änderung der Störgröße „Last“ entgegen.

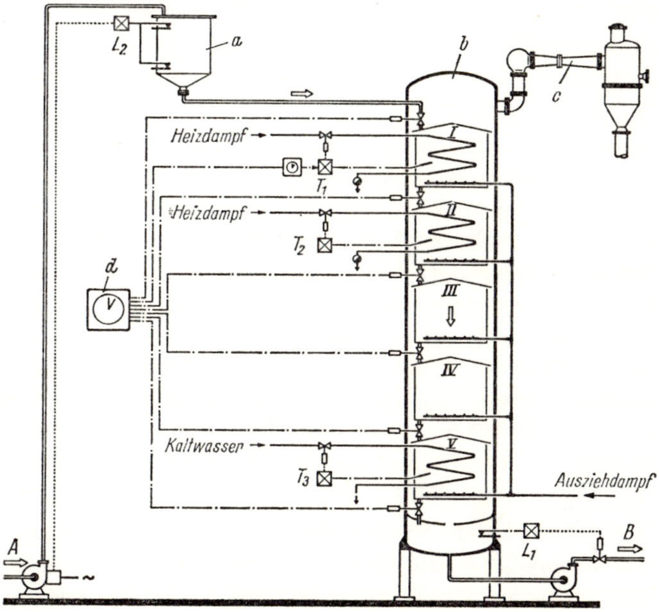

Bild 86
Regel- und Steuerschema für einen Girdler-Desodoriseur

A Ölzufluß
B Ölabfluß
a Dosierbehälter
b Turm
c Vakuumapparatur
d Zeitschaltwerk
L_1, L_2 Niveauregler
T_1, T_2, T_3 Temperaturregler

Die Verweilzeiten des Öles in den einzelnen Stufen werden entsprechend dem optimalen Durchlaufrhythmus durch das Zeitschaltwerk vorgegeben. Es leuchtet ein, daß diese Zeiten, die in jeder Stufe selbstverständlich gleich sein müssen, stark davon abhängen, wie hoch der Anteil an Geruchstoffen im Öl ist. Die optimale Verweilzeit kann jeweils durch eine Probeentnahme mit anschließender Analyse ermittelt werden; es wird somit die Störgröße „schwankender Mengenanteil der auszuziehenden Geruchstoffe" kompensiert.

In Stufe I wird das Öl zunächst auf den optimalen Temperaturwert gebracht, in dem durch einen weiteren Zeitplangeber die Führungsgröße eines Temperaturreglers T_1 zeitabhängig vorgegeben wird. Es ist selbstverständlich nicht möglich, die Temperatur in beliebig kurzer Zeit „hochzufahren", sondern nur zumindest entsprechend der Anstiegsgeschwindigkeit der vom Regler T_1 geführten Regelstrecke. So bleibt der Regler auch ohne Strukturumschaltung stets im Eingriff. Nach Ablauf der vorgegebenen Verweilzeit läßt man durch automatisches Öffnen des Magnetventiles zwischen den Stufen I und II das bereits erwärmte Öl in Stufe II einfließen. Das Magnetventil zwischen Dosierbehälter (a) und Stufe I bleibt dabei zunächst geschlossen. Ein Temperaturregler T_2 sorgt dafür, daß die optimale Öltemperatur in Stufe II gehalten wird, während eine neue Charge in Stufe I einfließt. In den Stufen III und IV wird das Öl lediglich dem Einfluß des Ausziehdampfes ausgesetzt. Ein Temperaturregler T_3 in Stufe V, der in einem Kühlwasserkreis liegt, übernimmt die Aufgabe, die Temperatur des Öles wieder herabzusetzen, und es wird auch hier Ausziehdampf zugeleitet. Im Sumpf des Turmes sammelt sich das desodorisierte Öl. Ein hier montierter Niveauregler L_1 sorgt dafür, daß bei entsprechender Festlegung der Pumpenleistung am Austritt bei B ein einigermaßen kontinuierlicher Abfluß erzielt wird. Entsprechendes gilt auch für die Pumpenleistung beim Eintritt A, so daß sich die Anlage trotz der Reihenschaltung von fünf Chargenapparaturen in einem Turm durchaus zwischen zwei kontinuierliche Verfahren einfügen läßt.

Es liegt der Gedanke nahe, auf die Temperaturregler T_1, T_2 und T_3 zu verzichten und in den Heizdampf- und Kühlwasserkreis lediglich Handventile mit vorgegebener fester Einstellung zu setzen. Dies ist jedoch nicht möglich, da damit zu rechnen ist, daß sowohl das Heizdampf- als auch das Kühlwassernetz nicht stabilisiert ist und vielleicht sogar beachtliche Druck- und Temperaturschwankungen auftreten können. So ist es nötig, die erwähnten Regler einzusetzen, um diesen Störgrößenänderungen entgegenzuwirken. Entsprechendes gilt auch für das Netz, dem der Ausziehdampf entnommen wird, so daß die auch hier in der Zeiteinheit zugeführte Wärmemenge Schwankungen unterliegt, die gleichfalls ein Abweichen von der optimalen Temperatur für die Entduftung hervorrufen würden. Die aus dem Öl ausgezogenen Geruchstoffe werden durch eine Vakuumapparatur c abgesaugt, deren Regelung sich allerdings erübrigt.

Die in den Bildern 85 und 86 gezeigten Regelschaltungen bedienen sich rein konventioneller Mittel, wobei von regelungstechnischer Seite aus auf die inneren Verkopplungen im Verfahrensablauf keine Rücksicht genommen wird [41].

7.2.3. Regelung eines Autoklaven

Bild 87 zeigt das Regelschema eines Autoklaven, dessen Behältermantel gemäß Verfahrensablauf von Dampf, der über einen Injektor in Wasser eingeblasen wird, und von verschiedenen Kühlflüssigkeiten durchströmt wird. Es besteht hier die regelungstechnische Aufgabe, die Temperatur der eingebrachten Charge nach einem vorgegebenen Zeitplan zu führen. Der pneumatische Temperaturregler, der seine Regelgröße über einen Temperaturfühler und einen Meßumformer erhält, wirkt in Folgeschaltung auf die Stellgeräte für Heizen und Kühlen. Hierdurch ist eine einwandfreie Sicherung gegen das gleichzeitige Einströmen von Dampf und Kühlmittel gewährleistet.

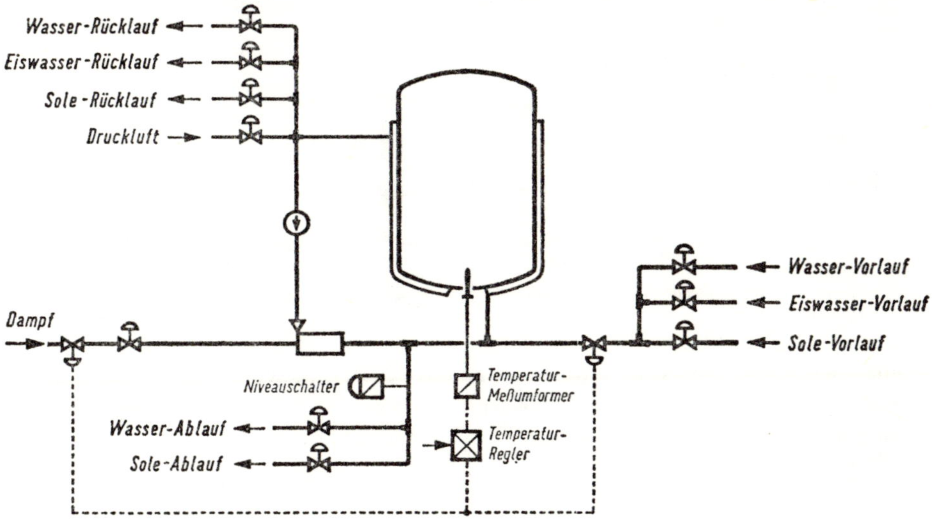

Bild 87. Regelschema eines Autoklaven

Die verfahrenstechnische Aufgabe ist so gestellt, daß die Charge zunächst aufgeheizt, dann über eine vorgegebene Zeit auf einer gleichbleibend hohen Temperatur gehalten und wieder abgekühlt wird, um schließlich auf einer konstanten tieferen Temperatur zu verharren.

Wie Bild 88 zeigt, werden außer dem pneumatischen Temperaturregler, dessen Sollwert nach diesem Zeitplan geführt wird, ein pneumatischer Niveauschalter und einige pneumatische Logikelemente verwendet. Die Verbindung zwischen dem Verfahren und der pneumatischen Logikschaltung wird durch zwei Grenzsignalgeber hergestellt, die parallel zum Temperaturregler an den Ausgang des Meßumformers angeschlossen sind. Bei Überschreiten der eingestellten Grenztemperaturen t_1 bzw. t_2 schalten sie von 0 auf 1 um. Das Ende der Mantelentleerung wird durch einen Niveauschalter vorgegeben, der in die Ablaufleitung eingebaut ist. Die Ausgänge der Logikschaltung betätigen nun die Steuerventile für Heizen und Kühlen, die aus Sicherheitsgründen federbelastet sind und sich bei Druckbeaufschlagung öffnen.

Aus der Aufgabenstellung ergibt sich eine Logikschaltung für Folgeverhalten, in der die Ausgänge nicht nur von den Eingangskombinationen, sondern auch von den vorausgegangenen Schaltzuständen abhängig sind. Dies wird durch Speicherglieder erreicht, deren Wirkung erst wieder durch den Niveauschalter aufgehoben werden kann.

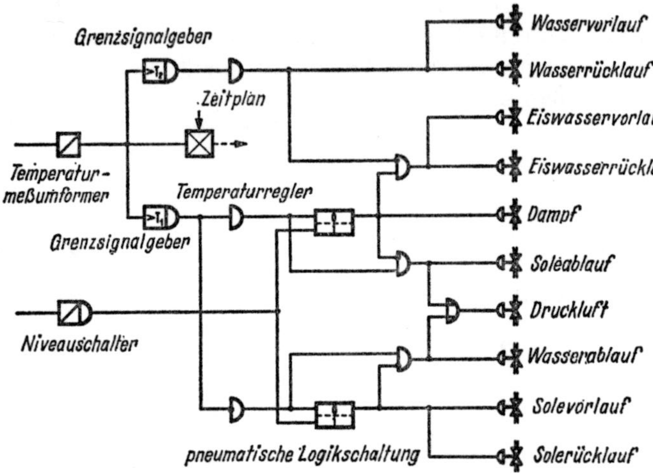

Bild 88
Logikschema für die Steuerung eines Autoklaven

Vor einem Übergang von Eiswasser auf Sole oder umgekehrt wird der Mantel mit Druckluft entleert. Während in den Temperaturbereichen des Wassers und des Eiswassers auch geheizt werden kann, ist dies im Solebereich nicht möglich, da es verfahrenstechnisch unerwünscht ist.

Bild 89 zeigt schematisch das hier verwendete pneumatische Umschaltrelais als Logikelement, mit dem sich eine Vielzahl von Funktionen für den Aufbau von Logikschaltungen verwirklichen läßt.

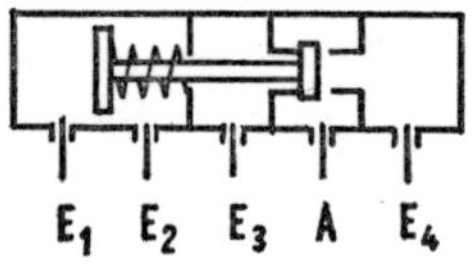

Bild 89
Pneumatisches Umschaltrelais als Logikelement
A Ausgangsgröße E1 bis E4 Eingangsgröße

Aus mehreren dieser Logikelemente wurden im vorliegenden Fall zwei „Speicher für 0", ein „Nicht-Glied", zwei „Ja-Glieder", zwei „Inhibitions-Glieder" und ein „Oder-Glied" zusammengestellt [42].

7.3. Regelung kontinuierlicher Anlagen

7.3.1. Regelung einer Verdampfstation für Dicksaft

Bild 90 zeigt das Regelschema einer Verdampfstation bei der Rübenzuckerfabrikation. Die verfahrenstechnische Aufgabe besteht darin, den bei der Diffusion gewonnenen Dünnsaft nach Durchlaufen einiger Reinigungsstufen durch Verdampfen eines Großteils des gebundenen Wassers in Dicksaft überzuführen. Kennzeichnende Größe hierfür ist der Dichtewert des Dicksaftes bei B am Ausgang der Station. So wird durch Wärmezufuhr über ein Dampfnetz dem Dünnsaft Wasser entzogen, das als Sattdampf, als Brüden, anfällt. Diese Brüden werden im wesentlichen dazu benutzt, dem Heizkörper des jeweils nachgeschalteten Verdampfers die nötige Wärmeenergie zuzuführen, wobei die Brüden jedoch auch für den Wärmebedarf einer Kochstation verwendet werden. Zusätzlich werden Brüden aus dem 1. und 2. Verdampfer für die Aufheizung der Vorwärmer abgezogen.

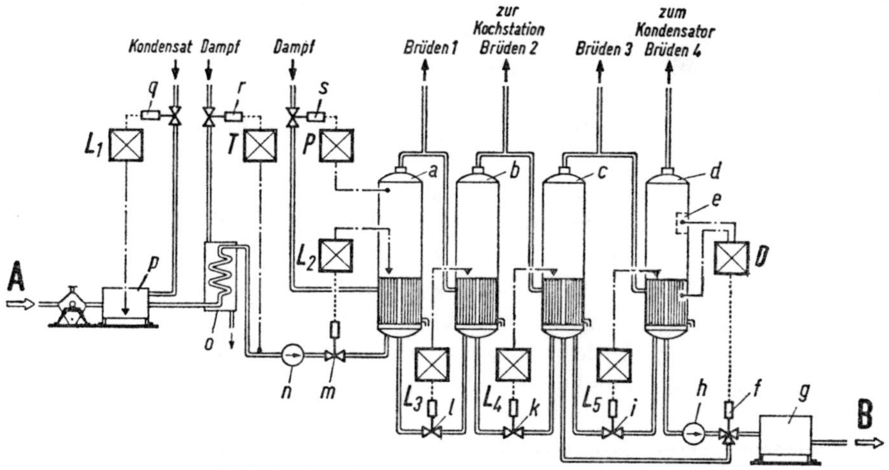

Bild 90. Regelschema für eine Verdampfstation

A von der Saturation	g Dicksaftbehälter	p	Dünnsaftbehälter
B zur Kochstation	h Pumpe	q	Stellgerät
a 1. Verdampfer	i Stellgerät	r	Stellgerät
b 2. Verdampfer	k Stellgerät	s	Stellgerät
c 3. Verdampfer	l Stellgerät	D	Dichteregler
d 4. (letzter) Verdampfer	m Stellgerät	$L_1 \ldots L_5$	Niveauregler
e Kochgefäß	n Pumpe	P	Druckregler
f Dreiwegeventil	o Vorwärmer	T	Temperaturregler

Der Vielzahl dieser auftretenden Störgrößenänderungen wird durch entsprechend gewählte Regelschaltungen entgegengewirkt. Zunächst werden zu erwartende Lastschwankungen durch einen Niveauregler L_1 ausgeglichen, der über ein Stellgerät q den Flüssigkeitsstand in einem Dünnsaftbehälter p konstant hält. Wird eine nicht ausreichende Dünnsaftmenge angeboten, so wird durch Zusatz von Kondensat dafür gesorgt, daß die Verdampfstation nicht leerläuft. Für einen optimalen Eindampfvorgang wird der Dünnsaft vor Eintritt in die Station durch einen Vorwärmer o geleitet, der über einen Temperaturregler T eine entsprechende Dampfmenge einregelt. Die einzelnen Flüssigkeitsstände in den Verdampfern a, b, c, d werden durch die Niveauregler L_2 bis L_5 konstant gehalten. Würde nämlich der Saftstand zu niedrig sein, so bestünde die Gefahr der Verkrustung und der Verfärbung. Würde jedoch der Saftstand zu hoch liegen, so wäre die Wärmeleistung der betreffenden Heizkammer für eine zufriedenstellende Verdampfung nicht ausreichend.

Um den Wärmebedarf des ersten Verdampfers a diesen Erfordernissen entsprechend zu gewährleisten, wird Frischdampf durch einen Druckregler P über ein Stellgerät s zugeführt. Ein Dichteregler D sorgt dafür, daß der Dichtewert des eingedickten Saftes konstant gehalten wird. Da im letzten Verdampfer d bei derartigen mehrstufigen Verdampfstationen die Wasserverdampfung oftmals nur sehr gering ist, empfiehlt es sich, auch den vorletzten Verdampfer mit in die Dichteregelung einzubeziehen, was am besten durch eine Umwälzung geschieht. Dadurch beteiligt sich der vorletzte Verdampfer an einer geregelten Resteindickung. Es ist angezeigt, eine Rückflußmenge von etwa 30 % der Last als Normalwert anzusehen und sie über ein Dreiwegeventil f in den vorletzten Verdampfer geregelt zurückzuführen. So lassen sich in Abhängigkeit von einer abweichenden Regelgröße sowohl zu hohe als auch zu niedrige Dichtewerte gut ausregeln. Diese Schaltung bietet den zusätzlichen Vorteil, daß die durch den Brüdenabzug für die Kochstation auftretenden unvermeidlichen Dichteschwankungen ebenfalls gut und schnell ausgeglichen werden, was die Aufgabe des Dichtereglers, den Dichtewert konstant zu halten, erleichtert und unzulässige, zu starke Saftstauungen vermeidet.

Die Dichtemessung des Dicksaftes kann dabei auf elektrischem Wege über die Messung der sogenannten ebullioskopischen Differenz vorgenommen werden, d. h. durch eine Differenzmessung zwischen dem Siedepunkt des Dicksaftes im Verdampfer d und dem Siedepunkt von Wasser in einem Kochgefäß e unter dem gleichen Absolutdruck, wie er im Verdampfungsraum der letzten Stufe herrscht. Dieser Absolutdruck wird durch einen Kondensator gehalten, dem die Brüden 4 zugeführt werden.

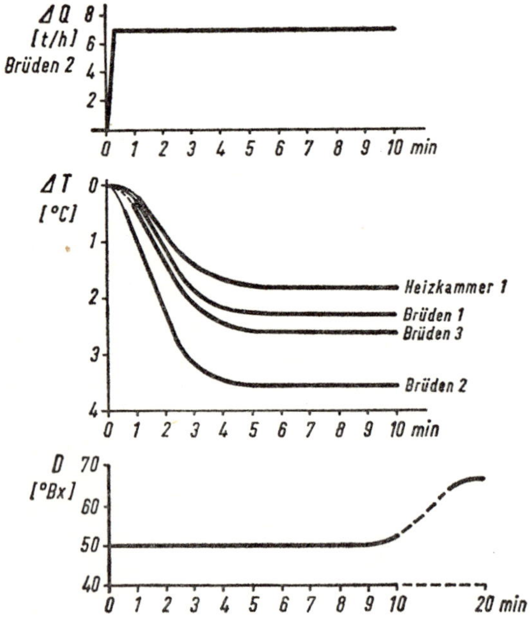

Bild 91
An einer Verdampfstation aufgenommene Sprungantworten

Die beschriebene Schaltung wurde auf Grund von Sprungantworten gewählt, die an Verdampfstationen aufgenommen wurden und einen guten Überblick über deren dynamisches Verhalten geben.

Bild 91 zeigt im mittleren Teil und unten diese Sprungantworten. Der für die Aufnahme erforderliche Störgrößensprung (oben) ließ sich in betriebsüblicher Weise dadurch erzielen, daß man den Mengenabzug der Brüden für eine Kochstation schlagartig einschaltete, wofür der zweite Verdampfer, der Brüden 2 liefert, benutzt wurde.

Die im Bild gezeigten Kurven der Brüdentemperaturen, der Temperatur in der Heizkammer 1 sowie der Dicksaftdichte D lassen nachstehende Folgerungen zu:

Änderungen im Brüdenstrom veranlassen ohne Totzeit und nur mit geringer Trägheit entsprechende Änderungen in den Brüdentemperaturen und somit auch in den Sattdampfdrücken. Der Dichtewert des Dicksaftes ändert sich jedoch in Abhängigkeit hiervon nur langsam und vor allem mit längerer Verzugszeit. Eventuell erforderliche Temperaturänderungen lassen sich somit durch Eingriff in den Dampf- bzw. Brüdenstrom mit Erfolg vornehmen, während eine einwandfreie Dichteregelung durch diese Eingriffe nicht möglich ist. Die Messungen ergaben Verzugszeiten bis zu neun Minuten. Der Vorteil der in Bild 90 gezeigten Regelschaltung liegt vor allem darin, daß der Dicksaftstrom bei geändertem Eingriff sofort beeinflußt wird, die Anpassung des Dünnsaftstromes über die einzelnen Niveauregler gepuffert verläuft und somit plötzliche unerwünschte Dünnsaftstauungen nicht zu befürchten sind.

Dieses Regelschema für eine Verdampfstation ist streng konventionell. Die einzelnen Regelkreise sind scheinbar voneinander unabhängig, jedoch über das Verfahren miteinander verkoppelt, was Bild 91 deutlich macht.

7.3.2. Regelung eines Dampferzeugers

Als Beispiel für den Einsatz von analogen Verknüpfungsgliedern in komplexen Regelstrecken dienen Mehrkomponentenregelungen an einem Dampferzeuger [43].

Die schon seit Jahrzehnten bekannte Dreikomponentenregelung, bei der in Abhängigkeit vom Trommelwasserstand der Heißdampfstrom und der Speisewasserstrom einander zugeordnet werden, läßt sich auch für andere Regelkreise gleich gut verwenden, bei denen gleichfalls drei Größen in Abhängigkeit zueinander stehen.

Bild 92 zeigt eine Dreikomponentenregelung, die sowohl für den Trommelwasserstand h als auch für die Heißdampftemperatur t_D und den Netzdruck p_N gültig ist.

Wie ersichtlich, wird stets die jeweilige Regelgröße x über einen Meßumformer erhalten und als Ausgangssignal eines Hauptreglers mit P-Verhalten zur Sollwertführung w_S eines Hilfsreglers mit PI-Verhalten verwendet. Diesem Kreis wird in einer Steuerkette additiv die Hauptstörgröße z, der stets der Heißdampfstrom Q_D entspricht, aufgeschaltet, wobei ein in dem Signalfluß liegendes Multiplikationsglied für die erforderliche Anpassung f sorgt. Da für die Messungen nichtradizierende Differenzdruck-Meßumformer verwendet werden, ist es erforderlich, in den betreffenden Signalkreis ein radizierendes Glied einzufügen. Der Hilfsregelkreis für den Stellstrom wird gleichfalls mit einem Differenzdruck-Meßumformer und einem radizierenden Glied bestückt. Das

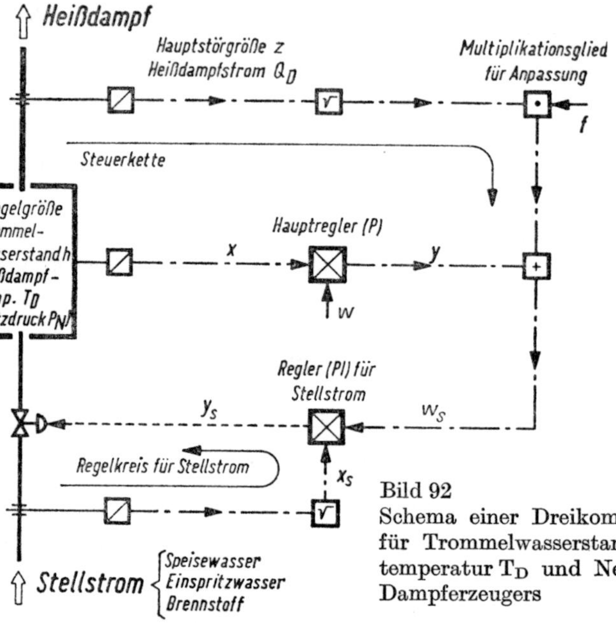

Bild 92
Schema einer Dreikomponentenregelung für Trommelwasserstand h, Heißdampftemperatur T_D und Netzdruck P_N eines Dampferzeugers

Ausgangssignal y_S des PI-Reglers für den Stellstrom wird einem Stellgerät in der Stellstromleitung zugeführt. Durch diese erweiterte Regel- und Steuerschaltung gelingt es, die schwankende Last eines Dampferzeugers in vollem Umfang zu berücksichtigen, wobei jedoch die Voraussetzung erfüllt sein muß, daß eine streng lineare Zuordnung der betreffenden Ströme gewährleistet ist. Es liegt der Gedanke nahe, diese Schaltung auch auf andere Verfahrenszweige oder Anlagen der Energieerzeugung zu übertragen, sofern diese Voraussetzungen auch dort erfüllt sind.

Bild 93 zeigt das erweiterte Regelschema nach Bild 92 für die Heißdampftemperatur eines Dampferzeugers.

Die Aufgabe dieser Regelung ist es, trotz Lastschwankungen die Heißdampftemperatur in einem vorgegebenen Toleranzbereich zu halten, indem ein mehr oder weniger großer Kühlwasserstrom einem Heißdampfkühler zugeführt wird, der vor dem letzten Überhitzer liegt.

In einem Hilfsregelkreis wird zunächst ein der Mittellast angepaßter Kühlwasserdurchfluß gewährleistet. Hauptregelgröße ist die Heißdampftemperatur in der Dampfsammelleitung, die als Eingangsgröße eines Hauptreglers dient.

In die Signalleitung vom Ausgang des Hauptreglers zur Führungsgröße des Hilfsreglers wird ein additives Glied gelegt. Es erhält als weiteres, von außen zugeführtes Signal die Ausgangsgröße eines weiteren Reglers, der über ein additives Glied sowohl den Dampfstrom Q_D als auch den Netzdruck P_N als die wesentlichsten Störgrößen berücksichtigt. Die Einflußstärke dieser Störgrößen kann durch ein multiplikatives Glied vorgegeben werden. Die in der Signalleitung vom Haupt- zum Hilfsregler liegenden beiden Begrenzer B sorgen dafür, daß der Sollwert des Hilfsreglers nicht unter einen bestimmten Betrag fällt, damit der Regler im Eingriff bleibt und daß bei plötzlichem Lastanstieg durch Übersteuern die obere Grenztemperatur nicht überschritten wird. Der tatsächliche Störgrößenanpassungswert kann durch Wahl des Proportionalbereiches des P-Reglers variiert werden, der das Mischsignal aus Dampfdurchfluß und Netzdruck als Regelgröße erhält [44].

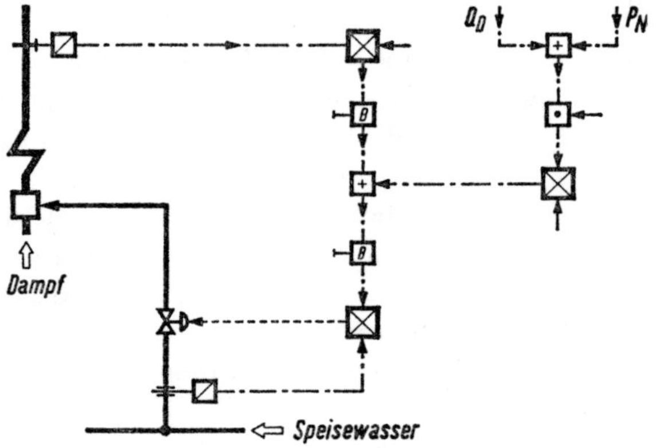

Bild 93.
Schema einer Heißdampftemperaturregelung an einem Dampferzeuger

7.3.3. Regelung einer Schnitzeltrocknungsanlage in der Zuckerindustrie

Bei der Zuckergewinnung aus der Rübe entstehen Rübenschnitzel, die nach Durchlaufen der Diffusion und einer nachgeschalteten Presse anfallen. Diese Schnitzel sind besonders reich an Kohlehydraten und daher als Viehfutter sehr geeignet. Da sie sich jedoch in nassem Zustand befinden, sind sie nur begrenzte Zeit lagerfähig, so daß sie unter möglichst weitgehender Erhaltung der Nährstoffe künstlich getrocknet werden müssen. Es wird den Schnitzeln daher in Gleichstromtrommeltrocknern der größte Teil des Wassers entzogen, so daß das Ergebnis der Trocknung Schnitzel mit einem Feuchtegehalt von etwa 10 % sind. Besteht die Absicht, den Trockenvorgang zu regeln, so müßte man versuchen, die Restfeuchte der getrockneten Schnitzel als Regelgröße für den Trockenvorgang zu verwenden. Untersuchungen über die Grundlagen der Trocknung und den Trocknungsverlauf haben jedoch gezeigt, daß dieser Vorgang so komplex ist, daß sich eine Regelung nach der Größe „Feuchtegehalt der getrockneten Schnitzel" nicht durchführen läßt. Die Abhängigkeit der Trocknungsgeschwindigkeit von der Gutsfeuchte zeigt Knickpunkte und starke Nichtlinearitäten. So verläuft die eigentliche Trocknung in mehreren

Trocknungsabschnitten, die Feuchtigkeit verdampft in verschiedenen Tiefen der Schnitzel, und das Wasser wird zum Schluß nur noch durch Diffusion transportiert, d. h. mit steigender Lufttemperatur in der Trommel nimmt die Trocknungsgeschwindigkeit stark zu, mit steigender Luftfeuchte jedoch wieder ab. Die Feuchtigkeit verdunstet an Stellen, die mit fortschreitender Trocknung immer weiter von der Oberfläche in das Gutsinnere zurückweichen, so daß zunehmend luftgefüllte Poren entstehen. Auch nimmt die Trocknungsgeschwindigkeit mit fortschreitender Trocknung laufend ab, wobei der Diffusionswiderstandsfaktor und die kapillare Leitfähigkeit von Bedeutung sind.

Es bleibt somit nichts anderes übrig, als — wie eingangs betont — die Vielzahl der auftretenden Störgrößenänderungen durch entsprechend gewählte Regelschaltungen zu kompensieren, um somit die gestellte Forderung nach Schnitzeln mit einem Feuchtegehalt von etwa 10% zu erfüllen.

Einige der Störgrößen sind:

- die Rübensorte, die auf die Zellwandbeschaffenheit Einfluß hat;
- die Dauer der Lagerung der Rüben und der Witterungseinfluß, die die Preßbarkeit und die Trockenbarkeit der Schnitzel bestimmen;
- eine nicht konstant gehaltene Temperatur in der Brühmaschine, die die Porosität der Zellwände und gleichfalls die Trockenbarkeit beeinflußt;
- der unterschiedliche Preßdruck in der Presse zwischen Diffusionsapparatur und Schnitzeltrocknungsanlage, der den Wassergehalt der Preßschnitzel wesentlich bestimmt;
- Heizwertschwankungen des Brennstoffes für die Feuerung der Trocknungsanlage;
- die sich anbietende Schnitzelaufgabe als die Last der Anlage, die auf den Temperatur- und Feuchteverlauf längs der Trommel durch Änderungen in der Trommelfüllung Einfluß nimmt.

Weitere Störgrößeneinflüsse können je nach Konstruktion und Beschaffenheit der Trockentrommel auch die Falschluft am Trommeleingang und die am Trommelende sein; die Falschluft wirkt auf die Temperatur in der Trommel, auf die Luftfeuchte sowie auf die Luftmenge.

Hauptstörgröße ist stets der Feuchtegehalt der zu trocknenden Schnitzel, der den jeweiligen Wärmebedarf bestimmt.

Wird beispielsweise als eine Regelgröße die Eintrittstemperatur der Verbrennungsgase in der Trommel gewählt und von dieser die Verbrennung geregelt, so müßte sich der Trockenvorgang regeln lassen, wenn weiterhin die Schnitzelaufgabe über die Austrittstemperatur der Brüden beeinflußt wird. Beide Regelkreise sind jedoch nur scheinbar voneinander getrennte Temperaturregelkreise, sie sind vielmehr über das Trockenverfahren miteinander verkoppelt. Wenn auch eine verhältnismäßig schnelle Reaktion durch Änderung einer der beiden Stellgrößen auf die jeweilige Regelgröße festzustellen ist, darf nicht übersehen werden, daß die Trockentrommel selbst ein Wärmespeicher ist, und erst nach der verhältnismäßig langen Zeit von 20 bis 30 min die andere Regelgröße einem neuen Wert zustrebt. Der Nachteil dieser Regelschaltung besteht somit darin, daß sich bei starker Änderung der Störgröße „Feuchtegehalt der zu trocknenden Schnitzel" die beiden Regelvorgänge überlagern und ein Pendeln der einzelnen Temperaturen zu beobachten ist. Besonders unangenehm wirkt sich dabei die große Speicherwirkung aus, so daß die erwähnten lang andauernden Temperaturabweichungen festgestellt werden müssen. Abgesehen davon ist der Eingriff in die Schnitzelzuteilung unwirtschaftlich, da dann die Trockentrommel nur zeitweilig mit optimaler Belastung arbeitet. Es dürfte sich als zweckmäßig erweisen, die Einführungsschnecke für die zugeführten Schnitzel mit konstanter Drehzahl laufen zu lassen und den sich ändernden Einfluß der Störgröße „Feuchtegehalt der zu trocknenden Schnitzel" wie folgt zu kompensieren, Bild 94.

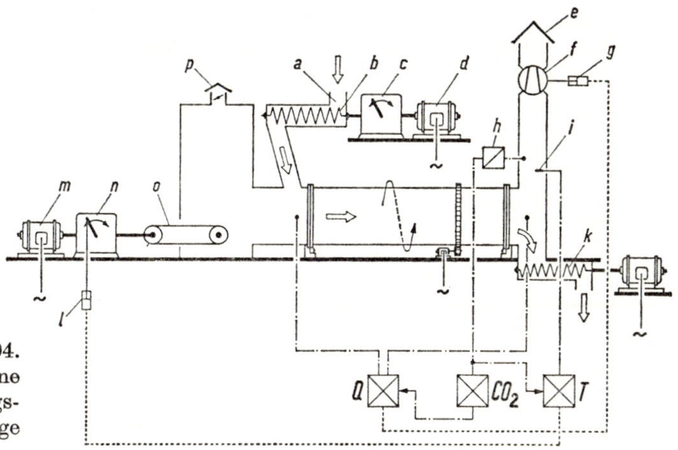

Bild 94. Regelschema für eine Schnitzeltrocknungsanlage

a	Schnitzelzufuhr	g	Stellmotor	n	Regelgetriebe
b	Einfuhrschnecke	h	CO_2-Meßwertgeber,	o	Wanderrost
c	Regelgetriebe	i	Temperaturfühler	p	Notkamin
d	Antriebsmotor der Einfuhrschnecke	k	Ausfuhrschnecke	CO_2	Regler für den CO_2-Gehalt,
e	Kamin	l	Stellmotor	Q	Durchflußregler
f	Saugzugventilator	m	Antriebsmotor des Wanderrostes,	T	Temperaturregler

Da das Gas nicht nur Wärmeträger, sondern auch Wasserschlepper ist, sollte man bemüht sein, die Austrittstemperatur gerade so hoch zu wählen, daß sie möglichst nahe dem Taupunkt liegt. Diese kritische Austrittstemperatur dürfte demnach als Regelgröße unerläßlich sein. Allerdings ist der Eingriff eines einzigen Temperaturreglers, dessen Regelgröße die Austrittstemperatur ist, in die Feuerung nicht zu empfehlen, da er sich infolge der Wärmekapazität der Trommel nur mit starker Verzögerung auf die Austrittstemperatur auswirken würde. Entschließt man sich jedoch dazu, entweder über den Saugzugventilator oder über eine Drosselklappe im Abgasweg einen zusätzlichen Eingriff vorzunehmen, so kann der CO_2-Wert der Abgase als kennzeichnende Regelgröße verwendet werden. Durch die Abhängigkeit der Eintrittstemperatur vom CO_2-Gehalt bei einem bestimmten Abgasstrom und einem bestimmten Heizwert des Brennstoffes ist der CO_2-Wert bei konstantem Gasstrom sowie gleichbleibender Austrittstemperatur ein Kriterium für die Eintrittstemperatur, Bild 95.

So wird in dem Buch „Technologie des Zuckers" angeführt, daß der Trocknungsbetrieb wirtschaftlicher zu gestalten wäre, wenn er nicht nur durch Messung der Abgastemperatur, sondern auch des CO_2-Gehaltes kontrolliert würde. Ist die Trommel genügend abgedichtet, so kann man durch CO_2-Messungen am Austritt Rückschlüsse auf die Eintrittstemperatur ziehen. Erfahrungsgemäß nimmt der CO_2-Gehalt vom Eintritt bis zum Austritt um etwa 0,75 % ab. Wird z. B. bei Steinkohlenfeuerung am Austritt ein CO_2-Gehalt von 5,75 % gemessen, so dürfte der CO_2-Wert am Eintritt bei 6,5 % liegen. Zu diesem CO_2-Wert gehört eine Eintrittstemperatur von 875 °C. Das gezeigte Diagramm vermittelt den Zusammenhang zwischen CO_2-Gehalt und Eintrittstemperatur für verschiedene Brennstoffe entsprechender Heizwerte.

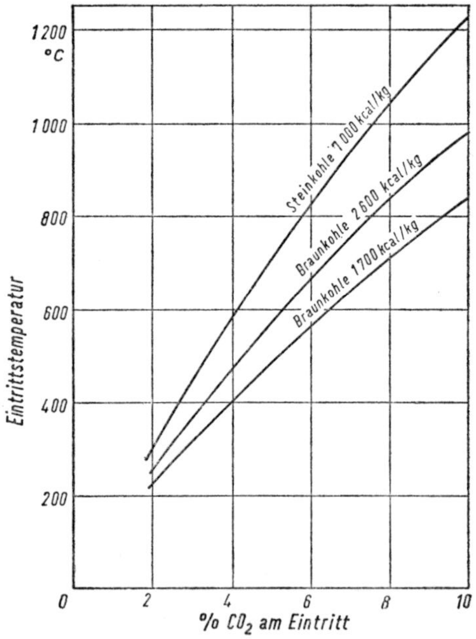

Bild 95
Eintrittstemperatur der Rauchgase in Abhängigkeit vom CO_2-Gehalt am Eintritt für Brennstoffe verschiedener Heizwerte

Man wird dann zwar in Abhängigkeit von der Austrittstemperatur die Brennstoffzufuhr regeln, jedoch den CO_2-Wert auch im Interesse einer optimalen Verbrennung als Führungsgröße für den Feuerungsregler benutzen. Dies bietet den zusätzlichen Vorteil, daß der CO_2-Wert bei notwendigen Änderungen in der Feuerungsleistung praktisch unverzögert in die Feuerung eingreift, was einer echten Differentialwirkung entspricht, die den Regelvorgang wesentlich unterstützt. Bei gleichbleibender Förderleistung des Saugzugventilators verändert jedoch auch jede Änderung in der Kohlenaufgabe den

CO_2-Wert. Es empfiehlt sich daher, diesen Wert gleichfalls als Führungsgröße für einen Durchflußregler zu verwenden. Über die Druckdifferenz an der Trockentrommel wird dabei der Rauchgasstrom durch eine Verstellung des Saugzugventilators oder der Drosselklappe im Abgaskanal beeinflußt.

Ein zwischen dem CO_2-Meßwertgeber und dem Durchflußregler liegender CO_2-Regler gestattet eine nachgebende Aufschaltung des CO_2-Wertes. Bei der Regelung der Feuerung über den Temperaturregler ist jedoch das Signal des CO_2-Gebers starr aufgeschaltet. Durch diese Kombination wird erreicht, daß die der Trockentrommel zugeführte Wärmemenge tatsächlich ihrem Wärmebedarf entspricht, wobei gleichzeitig eine optimale Verbrennung erreicht wird, und daß die Regelgröße „Austrittstemperatur" dennoch die notwendige Eingriffsmöglichkeit in die Feuerung besitzt. Die gleichmäßige Zuteilung der zu trocknenden Rübenschnitzel bewirkt weiterhin eine gleichbleibende Füllung der Trockentrommel. Der sich allein hieraus ergebende Druckabfall der Rauchgase bleibt demnach gleichfalls konstant. Erst durch Änderung der Förderleistung des Saugzugventilators oder der Stellung der Drosselklappe im Kamin wird der Rauchgasstrom im gewünschten Sinne der Regelung beeinflußt.

Zusammenfassend sei zur Wahl der Regelschaltung bemerkt: Als Regler Q wird ein PI-Regler verwendet, da die von ihm beherrschte Regelstrecke durch den Eingriff über den Saugzugventilator oder die Drosselklappe im Abgasweg den Rauchgasstrom verhältnismäßig rasch beeinflußt. Auch für den CO_2-Regler reicht ein PI-Verhalten aus, denn Änderungen im CO_2-Gehalt werden über den Eingriff des Reglers Q rasch vorgenommen, was der CO_2-Meßwertgeber praktisch verzögerungsfrei feststellt. Beim Temperaturregler T, der in die Feuerungsleistung eingreift, hat der sich anbietende CO_2-Wert Differentialwirkung, so daß auch hierfür ein PI-Regler gewählt werden kann. Eine zusätzliche Differentialwirkung ist aus diesen Gründen bei diesem Regler nicht nötig, obwohl die Regelstrecke selbst dies verlangte [45].

7.3.4. Regelung eines Zementdrehofens

Bisher beschritt die konventionelle Regelungstechnik bei der vollautomatischen Führung von Zementdrehöfen folgenden Weg: Der Drehofen als Gesamtregelstrecke wurde in eine Anzahl von Einzelregelstrecken unterteilt, in denen bestimmte, für die Teilprozesse als kennzeichnend erkannte Betriebsgrößen konstant gehalten wurden. Man versuchte damit, einen möglichst gleichmäßigen Ofenbetrieb zu erzielen. Nun ist es verständlich, daß diese Art der Regelung, bei der die einzelnen Regelkreise über das Verfahren verkoppelt sind und daher nicht voneinander unabhängig arbeiten, nur dann zu einem optimalen Ergebnis führt, wenn die Kreise durch ständige Verstellung der Sollwerte von Hand einander angepaßt werden. Bei der bisherigen Drehofenregelung ist demnach die optimale Fahrweise sehr von der Aufmerksamkeit und Fähigkeit des Bedienungspersonals abhängig. Daneben wirkt sich besonders erschwerend aus, daß jeder korrigierende Eingriff durch die sehr langsam verlaufenden wärmetechnischen Vorgänge stets nur mit erheblicher Zeitverzögerung wirksam wird. Bei nachsteuernd vorgenommenem Eingriff wird es also immer zunächst zu großen Abweichungen von einem gleichmäßigen Ofengang kommen, da der für die optimale Fahrweise erforderliche Eingriff zu spät erfolgt. Aus diesem Grunde ist man seit langem um eine Regelung bemüht, die den Ablauf des Brennprozesses vollautomatisch führt. Sie sollte die Funktionen ausüben, die bisher vom Bedienungsmann, dem Brenner, nur unzulänglich oder überhaupt nicht auszuführen waren, vor allem die Regelung und Steuerung des Brennprozesses auf ein wirtschaftliches Optimum hin.

Bild 96 zeigt das Regelschema für die vollautomatische Führung eines Zementdrehofens. Die Aufgabe des Zementbrandes ist es, das aufbereitete Brenngut in festen Klinker zu verwandeln. Je nach seiner Zusammensetzung ist für die thermische Aufbereitung des Rohmaterials — die Trocknung, die Kalzinierung und die Sinterung — eine ganz bestimmte Wärmemenge erforderlich, die von einer Flamme und ihren Abgasen aufzubringen ist. Beim Lepolofen

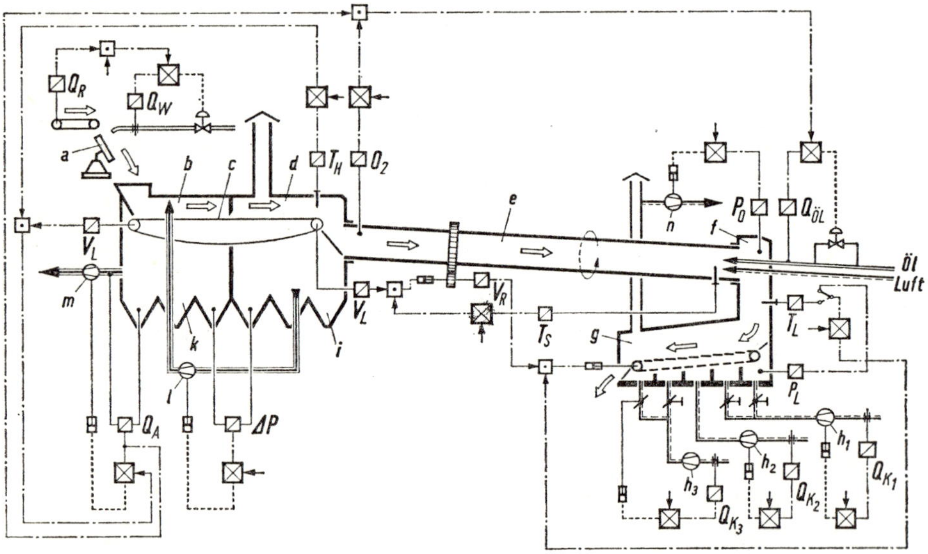

Bild 96. Regelschema für die vollautomatische Führung eines Zementdrehofens

a	Granuliereinrichtung	P_L	Sekundärluftdruck in der Heißkammer des Fullerkühlers
b	Trockenkammer	P_O	Ofenkopfdruck
c	Lepolrost	ΔP	Differenzdruck
d	Heißkammer	Q_A	Abgasdurchfluß
e	Drehrohr	Q_1, Q_2, Q_3	Sekundärluftdurchfluß
f	Ofenkopf	$Q_{ÖL}$	Öldurchfluß
g	Fullerkühler mit Schrägrost	Q_R	Rohmehldosierung
h_1, h_2, h_3	Sekundärluftgebläse	Q_W	Wasserdurchfluß
i	Saugkammer I	T_H	Heißkammertemperatur
k	Saugkammer II	T_L	Sekundärlufttemperatur
l	Abgasgebläse I	T_S	Sinterzonentemperatur
m	Abgasgebläse II	V_L	Leopolrostgeschwindigkeit
n	Abluftgebläse	V_R	Drehrohrgeschwindigkeit
O_2	Sauerstoffkonzentration		

wird dazu das granulierte Rohmaterial über den Lepolrost c dem Drehrohr e zugeführt, das es langsam durchwandert und in dem sich die thermische Aufbereitung des Rohmaterials zum Klinker vollzieht. Der gebrannte Klinker verläßt den Drehofen am Ofenkopf f und fällt von dort auf einen Schrägrost im Fullerkühler g, wo er so weit abgekühlt wird, daß er über ein Transportband der Mahlanlage zugeleitet werden kann.

Für einen gleichmäßigen Ofengang und eine gleichbleibende Güte des Klinkers ist also ein gleichmäßig aufbereitetes Rohmehl von größter Bedeutung. Man versucht daher, durch besonders sorgfältige Abstimmung der einzelnen Rohmehlkomponenten aufeinander das Rohmaterial weitgehend zu homogenisieren, um alle Zufälligkeiten seines Vorkommens auszuschalten. Wenngleich die Klinkerqualität als Regelgröße nicht erfaßt werden kann, muß dennoch eine gleichmäßige Klinkerqualität zu erreichen sein, wenn ein nach seinen Eigenschaften gleichmäßig aufbereitetes und gleichmäßig dosiertes Rohmehl in gleichbleibender Weise gebrannt wird, wobei der günstigste Brennstoffverbrauch eine Folge des optimalen Brennstoff-Luft-Verhältnisses ist.

Bei vorausgesetzter konstanter Materialzufuhr und -zusammensetzung ergibt sich daraus die Regelaufgabe, das Temperaturprofil im Lepolofen, das sich als Folge der Wärmeaufnahme durch das Rohmehl, der Wärmeabgabe beim Sintern und der Wärmezufuhr durch die Flamme und ihre Abgase ausbildet, aufrechtzuerhalten. Diese Aufgabe läßt sich unter den getroffenen Voraussetzungen offensichtlich dadurch lösen, daß die Wärmezufuhr durch den Brennstoff, die Primär- und die Sekundärluft konstant gehalten wird.

Die in Bild 96 vorgelegte Schaltung zur vollautomatischen Führung des Brennprozesses eines Lepolofens geht von einer Anzahl einzelner Regelkreise aus, wie sie für die Regelung von Teilprozessen nach dem obengenannten Prinzip vielfach eingesetzt werden.

Durch eine weitgehende Vermaschung dieser Regelkreise werden ihre starren Sollwerte in gleitende übergeführt, und somit wird ein Regelsystem geschaffen, das die unerwünschten Kopplungen, die durch Mehrfachregelung entstehen, kompensiert und die einzelnen Regelkreise in gegenseitige Abhängigkeiten versetzt, die der funktionellen Zuordnung der Betriebsgrößen entsprechen. Bei der Abweichung einer Betriebsgröße, etwa der Heißkammertemperatur, von ihrem Sollwert werden demnach durch diese übergeordnete Regelung die Abgasmenge, die Brennstoffaufgabe und andere Betriebsgrößen in dem Sinne mitverändert, daß sich möglichst rasch ein neuer Wärmegleichgewichtszustand einstellt und sich nicht erst — durch die großen Zeitkonstanten des Prozesses bedingt — große Abweichungen ergeben. Zur Ausführung der Vermaschungen in Form von Störgrößenaufschaltungen und Kaskadenverhältnisschaltungen sind nur einfache Verknüpfungsglieder erforderlich.

Die ausgeführte Regelschaltung erlaubt eine vollautomatische Führung des Brennprozesses, wobei der Brenner nur noch steuernd auf die Drehzahl des Lepolrostes zur Einstellung der Ofenleistung einwirkt.

Die Entwicklung dieser Regelschaltung bestimmten zwei Überlegungen:

1. Ein im Durchlaufbetrieb hergestelltes Erzeugnis, wie der Zementklinker, erfordert für einen ungehinderten Durchsatz durch die an seiner Herstellung beteiligten Anlagenteile, daß diese im Gleichlauf betrieben werden. Für den Lepolofen bedeutet dies, daß der Lepolrost c, das Drehrohr e und der Fullerkühler g, die den Transport des Brenngutes und des Klinkers besorgen, bezüglich ihrer Transportgeschwindigkeiten einander angepaßt werden müssen.

2. Die für einen gleichmäßigen Garbrand des Klinkers erforderliche Wärmemenge muß stets der Menge und der Zusammensetzung des durchgesetzten Rohmaterials angepaßt werden.

Daraus ergibt sich das Schema für die Verknüpfung der Einzelregelkreise nach Bild 97. Die Drehzahl des Lepolofens ist entsprechend den beiden Forderungen Ausgangspunkt zweier Befehlswege für den Materialfluß (unten) und den Energiefluß (oben).

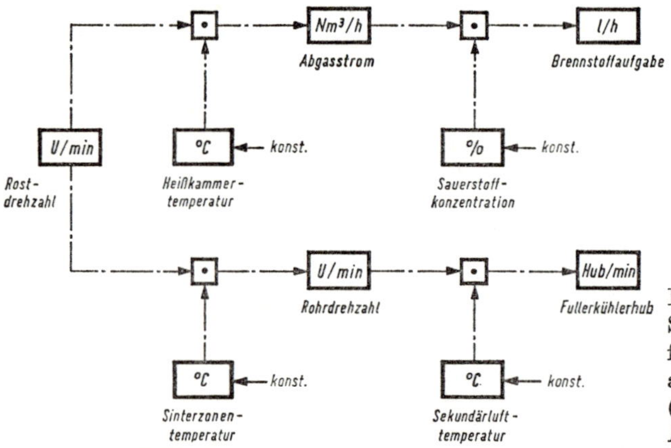

Bild 97
Schema für die Verknüpfung von Einzelregelkreisen an einem Zementdrehofen (nach einer Konzeption von *E. Schüller*)

Für einen gleichmäßigen Materialdurchsatz durch den Ofen führt über Verknüpfungsglieder die Rostdrehzahl die Rohrdrehzahl und diese den Vorschub des Fullerkühlers. Die beiden Verknüpfungen sind jedoch nicht starr, sondern so gestaltet, daß bei Eingriffen in die Rostdrehzahl oder bei Änderungen der Materialzusammensetzung Störungen des Wärmehaushaltes, wie Abweichungen der Sinterzonentemperatur und der Sekundärlufttemperatur von konstanten Werten, weitgehend vermieden werden.

Zur Anpassung der Wärmezufuhr an die Materialaufgabe werden gleichfalls von der Rostdrehzahl über Verknüpfungsglieder der Abgasstrom und die Brennstoffaufgabe geführt. Auch diese Abhängigkeiten sind nicht starr, sondern korrekturfähig, falls Störungen in der Materialaufbereitung als Abweichungen von der geforderten konstanten Heißkammertemperatur oder Störungen des optimalen Brennstoff-Luftverhältnisses als Abweichungen von der geforderten konstanten Sauerstoffkonzentration am Ofeneinlauf vorliegen.

Materialfluß und Energiefluß unterliegen somit je zwei Randbedingungen, der Materialfluß der Sinterzonentemperatur und der Sekundärlufttemperatur, der Energiefluß der Heißkammertemperatur und dem Sauerstoffgehalt am Ofeneinlauf. Diese Randbedingungen gilt es durch die Regelung möglichst konstant zu halten.

Bei einer richtigen Abstimmung der einzelnen Regelkreise aufeinander soll der Zementdrehofen von einer Stelle aus zu führen sein. Der Bedienungsmann braucht dann nur noch die Ofenleistung mit Hilfe des Lepolrostvorschubes einzustellen.

Wird zur Steigerung der Ofenleistung der Lepolrostvorschub erhöht, so erhöht sich automatisch auch die Drehzahl des Drehrohres und der Vorschub des Plattenrostes. Wegen der großen Zeitkonstante der Regelung für die Klinkertemperatur in der Sinterzone greift der Temperaturregler nur verzögert ein. Dagegen werden durch die fallende Heißkammertemperatur verhältnismäßig schnell Abgasmenge und Brennstoffmenge so lange erhöht, bis sich ein neuer Gleichgewichtszustand zwischen Brennstoffzufuhr, Heißkammertemperatur, Ofendrehzahl und Klinkertemperatur in der Sinterzone einstellt. Über den Regelkreis „Ofenkopfdruck“ werden dem Sekundärluftstrom der neue Abgasstrom und über die Sekundärlufttemperatur der Rostvorschub im Fullerkühler der Klinkerschicht auf dem Rost angepaßt.

Bei dieser übergeordneten Regelung kann eine Optimierung nur im stationären Zustand, d. h. wenn der Ofen mit gleichbleibender Last gefahren wird, erreicht werden. So nimmt die Steuerung der Ofenleistung über die Verstellung des Lepolrostvorschubes keine Rücksicht auf das Zeitverhalten des Ofensystems. Es ist daher erforderlich, daß der Brenner eine Leistungsänderung in der Zeitspanne vollzieht, die durch die Zeitkonstante der Ofenanlage bestimmt ist [46].

7.4. Einsatz kleiner Analogrechner in verfahrenstechnischen Prozessen

Neben dem Einsatz von zentralen Rechnern hat sich der Betriebsrechner eingeführt, der innerhalb von Meß- und Steuerketten sowie von Regelkreisen liegt. Allerdings darf diese Feststellung nicht zu der Auffassung führen, daß der Einsatz eines eigenen Betriebsrechners wesentlich aufwendiger sein muß als die Verwendung eines zentralen Rechners. Die nachfolgenden Beispiele zeigen, daß sich derartige Betriebsrechner bereits aus wenigen Bauelementen für eine besondere Aufgabe zusammenstellen, und daß sich somit preiswerte Rechenschaltungen aufbauen lassen. Im Gegensatz zu einem zentralen Rechner, der in seinen Anwendungsmöglichkeiten sehr vielseitig sein muß und dessen Anschaffung daher aufwendiger wird, läßt sich ein Betriebsrechner für die ausschließliche Verwendung im Rahmen einer besonderen Aufgabe wesentlich leichter und dadurch auch billiger zusammenstellen. Auch der Einsatz von Betriebsrechnern kann auf verschiedene Weise erfolgen, so z. B. innerhalb einer Meßkette, was in der amerikanischen Literatur als „on-line, open-loop“ bezeichnet wird oder in einem Regelkreis, was man unter der Bezeichnung „on-line, closed loop“ versteht. Auch die Steuerung konventioneller Regler durch Rechner wird mit „on-line“ bezeichnet.

7.4.1. Verhältnisregelung der Wärmeaufnahme zweier Destillationskühlschlangen

Ein Beispiel für den Einsatz einfacher Rechner in einem Regelkreis ist die Verhältnisregelung der Wärmeaufnahme zweier Destillationskühlschlangen, Bild 98.

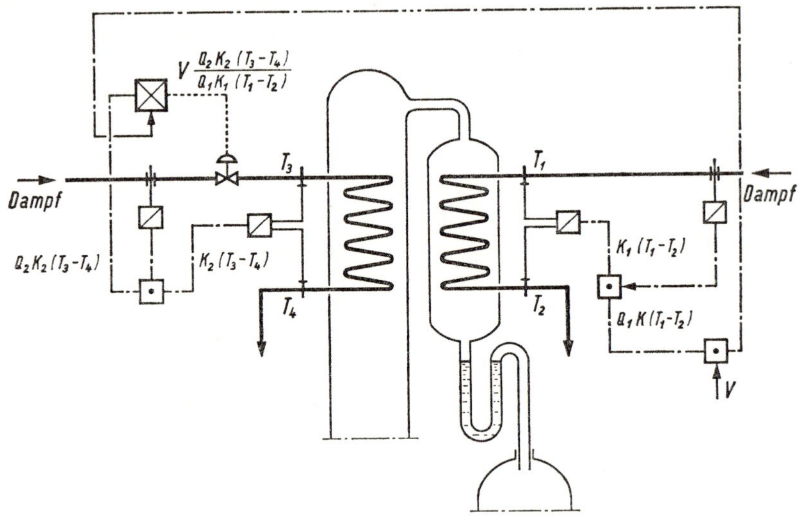

Bild 98. Schema für die Verhältnisregelung der Wärmeaufnahme zweier Destillationskühlschlangen

So soll durch eine automatische Regelung dafür gesorgt werden, daß die Wärmeaufnahme der einen Kühlschlange stets in einem konstanten, jedoch wählbaren Verhältnis zur Wärmeaufnahme der anderen steht. Nach der ausgeführten Rechen- und Regelschaltung werden die jeweiligen Temperaturdifferenzen zwischen Zu- und Rücklauf der Kühlschlangen gemessen und jeweils in einem Multiplikationsrelais mit den gleichfalls gemessenen Durchflüssen multipliziert.

Das eine Ausgangssignal wird als Regelgröße eines pneumatischen Reglers verwendet, während das andere dessen Führungsgröße ist. In der pneumatischen Leitung für die Führungsgröße des pneumatischen Reglers liegt ein weiteres Multiplikationsrelais für die Wahl des Verhältnisses V der beiden Wärmeaufnahmen.

7.4.2. Regelung der Sauerstoffzufuhr für einen Thomas-Konverter

Bild 99 zeigt eine Schaltung in Verbindung mit einem elektronischen Rechengerät zur Regelung der Sauerstoffzufuhr für einen Thomas-Konverter.

Hier besteht die regeltechnische Aufgabe, reinen Sauerstoff und Wind im verbrennungsmäßig optimalen Verhältnis zu mischen und dabei die schwankenden Leitungsdrücke und die schwankenden Temperaturen von Sauerstoff und Wind zu berücksichtigen. Sonst würden erhebliche Fehler auftreten, die eine gute Regelung stark in Frage stellten. Die elektrische bzw. elektronische Meß- und Rechentechnik erlaubt es, die Führungsgröße, den Wind, und die geführte Größe, den Sauerstoff, in ihren Durchflußwerten unter Berücksichtigung von schwankendem Druck und schwankender Temperatur einwandfrei zu messen. Die Temperaturen werden dabei von Widerstandsthermometern und die Drücke von Manometern mit eingebauten Widerstandsferngebern gemessen. Der Durchfluß läßt sich gleichfalls als elektrischer Strom darstellen, wenn ein elektronischer Kompensationsferngeber in den Durchflußmesser eingebaut wird. Die drei elektrischen Größen dienen dann als Eingangsgrößen eines elektronischen Rechengerätes, dessen Verstärker einen Ausgangsstrom liefert, der nun dem druck- und temperaturberichtigten Durchfluß entspricht. Der Ausgangsstrom des einen Rechengerätes dient dabei als Eingangsgröße eines elektronischen Reglers Q, während der Strom des anderen dessen Sollwertführung übernimmt.

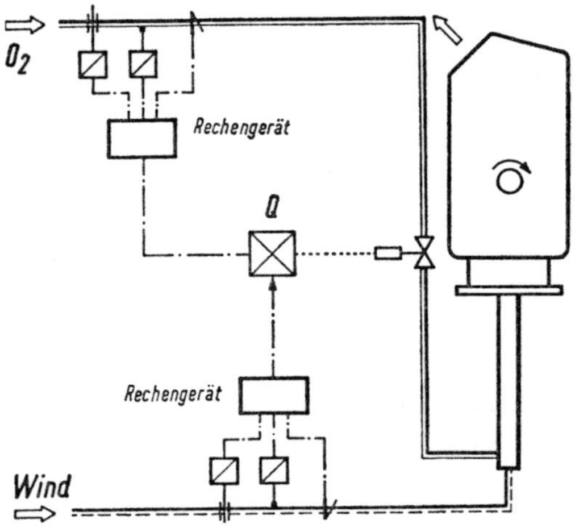

Bild 99
Schema einer Sauerstoffzusatzregelanlage für einen Thomas-Konverter

8. PLANUNG UND MONTAGE VON MESS- UND REGELANLAGEN*)

8.1. Voraussetzungen

Die Erstellung der Meß- und Regelanlagen erfordert ein dem Umfang und den Güteanforderungen entsprechendes Maß an Planung. Hierbei sind die Gesichtspunkte der Verfahrenstechnik, des Apparatebaues und der Meß- und Regelungstechnik gleichermaßen zu berücksichtigen, d. h., die jeweiligen Sachbearbeiter müssen gemeinsam planen und ihre Anforderungen und Wünsche aufeinander abstimmen.

Soll eine bereits bestehende Anlage lediglich durch einige wenige Meßstellen und Regelgeräte ergänzt werden, genügt oft schon eine kurze Absprache der Beteiligten in der Anlage selbst, wobei der Meßort und die Montageplätze für die Geräte unmittelbar festgelegt werden können. Im folgenden sollen vor allem größere Planungen beschrieben werden, also Neubauten, größere Erweiterungen und Umbauten, die wegen ihres Umfanges einer schriftlichen und konstruktiven Ausarbeitung bedürfen.

8.1.1. Beschreibung des Produktionszieles

Als Planungsgrundlage dient die Beschreibung des Produktionszieles. Diese Beschreibung enthält die gewünschte Menge je Monat oder Jahr sowie die geforderten Qualitäten und auch die zur Verfügung stehenden Ausgangsstoffe. Sie lautet also z. B. „Produktionsanlage zur Herstellung von 50 Jahrestonnen Stoff A aus den Stoffen B, C und D" oder „Destillationsanlage für 100 Monatstonnen Lösungsmittel X in 99,5 %iger Reinheit aus Rohprodukt Y". Das Produktionsziel kann aber auch in erster Linie eine technische Verbesserung sein, also z. B. der Bau eines zentralen Bedienungsstandes für eine ausgedehnte Fabrikationsanlage oder die Umstellung von einem Chargenverfahren auf ein Fließverfahren.

8.1.2. Erster Planungsentwurf, Kostenschätzung

Ist das Ziel beschrieben, so wird bei Produktionsanlagen die verfahrenstechnische Durchführung festgelegt, also die Art, Zahl, Größe und Druckstufe

*) Die Veröffentlichung erfolgt mit freundlicher Genehmigung des R. Oldenbourg Verlages, München.

der erforderlichen Apparaturen sowie die Betriebsweise, Chargenverfahren oder Fließverfahren. Im weiteren Verlauf wird ein erster Lageplan der Anlage entworfen, der bei Neuanlagen oft von einem günstigen Verbund mit der Vorproduktanlieferung und den weiterverarbeitenden Betrieben bestimmt wird. Bei Erweiterungen wird man prüfen müssen, wie sich der neue Teil an den vorhandenen Teil angliedern läßt.

Ehe mit der weiteren Ausarbeitung begonnen wird, muß eine erste Schätzung der Kosten abgegeben werden. Wenn auch diese Schätzung nicht haargenau zu stimmen braucht, so bietet sie doch die Grundlage für die Entscheidung, ob das Projekt weiter verfolgt werden soll oder nicht.

Hat der Meß- und Regelungstechniker schon ähnliche Anlagen errichtet, so kann er aus Erfahrungswerten ableiten, wie groß der Kostenanteil für Meß- und Regeleinrichtungen an den Gesamtkosten sein wird. So weiß man, daß für Großanlagen anorganischer Produkte wie Düngemittel oft 2 bis 3% ausreichen, daß in der Petrochemie und in vielen anderen chemischen Großproduktionen schon 5 bis 10% der Anlagekosten auf die Meß- und Regelungstechnik entfallen und daß bei guter Automatisierung von Chargenprozessen für Spezialprodukte wie Arzneimittel und von Versuchsanlagen dieser Kostenteil auf 30% ansteigen kann.

Will man die Kosten etwas genauer abschätzen, so hat der Meß- und Regelungstechniker vor allem folgende Punkte zu klären:

Grad der Automatisierung,
Zahl der Messungen,
Lage der Betriebsgebäude zueinander,
Voraussichtliche Häufigkeit von Betriebsunterbrechungen,
Störungsempfindlichkeit der Anlage,
Explosionsgefahr,
Korrosionsbedingungen.

Der geforderte Grad der Automatisierung ist entscheidend für den Aufwand an Messungen und Regelkreisen in der Anlage. In modernen mittelgroßen und großen Anlagen wünscht man heute die Zusammenfassung aller für die Verfahrensführung wichtigen Messungen in einer zentralen Meßwarte und die weitgehend automatische Einhaltung, d. h., die Regelung aller wichtigen Zustandsgrößen. Auch viele Analysenwerte sollen fortlaufend gemessen und teils durch Regelung konstant gehalten werden. Es hängt nun sehr vom jeweiligen Verfahren, von den Forderungen an die Qualität und von den möglichen Schwankungen des Durchsatzes sowie den Qualitäten der Einsatzstoffe ab, wie viele Größen gemessen und wie viele gesteuert und geregelt werden müssen. Auch die voraussichtliche Zahl der Bedienungsleute im Betrieb beeinflußt den erforderlichen Grad der Automatisierung ganz wesentlich. So ist es zum Beispiel in älteren Anlagen mit nur teilweise fernübertragenen Meßwerten und von Hand betätigten Stellgliedern kaum möglich, einen Mann mehr als

10 Betriebsgrößen überwachen zu lassen. Dagegen können von einem Bedienungsmann in hochautomatisierten Anlagen oft 100 bis 200 Betriebsgrößen überwacht werden.

In Großanlagen entstehen weiterhin wesentliche Mehrkosten, wenn eine automatische Datenerfassung, Datenverarbeitung oder gar ein optimierender Rechner vorgesehen ist. Diese Kosten lassen sich erst dann abschätzen, wenn ein solches Projekt einigermaßen deutlich definiert ist. Keinesfalls darf vergessen werden, daß dabei ein erheblicher Kostenanteil auf verbesserte Meßgeräte und Anpassungsgeräte entfällt.

Hat man die Zahl der Meßstellen und Regelkreise geschätzt, so ist als nächstes zu klären, ob eine zentrale produktfreie Meßwarte geschaffen wird, in der die Schreiber, Anzeigegeräte, Leitgeräte, viele Regler und andere Zusatzgeräte untergebracht werden. In Kleinanlagen, an Versuchsapparaturen u. ä. verzichtet man teilweise darauf und begnügt sich oft mit billigen direkt ablesbaren Meßgeräten vor den Apparaturen. In größeren Anlagen wird man heute immer einen zentralen Meßraum schaffen, in den die Meßwerte übertragen werden, wozu für die meisten Druck-, Durchfluß- und Standmessungen Meßumformer dienen. Besteht über diese Instrumentierung Klarheit, so ergibt sich schon eine erste brauchbare Abschätzung der Zahl der benötigten Geräte. Bei neuartigen Anlagen tut man aber gut daran, diese Zahl um einen kräftigen Zuschlag zu erhöhen, denn im Laufe der Planung kommen immer wieder zusätzliche Wünsche nach Messungen und Regelungen hinzu. Anstelle eines Zuschlages kann man auch einen Vergleich mit ähnlichen bestehenden Anlagen ziehen und damit seine erste Schätzung korrigieren.

Nahezu zwangsläufig ergibt sich daraus die erforderliche Größe der Meßwarte, der Schalträume und gegebenenfalls der Analysenräume, wobei für letztere ein möglichst geringer Abstand zur Probenahmestelle erwünscht ist. Die Lage dieser Räume zu den anderen Anlageteilen entscheidet nicht nur über die erforderliche Länge der Kabel, sondern auch über die Art der Hilfsenergie. Bekanntlich fallen bei Entfernungen über 150 Meter die Verzögerungen pneumatischer Übertragungsleitungen und deren Kabelkosten ins Gewicht, und es ist dann eine zumindestens teilweise elektrische Signalübertragung zu empfehlen, auch wenn die elektrischen Geräte wesentlich teurer sind als entsprechende pneumatische Geräte.

Für viele Meß- und Regelaufgaben werden Geräte unterschiedlicher Qualität mit entsprechend differierenden Preisen angeboten. Eine einfache und billige Instrumentierung ist nur dann zu empfehlen, wenn die Anlage aus verfahrenstechnischen Gründen wie bei Chargenverfahren häufig abgestellt wird oder wenn eine genügende Kapazitätsreserve vorhanden ist. Der Ausfall eines Gerätes darf aber keinesfalls zu Produktverlusten führen, da diese Verluste sehr schnell das Vielfache des Gerätepreises erreichen. In besonders störungsempfindlichen Anlagen tut man sogar gut daran, wichtige Messungen mit zwei verschiedenen Meßgeräten vorzunehmen, Abweichungen vom gewünschten Zustand zu signalisieren (alarmieren) und erforderlichenfalls sogar von den Alarmen direkt Sicherheitsschaltungen auszulösen. Sind Stellgeräte einem besonders hohen Verschleiß ausgesetzt, so versieht man sie mit einem Umgang, in dem entweder ein Handventil oder sogar ein gleiches Regelventil sitzt.

Für die in der Anlage verwendeten elektrischen Geräte und Installationen ist der erforderliche Explosionsschutz ein weiterer Kostenfaktor. Er wirkt sich sowohl auf die Gerätekosten als auch auf die Baukosten, z. B. Fremdbelüftung des Schaltraumes und der Meßwarte, aus.

Schließlich tragen auch die Korrosionsbedingungen wesentlich zu den Gerätekosten bei. Vor allem die Stellgeräte und Meßumformer werden erheblich teurer, wenn die durchströmenden Produkte korrosionsfeste Materialien bedingen. In manchem Chemiebetrieb kann auch die Luft korrodierende Bestandteile enthalten, so daß die im Freien montierten Geräte entweder in besonderen Schutzkästen untergebracht oder in einer korrosionsfesten Ausführung gekauft werden müssen.

Wurden all diese Faktoren erwogen, so vermehrt man die Kostenschätzung der Geräte um einen Anteil für Montagematerial und Arbeitskosten, der je nach der Art der Anlage 50 bis 100% der Gerätekosten ausmacht. Hier muß man auf Erfahrungswerte zurückgreifen und sollte auch voraussichtliche Lohn- und Preiserhöhungen einbeziehen, da zwischen der ersten Schätzung und der Fertigstellung der Anlage zumeist eine Zeit von 1 bis 2 Jahren vergeht.

8.2. Ausarbeitung der Pläne

Die Ausarbeitung der Pläne für die Ausführung von Meß- und Regelanlagen geht üblicherweise in Stufen vor sich, wobei die Angabe von Einzelheiten jeweils so weit getrieben wird, daß eine möglichst fehlerfreie, zügige Montage möglich wird.

Auf der Grundlage des Verfahrensplanes werden das Betriebsschema, gegebenenfalls ein Meßstellenschema, Installationspläne und spezielle Teilzeichnungen erarbeitet. Ein Modell der Anlage kann die Anschaulichkeit der Pläne verbessern. In enger Zusammenarbeit mit den Abteilungen Apparatebau und Elektrotechnik wird ferner der Zeitplan der Montagearbeiten aufgestellt.

Alle diese Planungsarbeiten erleichtern die Montage so wesentlich, daß sich die dafür aufgewandten Techniker- und Ingenieurstunden durch verringerte Montagekosten vielfach bezahlt machen. Allerdings setzt eine so ins einzelne gehende Planung eine ausgearbeitete Konzeption voraus. Änderungen, die noch während der Montage vorgenommen werden sollen, können die beste Montagevorbereitung zunichte machen. Sie kosten nicht nur erhebliches Geld und verärgern das gesamte Montagepersonal, sondern sind oft auch die Ursache von Anfahrschwierigkeiten.

Tafel 4. Zahlenwerte zum Verfahrensplan nach Bild 100

Lfd. Nr.			1	2	3	4	5	6	7	8
			Dampf	Zulauf	Kopfabzug	Rücklauf	Sumpfabzug	Abgas, roh	Abgas, rein	Rückstand
1.	Durchfluß max.	kg/h	500	1 000	255	100	845	155	115	40
2.	Durchfluß normal	kg/h	350	600	154	60	506	94	69	25
3.	Durchfluß min.	kg/h	100	200	53	20	167	33	23	10
4.	Druck (üb. Atm.)	at	14	10	8	8	8	2	2	2
5.	Temperatur	°C	200	30	85	40	95	40	20	20
6.	Dichte	kg/m^3 kg/Nm^3	7,45	900		867	897		1,3	863
7.	Methanol	Gew. %		52	42,2	75	57,6	21,0	0,5	81
8.	Wasser	Gew. %	100	36	10,6	20	42,0	4,6	0,1	18
9.	CO	Gew. %		9,5	38	2	—	61,2	82,5	—
10.	CO_2	Gew. %		1,5	6 6	2	—	9,6	13,0	—
11.	H_2	Gew. %		0,4	1,8	0,5	—	2,6	3,5	—
12.	Unbekannt	Gew. %		0,6	0,8	0,5	0,4	1,0	0,4	1,0

8.2.1. Verfahrensplan

Zu Beginn der Planungsarbeiten für die Meß- und Regelungstechnik sollte zumindestens ein Mengenstromplan und ein Wärmestromplan des Verfahrens vorhanden sein. Oft stehen auch schon Apparatezeichnungen zur Verfügung, in welche die herrschenden Zustandsgrößen, also Drücke, Temperaturen usw. eingetragen werden. In Bild 100 ist ein derartiger Verfahrensplan einer einfachen Trennkolonne dargestellt. Die wesentlichen Produkt- und Energieleitungen sind mit Ziffern gekennzeichnet, die Durchflüsse lassen sich aus der zugehörigen Liste entnehmen. Dabei ist es notwendig, neben den Normalwerten auch die kleinsten und größten Durchflüsse sowie gegebenenfalls die Zusammensetzung der Produkte anzugeben, Tafel 4.

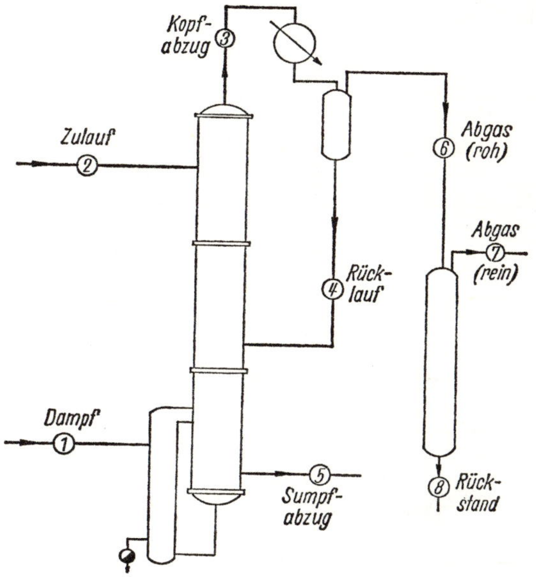

Bild 100
Verfahrensplan einer Trennkolonne

8.2.2. Gerätesymbole

Zur Aufstellung von Plänen für die Meß- und Regelgeräte hat man früher recht verschiedenartige Symbole und Bezeichnungen verwendet, und es hat in Deutschland lange Auseinandersetzungen darum gegeben, die so weit gediehen sind, daß man heute nur noch zwischen zwei Systemen wählen sollte. Das eine System mit sehr wenigen Gerätesymbolen und vielen Buchstaben und Ziffern wird von der ISA (Instrument Society of America) [48], [49], [50] empfohlen. Es wird in den meisten westlichen Ländern und auch in Deutschland vorzugsweise dann verwendet, wenn größere Anlagen oder Anlagenteile auf einem Blatt dargestellt werden müssen. Die deutschen Vorschläge verwenden demgegenüber eine größere Zahl von Symbolen und entsprechend weniger Buchstaben und Ziffern. In endgültiger Fassung liegt seit Dezember 1954 DIN 2481 „Wärmekraftanlagen, Sinnbilder und Schaltpläne" vor. Im Mai bzw. Juni 1965 wurden die Entwürfe zu DIN 40 700 „Schaltzeichen, Analogrechen- und Regelungstechnik" sowie zu DIN 19 227 „Sinnbilder und Kennbuchstaben für Messen, Regeln und Steuern in der Verfahrenstechnik" veröffentlicht. Mit diesen Blättern ist es möglich, sogar jedes einzelne Gerät in seiner Beschaffenheit

Sinnbild	*Benennung*	*Beispiel, Bemerkung*
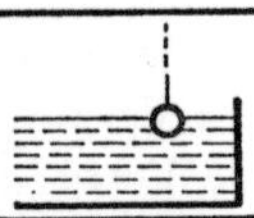	*Schwimmer*	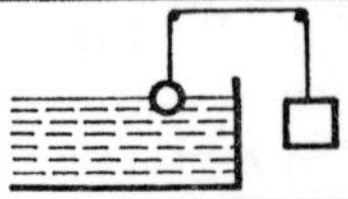
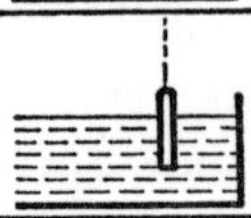	*Auftriebskörper*	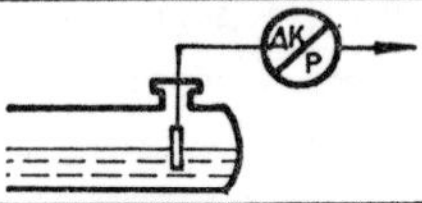
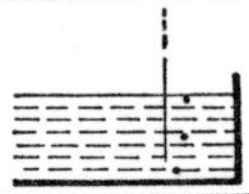	*Perl-Rohr, Blubber-Rohr*	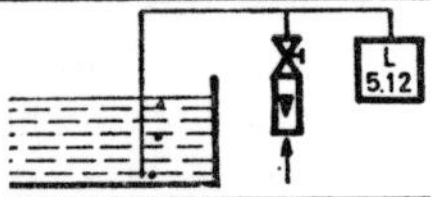
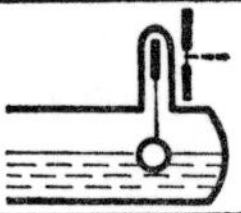	*Schwimmer mit induktivem Differenzgeber*	*nach DIN 40716 Bl. 6 Nr. 11*
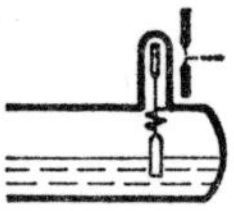	*Auftriebskörper mit Feder und induktivem Differenzgeber*	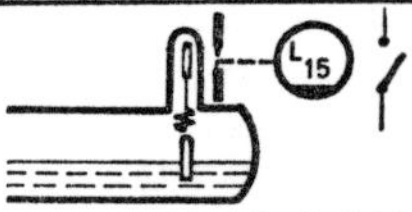 *nach DIN 40716 Bl. 6 Nr. 11*
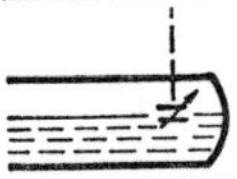	*Standfühler mit kapazitivem Geber*	*nach DIN 40716 Bl. 6 Nr. 13*
	*Kraftmeßdose mit Dehnungsmeßstreifen*	 *nach DIN 40716 Bl. 6 Nr. 2*
	*Kraftmeßdose mit magneto-elastischem Geber*	*nach DIN 40716 Bl. 6 Nr. 8*
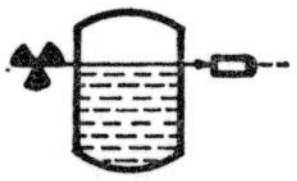	*Standfühler durch Strahlungsabsorption*	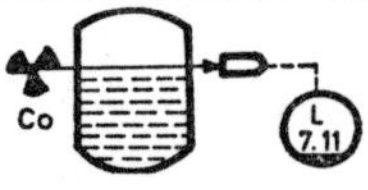 *nach DIN 40700 Bl. 13, lfd. Nr. 1 und nach DIN 25400*
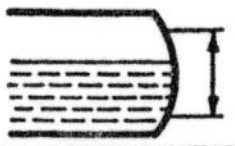	*Standglas*	
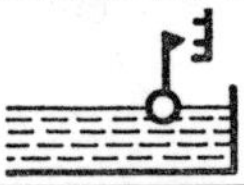	*Schwimmerstandanzeiger*	
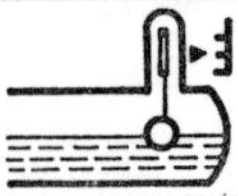	*Schwimmerstandanzeiger mit magnetischer Übertragung*	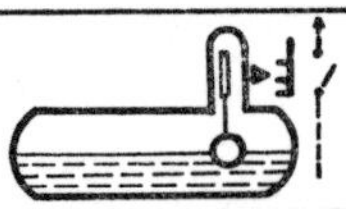

Bild 101. Füllstandmesser nach DIN 19 227

zu klassifizieren, was natürlich nur bei ausgesprochenen Detailzeichnungen Sinn hat, während sich Übersichtszeichnungen mit allgemeinen Symbolen begnügen sollten. So enthält z. B. DIN 19 227 zwölf verschiedene Symbole für Füllstandmesser, Bild 101, während die ISA-Symbole nur einen Kreis (allgemeine Messung) vorsehen, in dem ein L (level) als erster Buchstabe steht (s. z. B. Bild 103). Regler werden nach ISA durch ein C (controller) als zweiter oder dritter Buchstabe im Kreise gekennzeichnet. Demgegenüber sehen die drei zitierten Normblätter drei verschiedene allgemeine Reglersymbole vor, die in Bild 102 nebeneinandergestellt sind. Hier ist eine Vereinheitlichung dringend erforderlich.

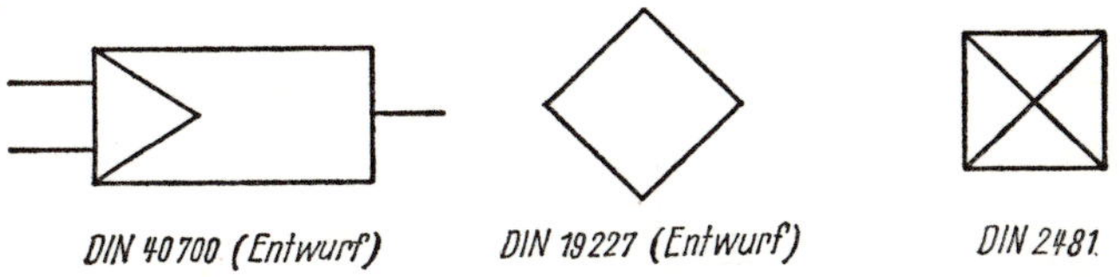

Bild 102. Reglersymbole in DIN-Blättern

8.2.3. Betriebsschema

Für die genaue Planung aller Messungen und Regelungen sollte ein vollständiges, einigermaßen maßstabgetreues Schema der verfahrenstechnischen Apparaturen vorliegen. Durch Eintragen aller Meß- und Stellgeräte entsteht daraus das Betriebsschema. Diese Instrumentierungsplanung geschieht in einer gründlichen Zusammenarbeit aller an der Anlageplanung beteiligten Arbeitsgruppen. Den ersten so ausgearbeiteten Plan wird sich jeder Beteiligte gründlich durchdenken müssen, und es ist üblich, daß der Plan mehrfach abgeändert wird, ehe sich alle geeinigt haben. In Anlagen mit vielen Reglern ist es nicht immer möglich, das günstigste Regelungsschema schon bei der Planung festzulegen. Man wird sich dann auf ein voraussichtlich erfolgreiches Schema einigen und kann, sofern man Meßumformer und Einheitsregler verwendet, durch einfaches Umschließen der Signalleitungen sehr leicht andere Schemata verwirklichen.

Bild 103 zeigt das Betriebsschema einer einfachen Anlage; die Symbole entsprechen weitgehend denen der ISA. Durch die Einzeichnung der Bühnen (Stockwerke) des Gerüstes, in denen die Apparatur untergebracht ist, lassen sich hierbei schon die Montageorte der Geräte weitgehend festlegen.

8.2.4. Meßstellenschema

Besteht eine Anlage aus mehreren zusammenwirkenden Teilen, oder ist sie sehr groß, so muß das Betriebsschema notwendigerweise aus mehreren Blättern bestehen. Zur Erzielung einer besseren Übersicht wird dann häufig ein gesonderter Plan der Messungen und Regelungen in einem sogenannten Meßstellenschema hergestellt. In diesem nicht maßstäblich gezeichneten Plan treten die Apparatesymbole zurück, auch fehlen hierin die Angaben über die technischen Daten, wie z. B. die Leitungsnennweiten und die Nenndrücke.

In Bild 104 sind für ein derartiges Meßstellenschema die Zeichnungen mit NAMUR-Sinnbildern (Vorläufer zu DIN 19 227) und mit ISA-Sinnbildern wiedergegeben, (aus [47] S. 1479).

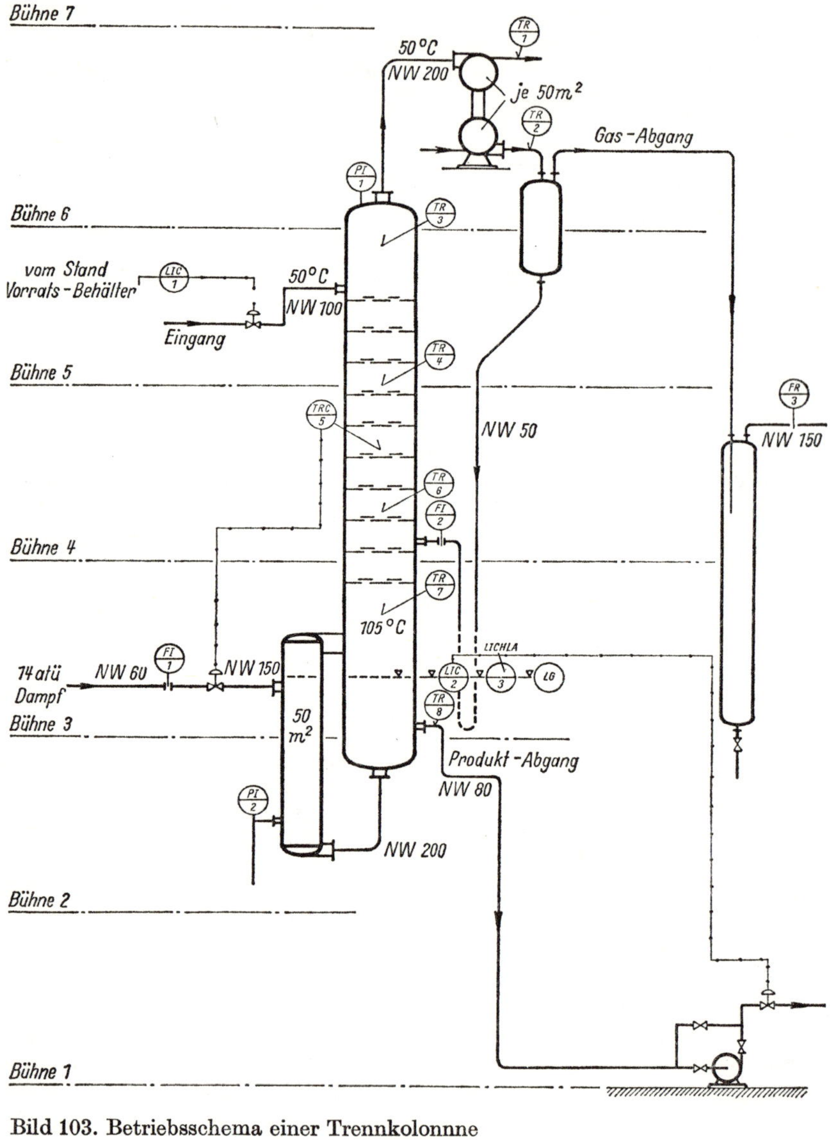

Bild 103. Betriebsschema einer Trennkolonnne

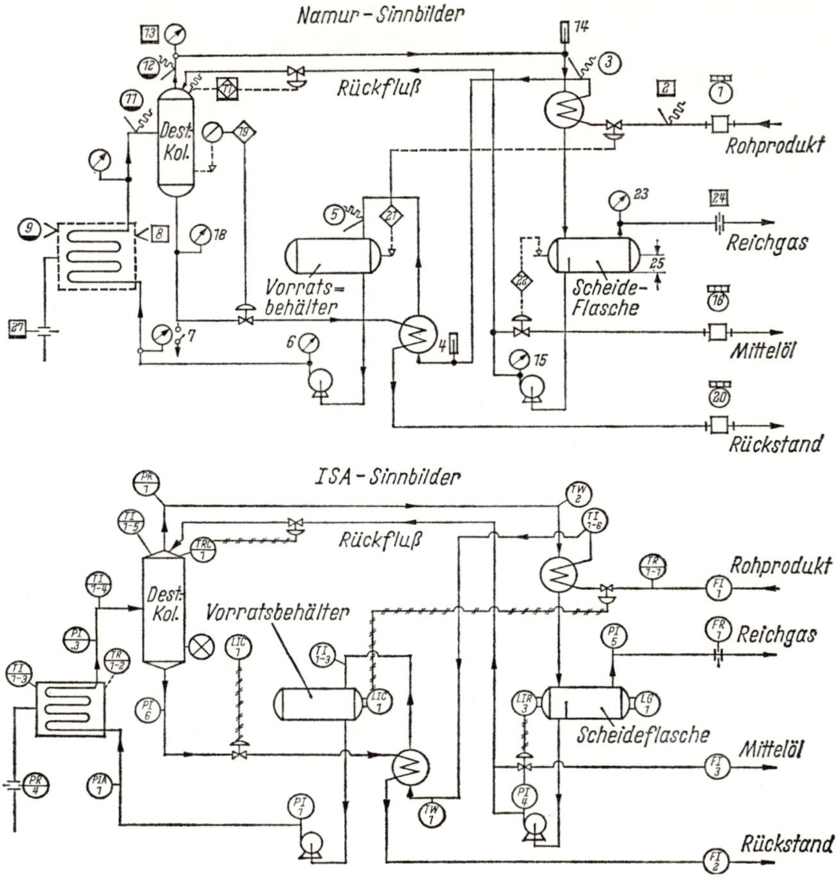

Bild 104. Meßstellenschema

oben: mit Namur-Sinnbildern, unten: mit ISA-Sinnbildern

8.2.5. Auswahl der Meß- und Regelgeräte

Die Auswahl der Meß- und Regelgeräte richtet sich nach den im Abschn. 8.1.2 genannten Gesichtspunkten. Bei der Wahl der Meßmethoden sind jedoch in erster Linie die Eigenarten des Mediums (Zähigkeit, Verschmutzung, Korrosion) sowie die Zustandsgrößen (Druck, Temperatur) entscheidend. So wird z. B. für Durchflüsse die robuste und billige Messung mit Blende und Differenzdruckmeßumformer bevorzugt. Sie läßt sich jedoch nicht anwenden, wenn die Strömung pulsiert oder wenn der Durchfluß wesentlich stärker als im Verhältnis 1 : 3 verändert wird. Unter diesen Bedingungen erzielen Volumenmesser und Geschwindigkeitsmesser noch gute Meßergebnisse, sie sind jedoch oft wesentlich teurer, und jeder Gerätetyp (Ovalradzähler, Trommelzähler, Turbinenmesser, induktiver Durchflußmesser, Gasuhr, usw.) hat nur einen wesentlich kleineren Anwendungsbereich als die Blenden.

Bei gleich guten Meßeigenschaften verschiedener Geräte wird die Auswahl durch den notwendigen Wartungsaufwand, die Montagekosten, die Reparatur- und Justiermöglichkeiten und den Preis wesentlich beeinflußt. Man sollte auch bestrebt sein, nicht allzu viele Ersatzteile und Reservegeräte bereitzuhalten und muß deswegen die Zahl der Gerätetypen und Lieferanten begrenzen, auch wenn man dann nicht für jede Aufgabe das technisch am besten angepaßte Gerät einsetzt. Schließlich wird, besonders bei neuartigen Geräten, oftmals demjenigen Hersteller der Vorzug gegeben, mit dessen anderen Geräten bereits gute Erfahrungen gewonnen wurden oder dessen Kundendienst zufriedenstellend ist.

8.2.6. Gerätelisten

Die in den Abschnitten 8.2.3 und 8.2.4 beschriebenen Pläne werden durch die Geräteliste ergänzt. In diese Liste werden die zu jeder Meßstelle und gegebenenfalls der von ihr beeinflußten Regelung gehörigen Geräte eingetragen. Also zu einem Durchflußregelkreis die Blende, der Differenzdruck-Meßumformer, der Regler, das Leitgerät, der radizierende Schreiber, das Stellgerät und gegebenenfalls der Stellungsregler. Für jedes Gerät wiederum werden die technischen Daten, zum Beispiel Nenndruck, Material, Bereich der Eingangs- und Ausgangsgröße sowie der Lieferant eingetragen. Sinnvollerweise trägt man in diese Liste bei Durchflüssen die Normalwerte sowie den größten und kleinsten vorkommenden Wert, bei Stellgliedern auch den kleinsten und größten Druckabfall ein. Diese Geräteliste dient vor allem als Stückliste für die Montage. Sie kann aber auch durch Eintragung des geforderten Liefertermins für eine Eingangskontrolle zur Terminüberwachung herangezogen werden.
In Tafel 5 ist ein Ausschnitt aus einer Geräteliste wiedergegeben, die zu der in den Bildern 100 und 103 gezeigten Trennkolonne gehört.
Für größere Anlagen werden zusätzliche Listen für diejenigen Geräte aufgestellt, die in größeren Stückzahlen benötigt werden und jeweils eine genaue Spezifikation erfordern. In den Tafeln 6 und 7 sind als Beispiele Ausschnitte aus solchen Listen für Stellglieder und Drosselgeräte dargestellt.

8.2.7. Installationspläne

Eine weitere Präzisierung erfährt die Planung durch die Ausarbeitung der Installationspläne. Als Rohzeichnung für die Installationspläne verwendet man den Lageplan (Grundriß) der Anlage. Bei mehrstöckigen Gebäuden bzw. Gerüsten mit mehreren Bühnen wird für jedes Stockwerk ein eigener Plan angelegt. An Hand dieser Lagepläne, die auch die Rohrleitungen enthalten, wird der Montageort jedes Gerätes bestimmt und eingetragen. Bei dieser Festlegung ist auf eine gute Zugänglichkeit der Geräte zu achten, damit die Wartung, Fehlersuche und Reparatur oder ein Austausch rasch und einfach erledigt werden können. Wurde ein wichtiges Gerät so eingebaut, daß erst ein Gerüst aufgestellt werden muß, ehe es ausgewechselt werden kann, oder daß man es zur Wartung und Justierung erst nach einer waghalsigen Klettertour erreicht, so entstehen zu hohe Kosten für die routinemäßige Überprüfung, so-

Tafel 5. Geräteliste zu der Trennkolonne in Bild 103 (Ausschnitt)

Meß-stellen-Nr.	Stück	Meßgerät	Meß- oder Regelaufgabe Abmessungen	Meßbereich	Durchfluß kg/h max.	norm.	min.	P atü	ΔP at	t °C	Dichte kg/Nm³	ND	NW	Mat.	Liefe-rant	Bestell-tag Eing. am	Bemerkung
FI 1	1 1 1	Blende Δp-Meßumformer Anzeigegerät	Dampf z. Kolonne 144×72	0 bis 500 kg/h 2,5 mWS 0,2 bis 1,0	500	350	100	14		200	7,44	25 100	50	St. 35			mit Be-gleit-heizung u. Isolierung
FI 2	1 1 1	Blende Δp-Meßumformer Anzeigegerät	Rückfluß 144×72	0 bis 100 kg/h 2.5 mWS 0,2 bis 1,0	100	60	20			40	800	25 100	50	4571			
LI 1	1	Niveauumformer	Stand von Vorrats-Beh. 144×72	1,0 m				1		30	900	25	80	4571			Mit Schwim-mergefäß
	1 1 1	Anzeigegerät Einheitsregler Leitgerät		0,2 bis 1,0 0,2 bis 1,0													
	1	Membranventil	Produkt zur Kolonne		1000	600	200	12	2	30	900	25	100	4571			
PI 1	1 1	p-Meßumformer Anzeigegerät	Kolonnendruck 144×72	0 bis 10 atü				8		60		25		4571			
TR 1	1	Widerst. Therm	Kühlwasser-Ausgang														auf Schrei-ber Nr. 1
TR 2	1	Widerst. Therm	Kopfabzug-Ausgang														auf Schrei-ber Nr. 1
	1	Zweifach-Punktschreiber	192×288	0 bis 100 °C													

Tafel 6. Ausschnitt aus einer Stellgliedliste

Meß-stellen-Nr.	Regel-aufgabe	Betriebs-mittel	Durch-fluß kg/h	ϱ n kg/m³	t °C	P_1 atü	ΔP at.	NW	ND	k_v	Sitz	öffn./schl.	Kennlinie	Baulänge	Material Geh.	Sitz Keg.	Pak-kung	Kühlrippe	Stellungs-regler	Heizmantel	Bemerkun-gen
LIC 1	Stand-regelung von Vor-rats-Behälter	Produkt	1000	900	30	12	2	100	25	65	65	Ö	log.	350	4530	4571	Teflon		X		

Tafel 7. Ausschnitt aus einer Drosselgeräteliste

Meß-stellen-Nr.	Anzahl	Betriebs-mittel	Durchfluß kg/h	Drossel Nr.	Art	d mm	Mat.	Bau-länge mm	Ein-bau W/S	NW	ND	P_1 atü	t_1 °C	η $\frac{kps}{m^2}$	Dichte $\frac{kg}{Nm^3}$	$\frac{kg}{m^3}$	WD Geber	ΔP mm WS	Bemerkung
FI 1	1	Dampf	500	66–1001	Bl.	20	St. 35.	65	W	50	25	14	190			7,44	MU	2500	
FI 2	1	Rückfluß	100	66–1002	Bl.	10	4571	25	W	50	25	8	40			800	MU	2500	eichen

fern sie aus Bequemlichkeit nicht entfällt, und ein Geräteausfall verursacht eine lange Betriebsunterbrechung. Ein schlecht gewählter Montageort beeinträchtigt also den Nutzwert der Geräte ebenso wie ein ungeeignetes oder unzuverlässiges Gerät. Außer den Montageplätzen der Geräte gehören in den Installationsplan die Verteilerkästen der Signalleitungen, die Kabeltrassen und die Kabelnummern. Auch die Anschlüsse für die Hilfsenergieversorgung, vor allem Ringleitungen oder Hauptanschlüsse für Druckluft und Drucköl werden in den Installationsplan eingetragen.

Installationspläne für elektrische Anlagen werden nach DIN 40 717 gestaltet. Für die Anlagen der Verfahrenstechnik, die neben elektrischen auch pneumatische und hydraulische Geräte enthalten, empfiehlt es sich, die Installationspläne in Anlehnung an dieses DIN-Blatt auszuführen, die Bezeichnung der Meßstellen, Stellgeräte usw. jedoch nach den in Abschn. 8.2.2 genannten Normen durchzuführen. **Bild 105** gibt ein Beispiel für einen derartigen Installationsplan.

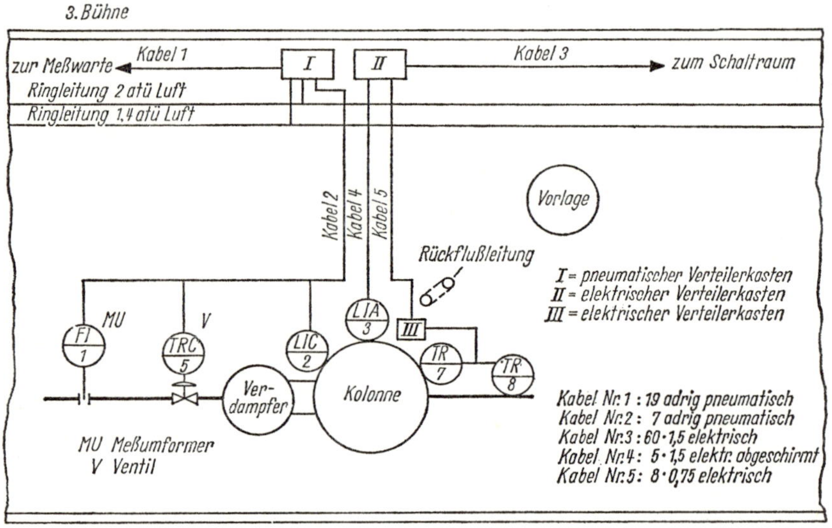

Bild 105. Installationsplan für Trennkolonne

8.2.8. Anlagenmodell

Die Anschaulichkeit der Installationspläne wird wesentlich verbessert, wenn ein maßstäbliches Anlagenmodell angefertigt wird, das alle Meßstellen, Stellgeräte und Kabeltrassen enthalten sollte. Solche Modelle — oft im Maßstab 1 : 25 — werden in größeren Anlagen vor allem zur Übersicht über die Anordnung der Apparate, Pumpen, Rohrleitungen und dergleichen angefertigt [51]. Da das Modell vor Beginn der Montage fertig sein muß, finden alle Planer nochmals Gelegenheit, ihre Anordnungen zu überprüfen und gegebenenfalls Verbesserungen vorzunehmen.

Während der Montagezeit soll das Modell nahe dem Montageplatz stehen, die Montageleitung kann es zur Unterweisung der Arbeitsgruppenleiter, zur Demonstration der Arbeitsabläufe und auch sehr gut zur Koordinierung der verschiedenen Arbeitsgruppen benutzen. Beim Anfahren stellt man das Modell nach Möglichkeit im Bedienungsraum auf und macht damit die neue Mannschaft mit der Anlage vertraut. An Hand des Modells lassen sich die Wirkungen von Eingriffen in das Verfahren gut erklären, der Betriebsführer kann aber auch die Arbeitspunkte bei Störungen in der Anlage leicht bezeichnen. Nach Fertigstellung aller Arbeiten ist schon manches Modell zum Ausstellungsstück geworden, sei es auf Messen, sei es für Betriebsführungen. So wurde auch das Modell einer großen petrochemischen Anlage, das im Bild 106 zu sehen ist, in dem Meßhaus aufgestellt, um Besuchern vor einem Rundgang durch die ausgedehnte Anlage einen Überblick über das Verfahren zu vermitteln

Bild 106. Modell einer petrochemischen Großanlage

8.2.9. Schaltpläne, Kabelpläne

Das Zusammenwirken von miteinander verbundenen Bauelementen, Geräten und Gerätegruppen sowie ihre Energieversorgung wird in Schaltplänen festgehalten. Für elektrische Geräte gibt DIN 40 719 Definitionen und zahlreiche Ausführungsbeispiele. Für verfahrenstechnische Anlagen interessieren neben dem schon erläuterten Installationsplan vor allem Leitungspläne, in die die Leitungen zwischen Geräten und Gerätegruppen eingetragen werden. Bauschaltpläne zeigen die Innenverbindungen von Geräten, sie sind wichtig für Reparaturen und die Störungssuche und sollten vom Hersteller mit den Geräten geliefert werden.

Während für Starkstromanlagen, Fernmelde- und Fernwirkeinrichtungen immer Leitungspläne angefertigt werden, erstellt man sie für Meßleitungen in der Verfahrenstechnik nur dann, wenn besondere Signalverknüpfungen vorgenommen werden. Für einfache Meßaufgaben, wie z. B. Temperaturmessungen begnügt man sich dagegen zumeist mit Kabelbelegungsplänen und führt jeden Meßkreis nach einem nur einmal festgelegten Schema aus. An den Meß- und Regelgräten werden die Anschlüsse vom Hersteller zumeist deutlich bezeichnet, oft sind auch Anschlußpläne an sichtbarer Stelle des Gerätes auf der Innenseite des Gehäusedeckels angebracht, so daß ein fehlerfreier Anschluß möglich ist. Bild 107 zeigt die Leitungsführung einer Gerätegruppe zur Verhältnisregelung, die einer Betriebsanweisung entnommen ist.

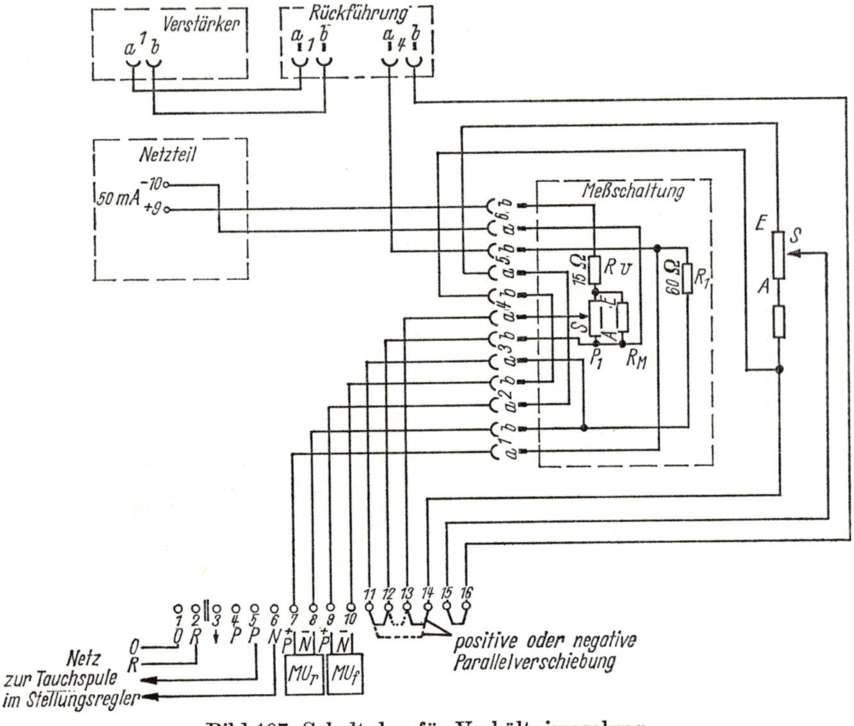

Bild 107. Schaltplan für Verhältnisregelung

Leitungspläne für pneumatische Gerätegruppen werden gleichfalls nur bei komplizierten Zusammenschaltungen, wie z. B. Kaskadenregelungen oder Störwertaufschaltungen, angefertigt, da die pneumatischen Geräte an sich ausreichend beschriftet sind und die übliche Verbindungstechnik mit Metall- oder Kunststoffrohren dem Montagepersonal bekannt ist. Bild 108 zeigt die Leitungsführung für eine Kaskaden-Verhältnisregelung, für die ein eigener Leitungsplan doch schon sinnvoll ist.

Die seit Jahren sehr beliebte Technik des Zusammensteckens von pneumatischen Schreibern, Reglern und Leitgeräten vereinfacht die Montage innerhalb der Meßwarte ganz wesentlich und macht den Leitungsplan für diese Gerätegruppe zum Bauschaltplan, der nur bei Störungssuche, nicht aber zur Montage benötigt wird. Da auch das Auswechseln von Geräten dabei sehr einfach ist, erfreut sich diese Technik großer Beliebtheit.

Eine gleichfalls wesentlich vereinfachte Leitungsführung ergibt sich bei Verwendung der in letzter Zeit entwickelten sogenannten Kompaktregler. In diesen Geräten sind das Leitgerät, ein Anzeiger für Führungsgröße und Regelgröße (oder Regelabweichung) und der Regler in einem Gehäuse vereint. Die Geräte werden direkt in die Felder der Meßwarten eingebaut und haben einen geringen Platzbedarf.

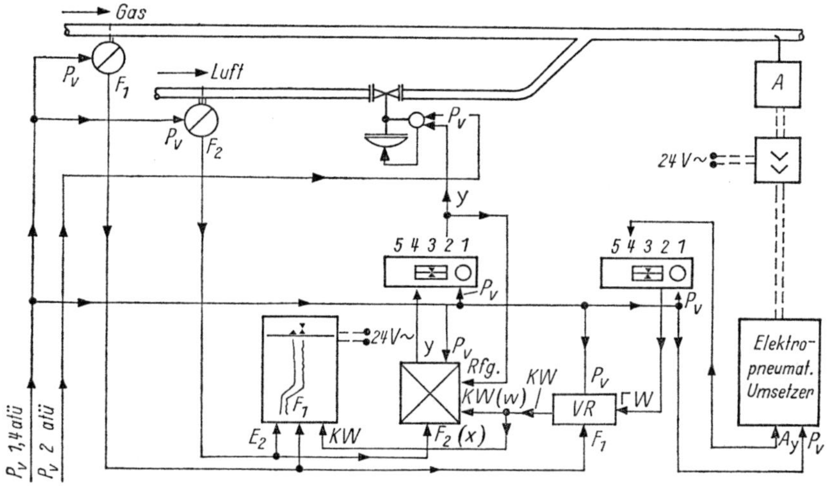

Bild 108. Schaltplan einer Verhältnisregelung mit Kaskadenaufschaltung eines Analysenreglers

Die Lage und damit auch die Länge der elektrischen und der pneumatischen Kabel wurde schon beim Installationsplan festgelegt. Die Zahl der benötigten Adern einschließlich einer ausreichenden Zahl von Reserveadern ergibt sich aus der Zahl und Art der verwendeten Geräte. Für jedes Kabel wird eine Belegungsliste mit den Meßstellennummern und den zugehörigen Geräten ausgefüllt. Das Auflegen der Kabelenden in den Verteiler- bzw. Rangierschränken wird ebenso durch einen Plan bestimmt. Diese Arbeiten sind gerade in größeren Anlagen für die Störungssuche außerordentlich wichtig. Sie bringen aber nur dann ihren vollen Nutzen, wenn jede Änderung sofort in die Kabellisten und Schrankpläne eingezeichnet wird.

Bei der Verlegung von elektrischen Leitungen sind die einschlägigen Vorschriften zu beachten. So sollen prinzipiell Schwachstrom- und Starkstromkabel genügend getrennt sein, um Einstreuungen zu vermeiden. Für sehr schwache Signale werden eigens abgeschirmte Leitungen verwendet. Aber auch für die Meßleitungen sind oft verschiedene Kabel zu verwenden, so zum Beispiel für die Ausgleichsleitungen bei Temperaturmessungen mit Thermoelementen und für die Leitungen eigensicherer Stromkreise, die nicht mit anderen stromführenden Leitungen in einem Kabel gemeinsam geführt werden dürfen und durch blaue Farbe besonders gekennzeichnet werden.

8.2.10. Zeitplanung

Der Zeitbedarf zum Errichten einer Anlage wird einerseits von den Lieferterminen und andererseits vom Arbeitsablauf am Montageort bestimmt. Für ein Einzelobjekt hat man etwa folgende Abschnitte (Aktivitäten) zu beachten:

Ausarbeitung der Anfrage an den Lieferanten.

Zeit bis zum Eingang des Angebotes.

Vergleich verschiedener Angebote und Ausschreiben der Bestellung.

Bestätigung des Bestelleinganges durch den Lieferanten.

Lieferzeit.

Eingangskontrolle.

Transport zum Montageort.

Montage und Verbindung mit den zusammenwirkenden Teilen (oft in viele Unterabschnitte aufgeteilt).

Isolierung, Anstrich, Gerüstbau.

Überprüfung im Endzustand.

Inbetriebnahme.

Für die hier angegebenen Aktivitäten ist jeweils eine gewisse Arbeitsleistung von Kaufleuten, Technikern und Handwerkern erforderlich. Diese Leute müssen bereitgestellt werden.

Die Zeitplanung beginnt mit der Genehmigung des Objektes. Sind einige Teile mit besonders langer Lieferzeit im Programm enthalten, so bestimmen diese den ersten Teil des Zeitplanes, und man sollte alle anderen Bestellungen so abfassen, daß die Teile zwar rechtzeitig aber nicht viel zu früh eintreffen. Sie würden sonst nur Lagerplatz und Kapitalverzinsung benötigen, ohne Nutzen zu bringen.

Den Zeitablauf der Einzelarbeiten hat man früher gern in Balkendiagrammen dargestellt und überwacht. Diese Technik ist für kleinere Objekte nach wie vor üblich, bei größeren jedoch unzureichend, weil das Balkendiagramm die Abhängigkeit der verschiedenen Arbeitsabläufe voneinander nicht ohne weiteres erkennen läßt. Eine solche Übersicht verschafft die Netzplantechnik [52], [53], [64] mit deren Hilfe seit einigen Jahren zahlreiche Großobjekte der verschiedensten Arbeitsgebiete überwacht und koordiniert wurden. Ihr Anwendungsbereich reicht von der Raketenkonstruktion bis zum Autobahnbau und hat besonders beim Bau von großen petrochemischen Anlagen gute Erfolge erzielt.

Um eine solche Zeitplanung zu verwirklichen, ist allerdings viel Arbeit von den Technikern und Ingenieuren aller am Objekt beteiligten Gruppen zu leisten. Neben den eingangs genannten Zeiten für die Arbeitsabschnitte ist jeweils noch die Abhängigkeit von anderen Arbeiten anzugeben. So läßt sich z. B. ein Stellgerät erst dann montieren, wenn die Rohrleitung gelegt ist, und man kann es erst anschließen, wenn das Kabel gezogen ist.

Beim Netzplanverfahren nach CPM (Methode des kritischen Weges), für das Bild 109 ein einfaches Beispiel gibt, wird jede Aktivität mit einem Pfeil bezeichnet; an dem Pfeil wird der voraussichtliche Zeitaufwand angegeben.

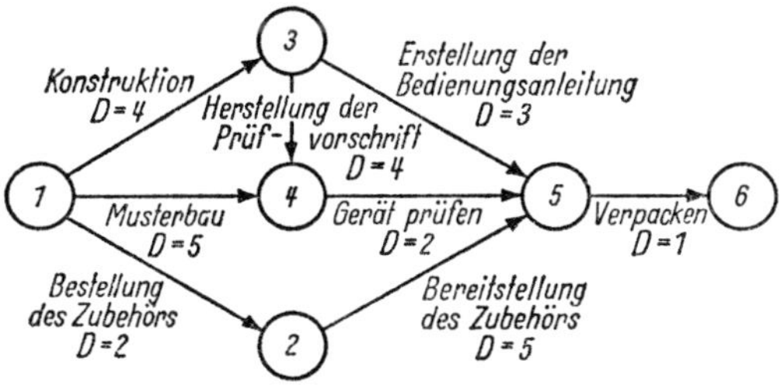

Bild 109
Netzplan

Aktivitäten, die erst nach Beendigung anderer begonnen werden können, liegen in Pfeilrichtung hintereinander. Es entsteht so ein vielfach verästeltes Netz von Linien und Knoten, der Netzplan. Man verfolgt alle möglichen Wege in Pfeilrichtung vom Start bis zum Endergebnis und sucht den Weg mit dem größten Zeitaufwand, den kritischen Pfad. Dieser kritische Pfad ergibt die Gesamtdauer des Objektes, eine schnellere Abwicklung des Programmes läßt sich nur erreichen, wenn Aktivitäten, die auf dem kritischen Pfad liegen, abgekürzt werden können. Man kann also mit dem CPM-System die Terminüberwachung auf die wesentlichen Aktivitäten konzentrieren. Mit der einmaligen Aufstellung eines Netzplanes ist es jedoch nicht getan, der Plan muß während des Ablaufes ständig mit der Wirklichkeit verglichen werden, wobei es leicht geschehen kann, daß durch Verzögerungen einer Lieferung oder Montage ein anderer kritischer Pfad entsteht, der nun besonderer Überwachung bedarf.

Eine andere Methode der Netzplantechnik, PERT genannt, setzt keine feste Zeit für eine Aktivität ein, sondern drei, nämlich die kürzeste, die längste und die wahrscheinlichste Dauer. Damit wird die Planung zwar elastischer, aber auch aufwendiger. Andere Methoden beziehen die Kosten und den Personalaufwand mit in die Berechnung ein. Für Netzpläne mit mehr als 100 Aktivitäten empfiehlt man die Berechnung mit Digitalrechnern, für die zahlreiche Rechenprogramme ausgearbeitet wurden.

8.3. Sicherstellung der Hilfsenergie

8.3.1. Allgemeines

Die Verfahrenstechnik verwendet Meß- und Regelgeräte mit pneumatischer, elektrischer und hydraulischer Hilfsenergie. Für den erfolgreichen Betrieb der Meß- und Regelanlagen ist es entscheidend, daß die Hilfsenergien ständig in ausreichender Menge und Qualität bereitstehen [54]. Da die Hilfsenergie sowohl zur Weiterleitung von Meßwerten als auch zum Stellen benötigt wird, ist die Wirkung eines Hilfsenergieausfalles unter diesen beiden Gesichtspunkten zu betrachten.

Hilfsenergieausfälle treten nur selten als große Störungen eines ganzen Netzes auf. Häufiger sind Störungen durch Teilausfall, die z. B. durch Fehler bei Montagearbeiten, örtliche Überlastungen und lokale Störungen verursacht werden. Da man sich gegen solche Zufälle nicht vollständig schützen kann, muß durch eine sorgfältige Planung die Wirkung von Ausfällen der Hilfsenergie möglichst klein gehalten werden. Solche vorbeugende Maßnahmen ist z. B. die Verwendung von zwei Meßinstrumenten mit verschiedener Hilfsenergie für die gleiche Meßaufgabe und die Hintereinanderschaltung eines ferngesteuerten und eines handbetätigten Stellgliedes.

8.3.2. Pneumatische Hilfsenergie

Träger der pneumatischen Hilfsenergie ist vor allem komprimierte Luft, in wenigen Fällen werden auch andere komprimierte Gase verwendet (Erdgas, Stickstoff u. a.). Da Druckluft auch als sogenannte Arbeitsluft zum Betrieb von Werkzeugen, zum Ausblasen und Abpressen von Apparaturen usw. benötigt wird, steht sie in größeren Werken in ausreichender Menge zur Verfügung. Für die Verwendung als Betriebsmittel von Meß- und Regelgeräten müssen jedoch strenge Forderungen an die Reinheit der Luft gestellt werden [55], [56]. In komprimierter Luft sind im allgemeinen Wasser, Öl und Staub, vor allem Rost, enthalten. Das Wasser bereitet die meisten Schwierigkeiten. Es stammt aus der Luft und fällt nach der Kompression nicht sofort aus, da sich die Lufttemperatur durch Kompression wesentlich erhöht (üblicherweise um etwa 50 grd). Beim allmählichen Temperaturausgleich würde sich das Wasser in den Rohrleitungen abscheiden, wenn man nicht hinter die Kompressoren eine Tiefkühlung oder eine Wasserkühlung mit nachfolgender Silicagel-Trocknung schalten würde. Ist eine solche Trocknung der gesamten Arbeitsluft zu aufwendig, so empfiehlt sich die Errichtung eines getrennten Leitungsnetzes für getrocknete Instrumentenluft. Besonders kritisch bezüglich des Wassergehaltes sind längere Frostperioden, in denen sich bei ungenügend getrockneter Luft Eis bildet, das zu Rohrverstopfungen oder bei Tauwetter zur plötzlichen Freisetzung von großen Wassermassen führt.

Feuchte Luft erzeugt Rost in der Leitung, der sich nicht nur durch die allmähliche Zerstörung der Leitung, sondern sehr bald durch die Verstopfung von Filtern unangenehm bemerkbar macht.

Ist eine Verwendung der Arbeitsluft als Instrumentenluft nicht zu umgehen, so sollten zumindestens innerhalb des Gebäudes keine Querverbindungen zwischen beiden Netzen möglich sein. Ferner ist die eigentliche Arbeitsluft durch Rückschlagventile dagegen abzusichern, daß über eine offene Arbeitsluftleitung Flüssigkeit, vor allem Wasser, in die Instrumentenluftleitung gelangen kann, was nach dem Abpressen von Behältern immer wieder vorkommen kann. Große Flüssigkeitsabscheider im Eingang der Instrumentenluftleitung bieten eine verbesserte Sicherheit gegen solche unliebsamen Ereignisse.

Staub läßt sich beim Ansaugen der Luft nicht vollständig entfernen, manche Kompressortypen erzeugen weiterhin fein verteilte Ölnebel, die sich nur schwer niederschlagen lassen. Hinzu tritt bei feuchter Luft noch der in den Leitungen gebildete Rost. Es ist deshalb üblich, am Eingang der Instrumentenluft in das Gebäude einen oder mehrere gute Filter anzubringen, die oft zugleich noch einen Wasserabscheider enthalten. Gerade eine Mischung von Wasser, Öl und Staub kann die feinen Düsen der pneumatischen Geräte in kürzester Zeit verstopfen und damit die Geräte unbrauchbar machen. Es ist deshalb vielfach üblich, die Druckluftzuführung zu den Einzelgeräten nochmals mit einem Wattefilter zu versehen und damit eine zweite Feinfilterung durchzuführen.

Druckluftnetze werden zumeist mit Überdrücken zwischen 3 und 6 at betrieben. Zur Versorgung der Meß- und Regelgeräte wird heute einheitlich ein Überdruck von 1,4 at benötigt, lediglich Stellantrieben werden teilweise höhere Drücke zugeführt. Große Meßwarten erhalten zumeist eine Ringleitung, in die einige parallel geschaltete Reduzierstationen einspeisen, die auf einen Ausgangsdruck von 1,4 at eingestellt sind. Von der Ringleitung zweigen die Einzelversorgungsleitungen ab, oft Schläuche von 4 mm Innendurchmesser. Für entferntere Anlagenteile wird eine Einzel- oder Gruppenversorgung mit reduzierter Luft bevorzugt. Dazu stehen gute Reduzierstationen zur Verfügung. Sie sind zumeist mit einem Luftfilter zusammengebaut und lassen 6 bis 10 Nm^3/h Luft durchströmen, womit 3 bis 5 Geräte auch bei schnellen Änderungen der Betriebsgrößen, d. h. bei hohem dynamischen Luftverbrauch, ausreichend versorgt sind.

Wie bereits erwähnt, sind Ausfälle der Luftversorgung im Gesamtnetz selten. Sie sind sogar wesentlich seltener als Netzausfälle in der Stromversorgung. Da zumeist mehrere Kompressoren zur Verfügung stehen und das Druckluftnetz selbst eine merkbare Speicherkapazität hat, machen sich kurzfristige Ausfälle der Kompressoren ohnehin nicht bemerkbar. In sehr kritischen Anlagen werden jedoch auch Hilfsaggregate zur Eigenerzeugung von Druckluft verwendet. Sie können elektrisch angetrieben werden, aus Sicherheitsgründen sind jedoch Verbrennungsmotoren oder Dampfmaschinen als Antriebe vorzuziehen. Eine weitere Sicherung der pneumatischen Hilfsenergie gestattet die Speicherung von Druckluft in Behältern. Besonders günstig ist die Speicherung bei höherem Druck, z. B. 20 at. Schließlich ist es in einigen Werken möglich, bei Ausfall der Druckluft die Meß- und Regelgeräte mit dem vorhandenen Druckstickstoff zu betreiben. In geschlossenen Meßhäusern entsteht dabei jedoch eine Gefahr für das Bedienungspersonal, wenn zu lange Stickstoff aus den Geräten ausbläst und eine ausreichende Lufterneuerung nicht gewährleistet ist. Die Aufrechterhaltung des notwendigen Luftdruckes (vorwiegend 1,4 at $\pm$ 0,1 at Überdruck) ist im allgemeinen nicht kritisch. Selbst wenn der Druck im Hauptnetz stark schwankt, werden die Übertragungseigenschaften der angeschlossenen Geräte nur wenig beeinflußt, da diese Schwankungen durch die Reduzierstationen — das sind Regler ohne Hilfsenergie — schon stark geglättet werden und die modernen pneumatischen Geräte ziemlich unempfindlich gegen Vordruckänderungen sind.

In größeren Anlagen werden außerdem der Netzdruck und der reduzierte Druck durch Signalgeräte überwacht, und bei Unterschreiten einer bestimmten Grenze (z. B. 2,5 at Überdruck im Netz und 1,25 atü in der Instrumentenluft) wird alarmiert. Man hat dann dank der Speicherwirkung des Netzes noch einige Minuten Zeit, um Sicherheitsmaßnahmen zu treffen, bzw. Reserveaggregate in Betrieb zu nehmen.
Eine zusätzliche Sicherung der Stellantriebe gegen Hilfsenergieausfall wird bei der Planung dadurch geleistet, daß man für jedes Stellglied festlegt, ob es bei Hilfsenergieausfall öffnen oder schließen soll. Durch die Federn üblicher Membranantriebe ist diese Bewegung in eine Endlage ja vorgezeichnet. Es gibt jedoch auch blockierbare Antriebe, die bei Hilfsenergieausfall in der zuletzt eingenommenen Stellung verharren. Eine Weiterführung dieser Gedanken führt dazu, kritische Anlagen einfach durch Wegnahme der Hilfsenergie abzustellen, wobei diese Notabstellung entweder von Hand oder automatisch von einer Signalanlage aus erfolgen kann.

8.3.3. Elektrische Hilfsenergie

Die Hilfsenergie zur Versorgung elektrischer Meß- und Regelgeräte wird vorwiegend einem Wechselstromnetz von 220 Volt Nennspannung und 50 Hz entnommen. Bei Wechselstromeinspeisung ist man in der letzten Zeit weitgehend von der direkten Einspeisung mit 220 Volt abgegangen und bevorzugt 24 Volt, die besser zu handhaben sind und keinen Berührungsschutz erfordern. Gleichstromeinspeisungen für einige Typen von Reglern, Meßumformern für Schalteinrichtungen und Magnetventile benötigen häufig 24 Volt. Für die Temperaturmessung mit Widerstandsthermometern sind dagegen Spannungen von 4 bis 6 Volt üblich.
Die Qualität der Hilfsenergie ist vor allem durch die jeweilige Spannung gekennzeichnet. Spannungsschwankungen werden überwiegend durch lokale Belastungen des Netzes hervorgerufen. Im allgemeinen rechnet man mit möglichen Werten der Spannung zwischen 190 und 240 Volt. An ungünstigen Betriebspunkten bei knapp ausgelegtem Netz werden sogar Spannungseinbrüche bis herab zu 180 oder 170 Volt beobachtet. Sofern nicht besondere Stabilisierungsmaßnahmen getroffen werden, ist mit proportionalen Spannungsschwankungen bei der Niederspannungs-Versorgung zu rechnen.
Weitere Nennwerte der Wechselstromversorgung sind die Netzfrequenz und die Kurvenform. Frequenzänderungen im öffentlichen Netz sind sehr gering, dagegen können bei der Eigenversorgung Frequenzabweichungen von einigen Prozenten auftreten. Eine Abweichung der Wechselspannung vom sinusförmigen Verlauf ist besonders in der Nähe großer Gleichrichter und hinter manchen Einrichtungen zur Spannungsstabilisierung zu erwarten. Es empfiehlt sich, eine Analyse der verfügbaren Hilfsenergie vorzunehmen und gegebenenfalls diejenigen Meßgeräte zu bevorzugen, die von der Frequenz und der Kurvenform wenig beeinflußt werden.
Störungen der elektrischen Hilfsenergieversorgung treten plötzlich auf und können wegen der Eigenschaften von elektrischen Schutzmaßnahmen, Über-

lastsicherungen und Verriegelungen, schon bei einer Dauer von Bruchteilen einer Sekunde zu wesentlichen Betriebsstörungen führen. Sie entstehen nicht nur infolge von Netzausfall, sondern oft in kleinen oder größeren lokalen Versorgungsgruppen. Durch sinnvolle Auslegung der Sicherungen für die Einzelgeräteversorgung und für kleine Gruppen läßt sich eine weitere Ausbreitung solcher Störungen vermeiden, so daß der Betrieb nach Möglichkeit keine Unterbrechung erleidet.

Während der geringe Strombedarf für die Meßgeräte durch viele der unten genannten Maßnahmen sichergestellt werden kann, haben die elektromotorischen Antriebe, Magnetventile und elektrischen Heizungen so große Leistungen, daß sie oft nicht an die Notstromversorgung angeschlossen werden können. Elektromotorische Antriebe bleiben zumeist in der zuletzt eingenommenen Stellung stehen, sie können mit zusätzlichen Handrädern versehen werden, wenn das Stellglied im Gefahrenfall unbedingt abgesperrt oder voll geöffnet werden muß.

Als Sicherung gegen den Ausfall eines Netzes oder der gesamten Versorgung für die Meß- und Regelgeräte haben sich die folgenden Maßnahmen bewährt, die auch in der Fachliteratur vielfach beschrieben wurden [51, 54, 57].

Sind zwei Netze verfügbar, von denen eines oft die Eigenversorgung des Werkes und das andere die öffentliche Energieversorgung ist, so können Umschaltgruppen die Energieversorgung bei Ausfall eines Netzes auf das andere umschalten. Allerdings darf die Belastung beim Umschalten nicht so groß sein, daß nun das andere Netz wegen Überlastung zusammenbricht. Eine elegante aber aufwendige Art dieser Umschaltung ist die Kopplung eines eigenen Generators für die Instrumentenversorgung mit einem Synchronmotor, der am Betriebsnetz hängt, und einem Asynchronmotor, der am öffentlichen Netz hängt und bei Ausfall des Betriebsnetzes die Last übernimmt.

Eine Umschaltung zwischen zwei großen Netzen reicht dann nicht aus, wenn von der Versorgung mit Hilfsenergie die Sicherheit der Anlage und der darin beschäftigten Menschen abhängen können. Man baut dann eine Notstromversorgung auf, an welche nur die besonders wichtigen Verbraucher, zu denen auch Meßgeräte und Signalanlagen zählen, angeschlossen werden dürfen.

In großen Betrieben unterhält man oft ein von der sonstigen Energieversorgung getrenntes Notstromnetz, das von einer eigenen, besonders gesicherten Stromerzeugungsanlage ständig gespeist wird. In kleineren Betrieben findet man dagegen häufiger Notstromaggregate, die erst bei einem Stromausfall Energie erzeugen und an die vorgesehenen Verbraucher liefern. Man unterscheidet dabei zwischen Schnellbereitschaftsaggregaten, bei denen die Stromversorgung noch um einige Zehntelsekunden unterbrochen ist und den wesentlich aufwendigeren Sofortbereitschaftsaggregaten, bei denen keine Stromunterbrechung eintritt [59].

Notstromaggregate, die aus einem Verbrennungsmotor und einem davon angetriebenen Generator bestehen, benötigen eine Energiereserve, die beim Stromausfall Energie an den Generator liefert, gleichzeitig den Verbrennungs-

motor „hochreißt" und somit dessen Schnellstart erzwingt. Für Aggregate kleiner und mittlerer Leistung sind Schwungräder, die dauernd angetrieben werden müssen, die geeigneten Energiespeicher; bei größerem Leistungsbedarf sind Druckspeicher mit einer Turbine wirtschaftlicher [60].
Muß man nur Vorsorge gegen kurze Stromunterbrechungen tragen, so kann die Energie für die Notstromversorgung auch Batterien entnommen werden. Der Batteriestrom treibt entweder einen Generator oder er wird über Wechselrichter umgeformt [58]. Eine aufwendige Lösung, die zugleich eine gute Qualität der elektrischen Hilfsenergie sicherstellt, wurde in einigen Raffinerien verwirklicht [51]. Dabei treibt ein über Trockengleichrichter aus dem Netz gespeister Gleichstrommotor einen Drehstromgenerator an. Bei Netzausfall übernimmt eine große Batterie die Versorgung des Gleichstrommotors und ermöglicht es, einen Netzausfall von 30 bis 60 Minuten zu überbrücken. In Bild 110 ist die Schaltung dieser Notstromversorgung dargestellt.

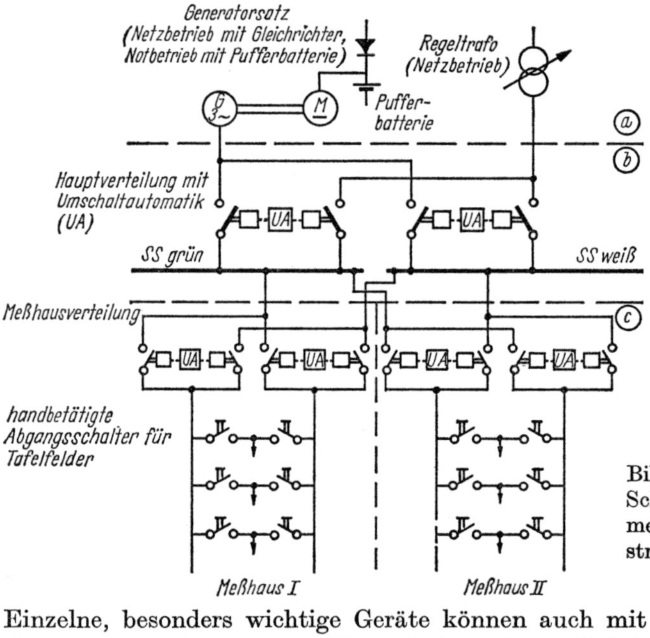

Bild 110
Schaltplan eines Instrumentennetzes mit Notstromversorgung

Einzelne, besonders wichtige Geräte können auch mit kleinen Versorgungseinheiten gespeist werden. Sie enthalten einen Gleichrichter, ein Ladegerät und eine Batterie, die bei Ausfall des Netzes für viele Stunden die Stromversorgung des jeweiligen Meßgerätes übernimmt.

8.3.4. Hydraulische Hilfsenergie

Geräte mit hydraulischer Hilfsenergie sind in der Verfahrenstechnik bei weitem nicht so häufig anzutreffen wie Geräte mit pneumatischer oder elektrischer Hilfsenergie. Zum Messen wird hydraulische Hilfsenergie ohnehin nicht verwendet, zum Stellen bei sehr großen Stellkräften ist sie jedoch nach wie vor beliebt. Viele moderne hydraulische Stellantriebe enthalten eine eigene elektrisch angetriebene Ölpumpe und bieten kaum mehr Probleme als direkte elektromotorische Antriebe. In einigen Anlagen, vor allem in Hochdruckbetrieben und in Energieversorgungsanlagen existieren jedoch eigene hydraulische Energienetze mit Drücken zwischen 40 und 200 at. Als Flüssigkeit wird vorwiegend Öl, daneben aber auch Wasser und ein Wasser-Glykol-Gemisch verwendet. Zur Zeit geht die Tendenz dahin, schwer brennbare Hydraulik-Öle zu entwickeln, die noch recht teuer sind.

An die Sauberkeit der Hydraulikflüssigkeit werden sehr große Forderungen gestellt, da schon geringe Festkörperbeimengungen schnell zum Verschleiß der Steuereinrichtungen und damit zu großen Verlusten an Drucköl führen. Zur Speicherung von Druckflüssigkeiten dienen heute meist Behälter, die im Inneren eine Blase enthalten, über der Druckgas steht [61]. Die Blase verhindert das Eindringen von Gas in das Öl, was beim Entspannen zur Schaumbildung führen würde. Ältere Hydraulikspeicher sind mit Federn oder Gewichten belastet.

8.4. Montage von Meß- und Regelgeräten

8.4.1. Lage und Gestaltung der Meßwarte

Schon eingangs wurde darauf hingewiesen, daß die Meßwarte günstig zu den übrigen Betriebsteilen liegen soll, um die Leitungslängen möglichst kurz zu halten. Andere Gesichtspunkte, vor allem der Überblick über die Anlage von der Meßwarte aus und der Explosionsschutz, können jedoch auch dazu führen, daß die Meßwarte etwas von den übrigen Betriebsgebäuden abgerückt wird. Auf jeden Fall hält man moderne Meßwarten frei von produktführenden Leitungen und belüftet sie gegebenenfalls, um darin frei von einschränkenden Bestimmungen montieren und auch nicht explosionsgeschütze Geräte verwenden zu können. Eine Klimaanlage für die Meßwarte ist empfehlenswert, vor allem wenn empfindliche elektrische Geräte verwendet werden.

In älteren Betrieben liegt die Meßwarte oft zwischen oder unter Apparateteilen. Das sollte bei Neubauten vermieden werden, da unter diesen Bedingungen u. U. Produkt oder Gas in die Meßwarte dringen kann, was wiederum Explosionsgefahr mit allen ihren Einschränkungen bedeutet. Zumeist wird die Meßwarte zu ebener Erde oder leicht erhöht errichtet. Liegen jedoch die wesentlichen Bedienungselemente des Betriebes auf einer anderen Höhe, so kann sich auch die Meßwarte auf dieser Höhe befinden, sie wird dann über Stege oder Brücken mit dem Betrieb verbunden.

In der Meßwarte wird eine Blechwand errichtet. Sie enthält einzelne Tafeln mit Ausbrüchen für die Schreiber, Anzeiger, Leitgeräte und Signallampen. Regler werden nur teilweise in diese Meßwand eingebaut. Oft werden sie auf Schreiber und Leitgeräte gesteckt, teilweise auch hinter der Meßwand getrennt montiert.

Die Meßwand ist normalerweise etwa 2 m hoch und sollte mindestens 1,5 m Abstand von der dahinterliegenden Wand des Raumes haben. Die Gestaltung der Felder kann recht unterschiedlich sein. Manche Betriebe zeichnen Apparatesymbole in diese Felder und ordnen die Geräte in oder neben diesen Apparatesymbolen an. Da man bestrebt ist, immer mehr Geräte auf einer möglichst kleinen, übersichtlichen Fläche unterzubringen, setzt man neuerdings die Geräte vorzugsweise in ein recht enges Raster und bringt eine Anlagedarstellung oberhalb der eigentlichen Meßwand an. Bei dieser eng gedrängten Anordnung von Anzeigern und Bedienungselementen sollte besonders darauf geachtet werden, daß aufeinanderwirkende bzw. zusammengehörige Messungen und Regelkreise auch dicht nebeneinander zu liegen kommen. Es ist deshalb notwendig, die Anordnung auf der Meßwand in Zusammenarbeit mit dem Betriebsführer und dem Bedienungspersonal festzulegen. Die Meßwand wird oft ergänzt durch ein Pult, auf dem neben dem Telephon und der Rufanlage, die in allen Großanlagen erforderlich ist, auch besonders wichtige Messungen, z. B. Temperaturanzeige mit Tastenanwahl untergebracht sind. Ausgedehnte Pulte, die alle Leitgeräte und viele Anzeigeinstrumente enthalten, sind in Kraftwerken häufiger, in der Verfahrenstechnik dagegen nur vereinzelt anzutreffen.

Die Meßwarte erfordert eine ausreichende, blendungsfreie Beleuchtung vor und hinter der Meßwand. Eine Klimaanlage ist ebenfalls zu empfehlen; sie ist für hochwertige elektrische Instrumente ohnehin erforderlich.

Hinter der Meßwand liegen die Anschlüsse der Geräte. Die Leitungen müssen einerseits übersichtlich, andererseits aber auch flexibel verlegt sein, so daß die Störungssuche, das Auswechseln eines Gerätes wie auch Umschaltungen möglichst rasch ausgeführt werden können. Die Stege zwischen den Einzelblechen der Meßwand nehmen die Leitungen auf. Alle pneumatischen Leitungen werden im Meßraum in Kunststoff verlegt, was viel billiger ist und leichter geändert werden kann als die früher übliche Verlegung mit Kupferrohren.

8.4.2. Lage und Gestaltung des Schaltraumes

Der Schaltraum soll in Ergänzung zur Meßwarte die Leitungsverteilung, Signal- und Schaltgeräte sowie die Energieversorgung der Meßwartegeräte enthalten. Während in kleinen Anlagen ein oder mehrere Schaltschränke ausreichen, erfordern Großanlagen eigene Schalträume, die gegebenenfalls noch in den pneumatischen und den elektrischen Schaltraum unterteilt werden.

Der Schaltraum liegt im Idealfall unter oder über der Meßwarte. So erhält man die kürzeste Leitungslänge und die übersichtlichste Installation. Ein Schaltraum im Kellergeschoß ist allerdings nur dann ratsam, wenn absolut keine Überschwemmungsgefahr besteht. Aus baulichen Gründen müssen Schalträume oft hinter der Meßwarte liegen, in ihnen lassen sich schon verwirrende Leitungskreuzungen nicht ganz vermeiden.

Schalträume dürfen nicht den Bestimmungen des Explosionsschutzes unterworfen sein. Sie sollten gut zugänglich sein und bedürfen einer sorgfältigen Raumaufteilung. Neben einer guten Zugänglichkeit aller Verbindungen ist besonders auf die Beschriftung aller Anschlüsse und Leitungsverteilungen zu achten. Genügend Rerseveplatz für Kabel und Schaltelemente ist beim Neubau bereitzustellen.

8.4.3. Lage und Gestaltung der Analysenräume

Analysengeräte sind nicht für die Aufstellung im Freien geeignet und müssen besonders geschützt werden. Werden in einem Betrieb mehr als etwa fünf Analysengeräte benötigt, so sollte ein eigener Analysenraum geschaffen werden [62]. Analysenräume ermöglichen die sorgfältige Wartung und Justierung, die bei Analysengeräten schwieriger ist und häufiger erfolgen muß als bei anderen Betriebsmeßgeräten. Im Analysenraum werden nicht nur die Analysengeräte selbst, sondern auch die meisten Geräte zur Probevorbereitung untergebracht. Das sind vor allem Gaskühler, Gasumschalter, Waschflaschen, Filter, Trockner und Durchflußregler. Der Analysenraum selbst wird gut belüftet, beleuchtet und nach Möglichkeit thermostatisiert. Alle Hilfsmittel, vor allem die Prüfgase und Reaktionsflüssigkeiten, werden in ihm untergebracht. Wichtig ist auch die Vorsorge zur vollständigen Ableitung bzw. Sammlung der analysierten Substanzen und der verbrauchten Reaktionsflüssigkeiten.

Der Bau von Analysenräumen erzwingt oft längere produktführende Leitungen, die zu erheblichen Anzeigeverzögerungen führen können [63]. Man kann diese Verzögerungen durch folgende Maßnahmen vermindern: Die Druckreduzierung erfolgt unmittelbar an der Probenahmestelle. Es werden Probe-Leitungen mit möglichst geringem Querschnitt verwendet, die so rasch durchströmt werden, wie es der Produktverbrauch und der Druckabfall längs der Leitung zulassen. Da viele Analysengeräte selbst nur mit begrenztem Durchfluß durchströmt werden dürfen, setzt man vor sie einen Umgang, durch den laufend Probesubstanz strömt. Damit erhält man die gewünschte hohe Strömungsgeschwindigkeit in den zuführenden Probeleitungen, überlastet aber das Analysengerät selbst nicht.

Die Einzelmontage von Analysengeräten ist in folgenden Fällen erforderlich:

Es werden nur sehr wenig Analysengeräte benötigt.

Wegen hoher dynamischer Anforderungen an das Analysengerät kann die Leitungsverzögerung nicht in Kauf genommen werden, z. B. bei Analysenregelungen, die rasch arbeiten müssen.

Die Probenahmestelle sitzt zu weit vom Analysenraum entfernt.

Bei einer solchen Einzelmontage erhält das Analysengerät einen staubdichten, beheizten und gegebenenfalls belüfteten Schrank, der groß genug ist, um auch Geräte zur Probevorbereitung in sich aufzunehmen.

8.4.4. Montage von Anlagegeräten

In der Anlage, d. h. an oder in der Nähe von Apparaturen und Rohrleitungen, werden vor allem die Fühler, Meßumformer und Stellglieder, ferner örtliche Meßgeräte und örtliche Regler montiert. Da viele Anlagen in Gerüsten ohne Dach erstellt werden, sind auch die Anlagegeräte der Witterung, dem Schmutz und der Außenkorrosion ausgesetzt. Nach Möglichkeit sollten sie so robust sein, daß sie im Freien montiert und betrieben werden können. Empfindliche Geräte, die im Betrieb montiert werden müssen, umgibt man mit Blechkästen, die im Bedarfsfalle isoliert und geheizt werden können. Stellgeräte erhalten oft einen gewissen Witterungsschutz dadurch, daß man sie mit Säcken aus Plastikfolie abdeckt.

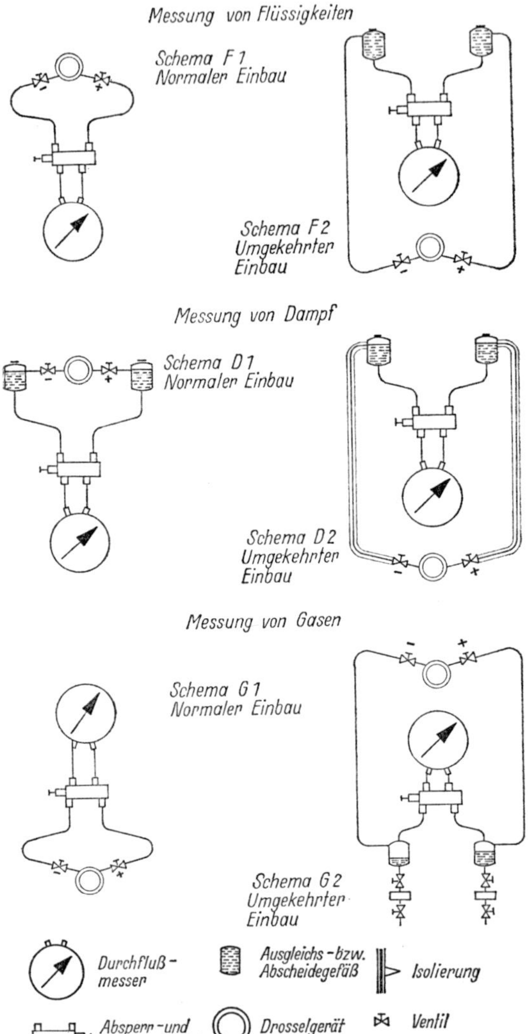

Bild 111
Anordnung von Blende und Meßgerät für eine Durchflußmessung

Bei der Montage der Fühler und Meßumformer sind die Einbauvorschriften, die sich aus der jeweiligen Meßtechnik ergeben, zu beachten. So richtet sich z. B. der Einbau von Drosselgeräten in die Rohrleitungen nach DIN 1952.

Die Führung der anschließenden Wirkdruckleitungen hat sich nach dem jeweiligen Meßstoff zu richten. Bild 111 zeigt die grundsätzlichen Montagemöglichkeiten. Das Absperr- und Ausgleichsventil und die Handventile ermöglichen eine Nullpunktkontrolle des Gerätes im Betrieb und die Entfernung von Gasresten bei Flüssigkeitsmessungen bzw. von Flüssigkeitsresten bei Gasmessungen. Umgänge um Durchfluß-Meßgeräte, die in die Rohrleitung eingebaut sind, ermöglichen zwar ein Auswechseln des Gerätes während des Betriebes, wird ein solcher Umgang jedoch im Normalbetrieb nicht vollständig geschlossen, so erhält man eine entsprechende Fehlmessung, also neue Störungsmöglichkeiten.

Der Einbau von Temperaturfühlern ist in der Richtlinie VDE/VDI 3511 „Technische Temperaturmessungen" ausführlich beschrieben. Bei Temperaturmessungen hat man vor allem dafür zu sorgen, daß die Temperatur am Meßort gut auf den Fühler übergeht und daß der Einfluß anderer umliegender Temperaturen, z. B. der Außentemperatur, weitgehend unterbunden wird. Entsprechende Hinweise auf die Montage anderer Meßgeräte erhält man schon aus den jeweiligen Betriebsanleitungen der Hersteller, daneben auch aus den Büchern über Meß- und Regelungstechnik [47]. Meßumformer werden unter Vermeidung langer produktführender Leitungen möglichst nahe am Fühler, jedoch an einem gut zugänglichen Platz montiert (s. a. Abschn. 8.2.7). Kann der Meßstoff im Meßumformer einfrieren oder auskristallisieren, so ist eine Begleitheizung mit Isolierung für den Meßumformer und die Verbindungsleitungen vorzusehen. Ein besonderer Schutzkasten für Meßumformer ist i. a. nicht erforderlich, da die Gehäuse robust und korrosionssicher sind.

Stellgeräte, zumeist Ventile, werden oft mit einem Umgang versehen. Ob man diese Einbauart empfehlen kann, hängt von den jeweiligen Betriebsumständen ab. Vorteile des Umgangs sind: Das Stellgerät kann jederzeit ausgebaut werden; über den Umgang lassen sich vorübergehend größere Durchflüsse erzielen; beim Anfahren kann der Schmutz durch den Umgang gespült werden, ohne daß er in das Stellglied gelangt. Nachteile des Umgangs sind höhere Installationskosten; mehr Flansche und damit mögliche Undichtigkeiten; bleibt der Umgang versehentlich offen, so wird die wirksame Kennlinie verändert; die Leitung kann im Bedarfsfalle nicht mehr schnell abgeschlossen werden.

Zwei Gruppen von Reglern werden in der Anlage montiert: Zum einen die Regler, die das Meßwerk mit seinen Produktleitungen enthalten. Das sind z. T. Regler ohne Hilfsenergie, z. T. Regler mit Hilfsenergie für untergeordnete Aufgaben. Für diese Regler gelten die gleichen Regeln wie für Meßumformer. Zum anderen werden pneumatische Einheitsregler dann in der Nähe des Meß- und Stellortes montiert, wenn die pneumatischen Leitungen zur Meßwarte so lang werden, daß ihre Verzögerungen die Regelgüte beeinträchtigen. Das trifft vor allem auf die Durchfluß- und einige Druckregelungen zu. Man verwendet in diesen Fällen die besonders robusten Feldregler.

Pneumatische Leitungen mit dem Innendurchmesser von 4 mm werden in den Anlagen im allgemeinen zu Kabeln zusammengefaßt. Kabel und Einzelleitungen sind üblicherweise aus Kunststoff gefertigt. In der Nähe von heißen Stellen, wie Dampfleitungen, werden pneumatische Leitungen aus Metall, vorwiegend aus Kupfer, verlegt. Die Einzelversorgung der Geräte mit Druckluft geschieht teilweise auch über kurze Leitungen mit 4 mm Innendurchmesser. Da die größeren Druckluftversorgungsleitungen meist aus Stahl gefertigt werden, erhält jedes Einzelgerät am Eingang einen kleinen Filter.

Die Installation elektrischer Geräte in der Anlage ist dann besonders schwierig, wenn der Betrieb den Bestimmungen des Explosionsschutzes unterliegt. Es genügt nicht, daß man nur Geräte verwendet, die das Ex-Zeichen tragen. Man muß auf Zündgruppe und Explosionsklasse achten, kann Ex-Geräte nicht beliebig miteinander kombinieren, und auch die Leitungsverlegung hat nach den einschlägigen Vorschriften zu erfolgen. Diese Vorschriften sind besonders in den VDE-Richtlinien 0165, 0170 und 0171 niedergelegt.

Vor allem hat die Installation der Ex-Geräte so zu erfolgen, wie sie in der Bescheinigung, die jedem derartigen Gerät beigegeben wird, vorgeschrieben ist.

8.5. Inbetriebnahme der Anlage

Sind alle Geräte montiert, alle Kabel und Leitungen verlegt, dann müssen die Geräte angeschlossen und auf ihre Funktionsfähigkeit geprüft werden. Es ist günstig, wenn hierzu genügend erfahrenes Wartungspersonal zur Verfügung steht und diese Arbeit des Ausprüfens nicht vom Montagepersonal übernommen wird. Dieses Verbinden und Prüfen muß sorgfältig geschehen und kostet notwendigerweise viel Zeit. Da es die letzte Arbeit der Meß- und Regeltechniker vor der Inbetriebnahme ist, steht sie besonders unter Zeitdruck. Einige Meß- und Regelgeräte können ohnehin oft erst in letzter Minute vor dem Anfahren gesetzt werden, da die Fertigmontage eines Apparates oder der Abbau eines Gerüstes abgewartet werden mußte. Es empfiehlt sich daher, in denjenigen Anlagenteilen, die früh fertiggestellt werden, alsbald mit dem Durchprüfen der Leitungen zu beginnen.
Von den Betreibern der Anlage soll man fordern, daß vor Produktionsbeginn alle produktführenden Leitungen gründlich gespült werden, damit Schmutz, Rost und die gefürchteten Schweißperlen entfernt werden. Empfindliche Meßgeräte, die im Produktfluß liegen, sollten dabei entfernt werden. Alle Filter sind nach dem Spülen zu öffnen und zu reinigen. Zu den Produktionsvorbereitungen gehört auch die Dichtigkeitsprüfung der Anlage, gegebenenfalls eine Druckprobe, von der auch alle Meßleitungen und Stellglieder erfaßt werden. Wenn es die Art des Verfahrens gestattet, sollte man noch einen Probelauf der Anlage mit einem Ersatzstoff, Wasser, Stickstoff oder dergleichen, unternehmen. Man kann dabei schon die Meßgeräte und das Signalsystem erproben, Heizungen und Kühlungen überprüfen und wird noch manchen Fehler, wie nicht gezogene Blindscheiben, entdecken. Besonders bei Destillationsanlagen ist eine solche Probedestillation mit Wasser sehr beliebt.

Zum Anfahren selbst stellt die Meß- und Regelungstechnik neben dem vorgesehenen Wartungspersonal einige besonders erfahrene Techniker und Handwerker bereit. Diese haben die Aufgabe, die Regler einzustellen und laufend alle Messungen zu überprüfen. Zumeist erweist es sich, daß einige Daten für

Meßgeräte und Stellglieder falsch waren, so daß noch gewisse Änderungen notwendig werden. Oft dauert diese Phase der Betriebsverbesserungen viele Wochen, dabei kann es erforderlich sein, das Regelschema neu zu durchdenken, Rohrleitungen abzuändern, andere Pumpen zu installieren usw. Stimmt nach einiger Zeit die Technik so weit, daß der Betrieb ohne Störungen produzieren kann, so gilt es, die verbliebenen Ungenauigkeiten in den Messungen zu beseitigen, so daß eine gute Betriebsüberwachung und -bilanzierung möglich ist. Erst dann wird die Anlage dem üblichen Wartungspersonal zur weiteren Betreuung übergeben.

Schrifttum

[1] *Mögli, A.:* Die regeltechnischen Eigenschaften kontinuierlich arbeitender Rektifizierkolonnen. Neue Technik (1962) S. 44/51.

[2] *Dobson, J. G.:* Optimale Regelung von Destillationskolonnen durch Vorausregelung mit Hilfe eines Elektronenrechners (Feed-Forward Computer Control). Regelungstechnik 8 (1960) S. 393/99.

[3] *Wilkinson, W. L.* u. *W. D. Armstrong:* An Investigation of the Transient Response of a Distillation Column, Plant and Process Dynamic Characteristics. Proc. of a Conference of the Society of Instrument Technology, 4. bis 6. April 1956. Academic Press, New York 1957.

[4] *Wilkinson, W. L.* u. *W. D. Armstrong:* Chemical Eng. Sciene 7 (1957) Nr. 1 und 2.

[5] *Ankel, Th.:* Übergeordnete Regelung verfahrenstechnischer Anlagen mit Digitalrechnern. Digitale Signalverarbeitung in der Regelungstechnik. Berlin: VDE-Verlag 1962, S. 279/301.

[6] *Ankel, Th.:* Anwendungen des Analogrechners in der chemischen Industrie. VDI-Z. 33 (1961) S. 718/24.

[7] *Hengstenberg, J.* u. *Th. Ankel:* Meßwertverarbeitung in der Chemischen Technik. Regelungstechnik 8 (1960) S. 330/35 u. S. 399/405.

[8] *Kuehn, D. R.* u. *H. Davidson:* Computer Control, Mathematics of Control. Chem. Engng. Progr. 57 (1961) S. 44/47.

[9] *Krochmann, E.:* Meßwertverarbeitung mit Hilfe von Rechengeräten und Ausnutzung der Ergebnisse in Regelkreisen. Regelungstechnik 9 (1961) S. 137/43.

[10] *Pendleton, A. D.:* Computer Control, The Computer System. Chem. Engng. Progr. 57 (1961) S. 48/50.

[11] *Slatosky, W. J.* u. *N. Sincic:* Computer Controls End-Point Temperature in Oxygen Steelmaking. ISA-Journal (Dezember 1961) S. 38.

[12] *Sturm, B.:* Über die Regelung chemischer Verfahren. Regelungstechnik 9 (1961) S. 445/54.

[13] *Giloi, W.:* Analogrechner in der chemischen Verfahrenstechnik. ETZ Ausg. A 84 (1963) S. 44/49.

[14] *Peinke, W.:* Rechenmaschinen in der Verfahrenstechnik. Beitrag BW 281 aus dem Lehrgangshandbuch „Regelung in der Verfahrenstechnik". VDI-Bildungswerk, Düsseldorf.

[15] *Rybak, T. B. M.:* Anwendung der direkten digitalen Regelung in der chemischen Industrie. messen — steuern — regeln (1966) H. 6, S. 95/99.

[16] *Oppelt, W.:* Kleines Handbuch technischer Regelvorgänge. Weinheim: Verlag Chemie 1964.

[17] *Solodownikow, W. W.:* Grundlagen der selbsttätigen Regelung, Bd. I. München: Verlag R. Oldenbourg 1959.

[18] *Profos, P.:* Die Regelung von Dampfanlagen. Berlin: Springer-Verlag 1962.

[19] *Pressler, G.:* Regelungstechnik. Bd. I. Mannheim: Bibliographisches Institut 1967.

[20] *Bauer, H.:* Berechnung von Regelkreisen mit nichtrationaler Übertragungsfunktion. messen, steuern, regeln 7 (1967) H. 2, S. 61/66.

[21] *Doetsch, G.:* Anleitung zum praktischen Gebrauch der Laplace-Transformation. München: Verlag R. Oldenbourg 1961.

[22] *Isermann, R.:* Das regeldynamische Verhalten von Überhitzern. Fortschritt-Bericht VDI-Z. Reihe 6, Nr. 4.

[23] *Isermann, R.:* Zur Messung des dynamischen Verhaltens von Regelstrecken mit determinierten Testsignalen. Regelungstechnik 15 (1967) S. 249/57.

[24] *Leonhard, A.:* Die selbsttätige Regelung. Berlin: Springer-Verlag 1962.

[25] *Schäfer, O.* u. *W. Feissel:* Ein verbessertes Verfahren zur Frequenzgang-Analyse industrieller Regelstrecken. Regelungstechnik 3 (1955) S. 225/29.

[26] *Welfonder, E.:* Kennwertermittlung an gestörten Regelstrecken mittels Korrelation und periodischen Testsignals. Fortschritt-Bericht VDI-Z. Reihe 8, Nr. 4.

[27] *Schäfer, O.:* Über den Einfluß und die Bekämpfung stochastischer Störgrößen in Verfahrensregelkreisen. Regelungstechnik 10 (1962) S. 2/6.

[28] *Schlitt, H.:* Systemtheorie für regellose Vorgänge. Berlin: Springer-Verlag 1960.

[29] *Solodownikow, W. W.:* Einführung in die statistische Dynamik linearer Regelungssysteme. München: Verlag R. Oldenbourg 1963.

[30] *Laning, J. H.* u. *R. A. Battin:* Random Processes in Automatic Control. New York: McGraw-Hill 1956.

[31] *Janzing, J.:* Untersuchungen über den Einfluß von stochastischen Störgrößen auf lineare und nichtlineare Regelkreise. Dissertation TH Aachen 1962.

[32] *Schäfer, O.* u. *J. Janzing:* Lineare Regelkreise unter dem Einfluß von stochastischen Störgrößen. In: Beitrag zur Analyse des dynamischen Verhaltens von Regelkreisen, Forschungsberichte des Landes Nordrhein-Westfalen Nr. 1645. Köln und Opladen: Westdeutscher Verlag 1966.

[33] *Schäfer, O.* u. *W. Becker:* Anwendung statistischer Methoden in der Regelungstechnik. Lehrgang des VDI-Bildungswerks: Anwendung theoretischer Verfahren in der Regelungstechnik.

[34] *Schwarz, H.:* Vorschläge zur Elimination von Kopplungen in Mehrfachregelkreisen. Dissertation TH Aachen, 1960; ferner Regelungstechnik 9 (1961) S. 454/59 u. S. 505/10.

[35] *Schwarz, H.:* Zur Automatisierung mehrfachgeregelter Systeme. Regelungstechnik 13 (1965) S. 286/93 und S. 378/84.

[36] *Kavanagh, R. J.:* The Application of Matrix Methods to Multivariable Control Systems. J. Franklin Inst. 262 (1956).

[37] *Mesarovic, M. D.:* The Control of Multivariable Systems. New York, London: John Wiley & sons 1960.

[38] *Engel, W.:* Grundlegende Untersuchungen über die Entkopplung von Mehrfachregelkreisen. Regelungstechnik 14 (1966) S. 562/68.

[39] *Schwarz, H.:* Mehrfachregelungen. Berlin: Springer-Verlag 1967.

[40] *Muckli, W.:* Analyse und Optimierung nicht entkoppelter Zweifachregelkreise. Dissertation TH Aachen 1968.

[41] *Schink, H.:* Automatisierung in der Lebensmittelchemie. Neue Technik 2 (1963) S. 82/91.

[42] *Weber, K.:* Pneumatische Logikschaltungen. JCE-Berichte 1965, S. 39/43.

[43] *Schink, H.:* Signalverknüpfungen mit pneumatischen Gliedern bei der Automatisierung. JCE-Berichte 1965, S. 44/47.

[44] *Fiehler, H., A. Köbele, H. Kowalski* u. *H. Schulz:* Über die pneumatische Regelung einer Dampferzeugeranlage. JCE-Berichte 1965, S. 14/18.

[45] *Schink, H.:* Regelschaltungen in der Zuckerindustrie. messen — steuern — regeln (1960) S. 269/74 u. S. 321/26.

[46] *Schurer, D.:* Über die vollautomatische Führung von Zementdrehöfen. JCE-Berichte 1965, S. 19/26.

[47] *Hengstenberg, Sturm, Winkler:* Messen und Regeln in der Chemischen Technik. Berlin: Springer-Verlag, 2. Aufl. 1964, Kapitel 8, S. 1379/1484.

[48] *Weis, E.:* Meß- und Regelanlagen in der Petrochemie. München: Verlag R. Oldenbourg 1965.

[49] „Instrumentation Flow Plan Symbols" herausgegeben von: Instrument Society of America (ISA) 1949.

[50] *Conison, J.:* Instrument Flow Plan Symbols. ISA-Journal 13 (1966), Heft 4, S. 59/65.

[51] *Balzereit, G.* u. *F. Heinrich:* Die Elektroinstallation elektrischer Prozeßregelsysteme. Rtp 7 (1965) S. 12/18.

[52] Versch. Autoren: Netzplantechnik und ihre Anwendung. VDI-Z. 108 (1966) S. 601/43.

[53] *Gewald, K.* u. *K. Kasper:* Planung und Überwachung der Siemens-Netzplantechnik. Siemens-Z. 40 (1966) S. 253/55.

[54] *Röver, M.:* Ausbildung von Energieanschlüssen mit Hilfseinrichtungen, in: Hengstenberg, J., Sturm, B. und Winkler, O.: Messen und Regeln in der Chemischen Technik. Berlin: Springer-Verlag 1964, S. 1418/29.

[55] *Fong, J. T., J. E. Wilson, E. E. Ludwig* u. *R. L. Dockendorff:* Designs on Air. Petroleum Refiner 34 (1955) S. 165/81.

[56] *Düser, R.:* Druckluft für pneumatische Meß- und Regelanlagen. Rtp 2 (1960) S. 96/104.

[57] *Paulus, W.:* Stromversorgung und ihre Lösung. Betriebstechnik 4 (1964) S. 170/72.

[58] *Brokerhoff, W.* u. *H. Struad:* Sicherheits-Stromversorgungsanlagen für Leistungs-, Meß- und Überwachungskreise bei Industrieanlagen. AEG-Mitt. 55 (1965) S. 524/27.

[59] *Amberger, H.:* Steuereinrichtungen für Dieselaggregate mit Speicherschwungrad, Siemens-Z. 40 (1966) S. 14/18.

[60] *Oberländer, G.:* Sofortreserve-Aggregate für große Leistungen. BWK 18 (1966) S. 28/30.

[61] *Kurzhals, H.:* Druckölspeicher. Ölhydraulik und Pneumatik 6 (1962) S. 59/62.

[62] *Neumann, A.:* Entnahmetechnik und andere Voraussetzungen für die erfolgreiche Anwendung von Analysengeräten. VDI-Berichte Nr. 97: Betriebsmessung von Stoffwerten. Düsseldorf: VDI-Verlag 1966.

[63] *Peinke, W.:* Bedeutung der Analysentechnik für die Prozeßautomatisierung (s. [62]).

[64] *Wille, Geward, Weber:* Netzplantechnik, Bd. 1 Zeitplanung. München: R. Oldenbourg Verlag 1966.

Sachwortverzeichnis

A

Abtastfrequenz 19
Amplitudenverteilung 72
Analogrechner 16
—, Einsatz von 117
— an einem Thomas-Konverter 119
— an zwei Destillationskühlschlangen 118
Ausgleichszeit 22
Autokorrelationsfunktion 75

B

Bedienungsfeld 19
Bode-Diagramm 8

C

Chargenverfahren 1

D

DDC-Technik 18
Destillationskolonnen 1, 12, 84
Digitalrechner 16

E

Eigenautonomie 85
Einstellkriterien 21
Einstellregeln
— nach Ziegler-Nichols 34
— von Chien, Hrones und Reswick 37
Entkopplungsnetzwerk 92
Entkopplungsregler 89
Entnahmedampfturbine 87

F

Filtermethode 74
Fließverfahren 1
Flüssigkeitsabschneider 6
Fraktionierkolonne 12
Frequenzgang 7
Frequenzganggleichungen 46
Frequenzgangmessung 8
Frequenzkennlinien 8
Führungsautonomie 85
Führungsgröße 3
Führungsverhalten 61
Füllstandregelung 6
Funktionen, stochastische 72
—, Kennwerte 72

G

Gesamtverfügbarkeit 19

H

Hand-Automatik-Schalter 5
Hilfsenergie
—, elektrische 140
—, hydraulische 142
—, pneumatische 138
—, Sicherstellung der 137
Hilfsregelgröße 41
Hilfsstellgröße 40

I

Istwert 3
ITAE-Kriterium 33

K

Kaskadenregelung 42
Kennlinienfeld 22
Koppelstrecken 88
Korrekturfaktor 88
Korrekturnetzwerk 90

L

Leistungsdichte 74
Leistungsspektrum 74
Leitgerät 6

M

Mehrgrößenregelkreise
—, nicht entkoppelte 93
—, P-Struktur der 91

—, Struktur der 90
—, V-Struktur der 91
Mehrgrößenregelung 81
Meßfühler 23
Meßumformer 6, 23
Meß- und Regelanlagen
—, Anlagenmodell 132
—, Betriebsschema 127
—, Gerätelisten 130
—, Gerätesymbole 125
—, Installationspläne 130
—, Kabelpläne 133
—, Meßstellenschema 127
—, Montage 120
—, Pläne 123
—, Planung 120
—, Schaltpläne 133
—, Verfahrenspläne 125
—, Zeitplan 136
Meß- und Regelgeräte
—, Auswahl 129
Modellverfahren 56
Montage von Meß- und Regelgeräten
—, Analysenraum 145
—, Inbetriebnahme 148
—, Meßwarte 143
—, Schaltraum 144

N

Nachstellzeit 30

O

Optimierung, statische 14
Ortskurve 46

P

Produktionsverfahren 1
Proportionalbereich 30
Prozeßrechner, zentrale 13

R

Rauschen 71
Regelabweichung 4
Regelanlagen
—, Beispiele ausgeführter 98
Regeleinrichtung 5
Regelfaktor 79
Regelfläche
—, lineare 33
—, quadratische 33
Regelgröße 3
Regelgüte
—, Kriterien 32
Regelkreis 5, 21
—, Auswirkung stochastischer Störgrößen 76
—, Blockschaltbild 45
—, dynamisches Verhalten 44
— entkopplung 82, 84
—, geschlossener 60
— kopplung 83
—, Störfrequenzgang 77
—, Verhalten bei stochastischen Störsignalen 70
—, Zweigrößen- 82
Regelkreisglieder
—, Verhalten 7
Regelschaltungen 21
Regelstrecke 5, 21
—, Analyse 53
, mathematisch 53
, experimentell 54
—, Blockschaltbild 44
—, Flüssigkeitsstand- 47
—, Kennlinienfeld 22
—, Mischungs- 47
— mit konzentrierten Parametern 45
— mit verteilten Parametern 50
—, Übergangsfunktion 22
Regelung 5
—, Begriffe 4
— der Desodorisation von Speiseöl 101
—, Direkte Digital- 18
— diskontinuierlicher Anlagen 99
— einer Bleichanlage für Speiseöl 99
— einer Schnitzeltrocknungsanlage in der Zuckerindustrie 109
— einer Verdampfstation für Dicksaft 104
— eines Autoklaven 103
— eines Dampferzeugers 107
— eines Zementdrehofens 113
— kontinuierlicher Anlagen 104
—, Methoden 10
Regelungsmethode, konventionelle 10
Regelverhalten
—, Übersicht 42
—, Verbesserung 38
Regler 5, 24
—, Anpassung an die Regelstrecke 31
—, Aufbau 29
—, dynamisches Verhalten 57
—, Einstellregeln 33
—, I- 26
—, Kennwerte 29
—, P- 24
—, PD- 27

—, PI- 26
—, PID- 27
Reglereinstellung
—, optimale 68
Rückwärtsoptimierung 15

S

Signalflußplan 3
Sollwert 4
Sollwertsteller 5
Sprungantwort 7
Stabilität 63
Stabilitätskriterien
— nach *Hurwitz* 64
— nach *Nyquist* 64
Stellgerät 23
Stellgröße 3
Stellsignal 3
Stellstrom 3
Stellungsregler 9
Steuerungsvorgang 2
Störgröße 4
Störgrößenaufschaltung 39
Störsignale, stochastische 70
Störungsautonomie 85
Störverhalten 61

T

Toleranzbereiche 10
Turbogenerator 83

U

Übertragungsbeiwert 22
Umsetzer
—, Analog-Digital- 18
—, Digital-Analog- 18

V

Verteilungsdichtefunktion 72
Verzugszeit 22
Vorhaltzeit 30
Vorregelung der Einflußgrößen 39
Vorwärtsoptimierung 15

W

Wirkungskette 2

Z

Zweigrößenregelkreise
—, Reglereinstellung an nicht-
entkoppelten 94